LE PIQUE-NIQUE DU DIABLE

Du même auteur

Sacré blues. Un portrait iconoclaste du Québec, traduit de l'an-
  glais par Hélène Rioux, Montréal, VLB éditeur, 2002.
Un voyage parmi les touristes, traduit de l'anglais par Hélène
  Rioux, Montréal, VLB éditeur, 2005.

LE PIQUE-NIQUE DU DIABLE
de Taras Grescoe
est le huit cent quatre-vingt-quatrième titre
publié chez VLB éditeur.

La traduction de cet ouvrage a été rendue possible grâce à une subvention du Conseil des Arts du Canada.

VLB éditeur bénéficie du soutien de la Société de développement des entreprises culturelles du Québec (SODEC) pour son programme d'édition.

Gouvernement du Québec – Programme de crédit d'impôt pour l'édition de livres – Gestion SODEC.

Nous reconnaissons l'aide financière du gouvernement du Canada par l'entremise du Programme d'aide au développement de l'industrie de l'édition (PADIÉ) pour nos activités d'édition.

Nous remercions le Conseil des Arts du Canada de l'aide accordée à notre programme de publication.

Taras Grescoe

Le pique-nique du diable

Traduit de l'anglais (Canada)
par Hélène Rioux

vlb éditeur
Une compagnie de Quebecor Media

VLB ÉDITEUR
Groupe Ville-Marie Littérature inc.
Une compagnie de Quebecor Media
1010, rue de La Gauchetière Est
Montréal (Québec) H2L 2N5
Tél.: 514 523-1182
Téléc.: 514 282-7530
Courriel: vml@sogides.com

Illustration de la couverture: Martin Roux

Catalogage avant publication de Bibliothèque et Archives nationales du Québec
et Bibliothèque et Archives Canada
Grescoe, Taras
    Le pique-nique du diable
    Traduction de: The devil's picnic.
    ISBN 978-2-89005-977-1
    1. Aliments. 2. Liberté. 3. Prohibition. 4. Contrôle social. I. Titre.
TX357.G7414 2008   641.3   C2008-941574-4

DISTRIBUTEUR EXCLUSIF:

• Pour le Québec et le Canada:
LES MESSAGERIES ADP*
2315, rue de la Province
Longueuil (Québec) J4G 1G4
Tél.: 450 640-1237
Téléc.: 450 674-6237
*filiale du Groupe Sogides inc.,
    filiale du Groupe Livre Quebecor Media inc.

Pour en savoir davantage sur nos publications,
visitez notre site: www.edvlb.com
Autres sites à visiter: www.edhexagone.com • www.edtypo.com
www.edjour.com • www.edhomme.com • www.edutilis.com

Édition originale:
© Taras Grescoe, *The Devil's Picnic: Around the World in Pursuit of Forbidden Fruit*,
New York, Bloomsbury Pub., 2005

© VLB ÉDITEUR et Taras Grescoe, 2008
Dépôt légal: 4e trimestre 2008
Bibliothèque et Archives nationales du Québec, 2008
Bibliothèque et Archives Canada
Tous droits réservés pour tous pays
ISBN 978-2-89005-977-1

Prologue

J'ai passé la dernière année à flirter avec le diable, une expérience quelque peu risquée quand on songe que, par le passé, Satan m'a, à plus d'une occasion, détourné de mon chemin. Mais, cette fois, j'ai l'air de m'en être sorti indemne. J'ai bu de l'absinthe dans les montagnes suisses et, dans les Andes, j'ai assisté à la fabrication de cocaïne à partir de feuilles de coca. J'ai fait entrer clandestinement de la gomme et de la pornographie à Singapour et j'ai fumé des cigares cubains à San Francisco. Et j'ai rapporté de ces voyages quelques souvenirs... sulfureux.

Quand la neige aura fondu, j'ai l'intention de rassembler ces souvenirs et de convier certains de mes meilleurs amis à un pique-nique sur la montagne au centre de ma ville – au sommet de laquelle se dresse une croix catholique géante. Il faudra nous installer hors de la vue des policiers qui patrouillent à cheval les sentiers, car notre nappe sera garnie de produits calomniés, honnis, interdits par les législateurs du monde civilisé. En guise d'apéritif, j'offrirai d'abord à mes invités un verre de tord-boyaux à 186 degrés acheté en Norvège auprès d'un bootlegger. Nous grignoterons ensuite des craquelins et du fromage : biscuits saupoudrés de graines de pavot narcotiques, interdits à Singapour, tartinés d'un époisses bien puant âgé de cinq semaines. Il paraît que, en France, deux personnes sont décédées de la listériose après avoir consommé de ce fromage au lait cru. Pour le plat de résistance, je me suis inspiré de quelques recettes glanées en Espagne : des bébés anguilles cuisinés dans une infusion de tabac et présentés dans un plat en terre cuite, accompagnés d'un ragoût de testicules de taureau dans une sauce à l'ail. Nous nous rincerons le palais en fumant un Cohiba, cigare cubain qui pollue l'atmosphère et provoque l'emphysème, authentique produit de la dystopie socialiste de Fidel Castro, qui agace les Yankees. Comme digestif : un petit verre d'absinthe d'une vallée suisse où l'ingrédient actif, l'armoise, est cultivé depuis le XVIIIe siècle. Je m'en suis procuré une bouteille dans une distillerie clandestine. D'un bleu brouillé, cet alcool est réputé pour provoquer des crises d'épilepsie. Je proposerai comme dessert le plus pur chocolat basque, noir comme « le cul du diable est noir à cause de la fumée », pour paraphraser le marquis de Sade, assaisonné de piments rouges pulvérisés. Pour stimuler l'esprit et réconforter l'âme, j'apporterai un thermos d'infusion de feuilles de coca, l'une des plus anciennes drogues connues ; de nos jours, le personnel de la DEA déracine cette plante dans tous les pays de la planète. Il y a toutefois un souvenir que je ne pourrai me permettre d'offrir à mes invités – je n'en conserve pas dans mon garde-manger. Il s'agit du penthiobarbital sodique, le dernier verre que les touristes suicidaires vont boire à Zurich quand ils veulent mettre un terme à leurs maladies incurables. Je serais curieux de voir qui aura le courage de se rendre au bout de cet infernal *déjeuner sur l'herbe**. Chacun des services contreviendra à des règles sacro-saintes : santé, tempérance, rectitude politique, tous ces diktats seront jetés aux orties. C'est garanti.

Heureusement, les puritains ne sont pas nombreux dans mon cercle d'amis intimes. En fait, la plupart d'entre eux ont l'esprit passablement ouvert. Voilà qui convient parfaitement : un esprit ouvert, dit-on, c'est le pique-nique du diable.

Ce qu'on ne peut pas avoir, on le veut.
Simplissime, comme psychologie. Tenez une tétine, un ourson en peluche ou un bonbon hors de la portée d'un bébé,

---

* Les passages en italique suivis d'un astérisque sont en français dans le texte (NdT).

et il piquera une crise. Refusez à un enfant une chose qu'il n'a jamais vue (un nouveau jouet, un bonbon inconnu, le dernier DVD de Disney), et il deviendra tellement obsédé par le désir de l'obtenir qu'il fera la grève de la faim et n'aura plus d'autre sujet de conversation.

Les parents comprennent cela, de même que les adolescents qui gardent des enfants. Les frères et les sœurs aînés le comprennent aussi – et ils exploitent le phénomène. On dirait pourtant que celui-ci échappe à nos gouvernements. D'une génération à l'autre, ils décident d'interdire certains produits à leurs citoyens. Ce sont des substances nuisibles, les préviennent-ils ; elles causent la dépendance, elles sont immorales, rendent les gens amorphes. Ils éprouvent ensuite un choc quand leurs citoyens réagissent comme des enfants rebelles et défient la loi pour obtenir ce que, les jugeant trop immatures, on leur avait interdit de posséder. Cette situation est complètement absurde. Philosophiquement injustifiable. Qui plus est, c'est un immense gaspillage de ressources sociales et économiques. Punir et incarcérer des gens pour leurs appétits et leurs excès coûte à la société des milliards de dollars par année et augmente incroyablement la misère humaine. Et cela ne tient pas compte de ce simple truisme : le fruit défendu devient plus fort, plus cher et plus convoité qu'il ne l'était auparavant.

C'est dommage parce que jamais, au cours de l'histoire, nous n'avons davantage été en mesure de satisfaire nos désirs les plus extravagants. Grâce à la mondialisation, les Nord-Américains et les Européens de la classe moyenne peuvent, en cliquant sur une souris, commander du safran iranien, des écharpes en pashmina du Népal ou des chaussures de sport griffées fabriquées dans des ateliers chinois, et FedEx leur livrera ces produits le jour même. Les nobles romains ou les aristocrates du XIXe siècle n'ont jamais eu un tel accès aux ressources du monde. L'Index des livres interdits par l'Église catholique a depuis longtemps disparu, et nous nous targuons de vivre dans une époque de liberté sans précédent, où nous pouvons lire *Ulysse* ou *Lolita* en public, naviguer sur des sites Internet osés et syntoniser des chaînes satellites arabes, manger du bacon et priser du tabac sans être terrorisés par les interdits religieux.

Cette liberté est illusoire. Le monde du XXIe siècle est criblé d'interdits ataviques. Nous savions déjà que les hindous n'ont pas le droit de manger les vaches sacrées et que les musulmans doivent éviter les jeux de hasard et l'alcool. De nos jours, cela va beaucoup plus loin. En Amérique du Nord, les activités suivantes sont strictement défendues (dans certains États américains, les peines encourues peuvent aller jusqu'à l'emprisonnement à vie) : planter des graines de chanvre ou de tabac dans son jardin, faire passer quelques grammes d'authentique camembert fermier à la douane, vendre ou boire de l'absinthe véritable, soigner une migraine avec une infusion de pavot ou de feuilles de coca. Né dans un climat de xénophobie ou de panique morale, chacun de ces interdits donne un aperçu des phobies actuelles de notre société : nous avons peur d'être contaminés par l'étranger, de céder aux attraits d'un hédonisme débridé et que cela porte sournoisement atteinte à l'éthique du travail.

À une époque de peur – peur du terrorisme, peur des idées étrangères, peur de nos propres concitoyens –, nous acceptons apparemment trop volontiers de voir notre liberté individuelle érodée au nom d'une sécurité accrue. La diabolisation est un instrument de pouvoir vieux comme le monde, et ses mots clés – *néfaste*, *tabou*, *tolérance zéro* – attachent une fausse mystique à des activités qui, autrement, seraient perçues comme anodines, pathétiques ou simplement banales. Les cibles ostensibles des prohibitions sont les substances déclarées nocives par les autorités (incarnées par l'État, les imams, les normes communautaires, le Vatican, les bureaucraties internationales). Le vrai champ de bataille, c'est notre corps et, en fin de compte, la victime est la souveraineté que nous exerçons sur nous-mêmes.

Pour ma part, j'ai toujours été fasciné par le fruit défendu. À l'adolescence, il m'a suffi de tomber sur les mots *absinthe*, *haschisch* et *opium* pour rêver de m'en procurer. Je n'ai jamais compris qu'on puisse manquer de curiosité au point de refuser d'expérimenter de nouvelles sensations, des états de conscience différents, et cela juste parce qu'ils sont circonscrits par les lois actuelles. Selon mon expérience, ceux qui traversent la frontière – les rebelles, les têtes de pioche, les libres penseurs – sont également ceux dont la compagnie est la plus agréable. (Ceux qui, au contraire, sont *obsédés* par la frontière – alcooliques, drogués, dépendants pathétiques – sont d'un ennui mortel.)

J'ai entrepris cette année, comme un Aleister Crowley avec sac à dos, déterminé à suivre la piste de tous les interdits et à goûter à tout, à envoyer au diable ceux qui prétendent que mes désirs devraient être régis par une loi quelconque. Après avoir voyagé pendant 12 mois dans sept pays, j'ai été en contact avec des attitudes très différentes face aux prohibitions (tolérance de l'État providence, frénésie de l'État nounou, indifférence urbaine et hystérie xénophobe, patience perplexe manifestée par les gens du monde développé qui voient leurs sources de revenus menacées par les interdits étrangers). Comme d'habitude, le monde a changé ma perspective. Si j'ai entrepris ma quête avec quelque chose d'un libertaire, en faveur de la légalisation, j'ai achevé mon périple avec une vision plus nuancée de la façon dont l'interdiction, en particulier en ce qui concerne la drogue, devrait être appliquée.

J'aurais dû le savoir, évidemment: rien n'est jamais aussi simple qu'on pourrait le croire au premier coup d'œil. Comme d'habitude, le diable se cache dans les détails.

L'APÉRITIF

Là où le vin est bon marché,
on ne trouve pas d'ivrognes.
THOMAS JEFFERSON

Hjemmebrent

Le tord-boyaux des Vikings

Je ne connaissais qu'un seul mot norvégien, mais j'avais déjà trouvé comment le glisser dans la conversation.

Ce mot était *hjemmebrent*, « tord-boyaux » en norvégien, et j'étais presque sûr que le fan de soccer à la tête rasée assis à côté de moi pourrait m'en parler. Dehors, une armada de nuages couleur de plomb voguait allègrement dans le ciel bleu, en route vers l'Islande. Des champs de blé couché par le vent chatoyaient. Notre autobus s'approchant des banlieues d'Oslo, les fermes au toit rouge et les panneaux indicateurs de traverses d'orignaux cédèrent graduellement la place à des ronds-points et à des magasins IKEA. Mon voisin avait essayé de concentrer son attention sur un magazine musical britannique, et quelque chose en lui – la barbe roussâtre de trois jours, les relents de bière et de tabac, les rots étouffés et la sueur luisante – hurlait « gueule de bois ! » Dans ces cas-là, il vaut mieux dormir, mais la montée d'adrénaline provoquée par le contrôle des passeports, la réclamation des bagages et le passage aux douanes l'obligeait à endurer consciemment son mal. De l'autre côté de l'allée, son copain – cheveux frisés, short, yeux cachés sous des lunettes de soleil d'aviateur –, était encore plus mal en point ; il émettait des grognements à intervalles irréguliers et, la tête appuyée contre le dossier devant lui, il protestait avec véhémence quand la passagère tentait d'incliner son siège. Comme tous les autres passagers de l'autocar, ils avaient déposé à leurs pieds les sacs transparents contenant les produits achetés dans les boutiques hors taxe de l'aéroport de Glasgow. C'était la première chose que j'avais remarquée en montant à bord de l'avion de Ryanair qui effectuait le trajet entre Prestwick et Torp. Tous les adultes sans exception avaient une bouteille de scotch, de gin, de vodka ou d'un autre spiritueux. Je reconnus la bouteille de Bushmills de dix ans d'âge dans un tube de carton embossé aux pieds de mon voisin.

« Tu reviens d'Écosse ? m'enquis-je avec bonne humeur.

— *Ja*, répondit-il d'un ton las. On est allés voir les Rangers jouer contre Hibernian. On était sept, mais on en a perdu deux à l'aéroport. Ils étaient aux toilettes quand l'autobus est parti. Tout le monde est un peu fatigué, aujourd'hui. »

Il s'appelait Rune et il habitait à Lillehammer.

« Vendredi après-midi, je pensais que j'allais à une réunion à Oslo, reprit-il, mais quand je me suis présenté au travail, tous mes amis étaient là. Ils m'ont dit : "Allez, on s'en va à Glasgow !" Je me suis marié à Copenhague cet hiver, mais je n'ai pas eu de fête entre gars. Ils m'ont fait cette surprise. J'ai porté les mêmes fringues toute la fin de semaine. » Il tira mollement sur sa chemise défraîchie. « Cette nuit, je n'ai dormi qu'une heure. Je voudrais bien appeler ma femme, mais j'ai perdu mon cellulaire dans un bar.

— Des batailles ? demandai-je.

— Non ! Nous étions là pour le soccer et la bière. Elle coûte deux fois moins cher qu'en Norvège et les verres sont plus grands. Nous étions très heureux. Et les Écossais l'étaient encore plus, parce que c'est Glasgow qui a gagné. »

Il sursauta quand je lui demandai s'il avait déjà bu du *hjemmebrent*. « Tu connais le *hjemmebrent* ? s'esclaffa-t-il. C'est très populaire là où j'habite. Mais on n'en trouve pas dans les bars ou les magasins. C'est incolore, comme la vodka, et très fort. Mais il y a eu des problèmes récemment, avec le méthanol, et c'est désormais plus difficile d'en trouver. On le mélange avec du jus de raisin ou du café. Ça s'appelle alors *karsk*. »

Je répétai le mot : il l'avait prononcé *kaarshk*.

« *Karsk. Hjemmebrent.* À présent, tu connais les deux mots les plus importants. » Il éclata de nouveau rire, puis il grimaça.

Il se pencha à travers l'allée pour expliquer à son ami ce que je cherchais.

Ce dernier renifla. Lorsque nous entrâmes dans la gare routière d'Oslo, il releva ses lunettes et il me regarda de ses yeux cernés, injectés de sang.

« Sois prudent », croassa-t-il.

Quand on parle d'alcool, la majorité de l'humanité nie les faits. L'alcool a beau causer d'énormes problèmes, nous persistons quand même à en consommer. (D'après l'Organisation mondiale de la santé, on peut attribuer à l'alcool 4 % des maladies dont souffre l'humanité ; seul le tabac, responsable de 4,1 % des décès à travers la planète, surpasse l'alcool comme facteur de risque en ce qui concerne la mortalité dans le monde développé.) Nous envions, tout en les haïssant en secret, les chanceux qui semblent capables de boire avec modération. (En particulier les Italiens, les Français et les Espagnols, que nous voyons déguster sans broncher une deuxième bouteille de vin rouge avec leur repas à multiples services.) Nous, quand nous buvons, nous manquons des journées de travail et nous nous retrouvons impliqués dans des rixes. (Aux États-Unis, on estime que l'alcoolisme coûte à la société 185 milliards de dollars par année, un coût principalement lié à l'absentéisme au travail. La majorité des meurtres, des viols et des crimes contre la propriété sont commis sous l'influence de l'alcool, et 40 % des accidents de voiture mortels y sont liés.) Régulièrement, nous déclarons que, sans alcool, nous aurions une meilleure vie et nous promettons d'y renoncer. (En adoptant des doctrines comme celle de l'islam ou en entreprenant de « nobles » expériences comme la Prohibition.) Puis, après des périodes de relative abstinence, voilà que nous succombons à une nouvelle envie de faire la fête. (Pensons aux orgies à la vodka de la Russie post-soviétique, aux beuveries dans lesquelles, après la vogue de l'ecstasy, se complaisent désormais les Britanniques.) Si notre espèce devait répondre au questionnaire des Alcooliques anonymes, elle serait une candidate sérieuse pour un meeting dans le sous-sol de l'église la plus proche.

Selon la dose ingurgitée, l'alcool peut provoquer la gueule de bois, une bagarre dans un pub ou un lavage d'estomac dans une salle d'urgence d'hôpital. Si l'alcool cause moins de dépendance que la nicotine, il est toutefois beaucoup plus addictif que la marijuana. Contrairement à la cocaïne ou à l'héroïne, il modifie à ce point la physiologie du cerveau et la structure de chacune des cellules du corps que, une fois privé de sa ration, un dépendant irréductible pourrait vraiment succomber à une attaque. Environ 10 % des buveurs deviendront dépendants, soit de gros buveurs occasionnels – des « fêtards » –, soit de véritables alcooliques. Les 90 % qui restent trouveront plaisir et réconfort dans leur relation avec l'alcool, et, celui-ci ayant le pouvoir de diminuer le risque de maladies coronariennes, ceux qui boivent modérément – deux ou trois verres par jour – pourront vraiment vivre plus longtemps que les abstinents.

Fléau du genre humain ou bienfait de Dieu, les cultures contemporaines sont profondément divisées sur ce qu'il convient de faire avec le jus fermenté des céréales, des pommes de terre et des fruits. Les Français, par exemple, pour qui le vin n'est pas un alcool, sont libres d'acheter du pinard dans une bouteille de plastique à quatre heures du matin. (Et ils ne se transforment pas tous en violeurs et en assassins, bien que les statistiques sur la conduite en état d'ébriété en France donnent froid dans le dos.) Quant aux Iraniens, qui paient 200 $ une bouteille de Johnnie Walker achetée au marché noir, ils tremblent à l'idée des 70 coups de fouet qu'ils recevraient si la *komitch*, police religieuse islamique, venait frapper à leur porte et décelait une odeur de whisky dans leur haleine. (Cela dit, il y a remarquablement peu de cas de cirrhose en Iran, bien qu'on y compte deux millions d'héroïnomanes.) Avec ses drôles de lois contradictoires sur la consommation d'alcool, le reste du monde se situe quelque part entre le libéralisme à tout crin des cultures latines et la totale prohibition des cultures islamiques.

Prenons les États-Unis : dans certains États, de la nourriture doit être offerte là où l'on sert de l'alcool, alors que dans d'autres, la consommation d'aliments y est interdite. Certains exigent que l'intérieur d'un bar soit visible de la rue et d'autres veulent que les buveurs soient cachés de la vue. En Arkansas et en Alabama, un important pourcentage de comtés sont encore complètement abstinents. Jusqu'en 2004, la Constitution de la Caroline du Sud interdisait de verser l'alcool d'une bouteille et précisait que les spiritueux ne devaient être offerts que dans le genre de petits contenants de 1,7 once utilisés à bord des avions. Dominé par les mormons, l'Utah est vraiment extrémiste : les clients doivent acheter une carte de membre annuelle d'au moins 12 $ avant d'être autorisés à commander un verre dans un bar, les serveurs ne peuvent présenter la carte des vins aux clients que sur demande expresse et les tenanciers de bar n'ont pas de droit de servir des doubles, bien qu'ils puissent déposer un verre d'une once du même alcool à côté du verre du client. En Angleterre, le Licensing Act de 1964 autorise les buveurs à déambuler en face des pubs avec leur pinte de bière, mais oblige les patrons de bistrot à annoncer le dernier service à 23 heures, ce qui amène les clients à commander et à consommer à toute vitesse. (Le gouvernement travailliste a proposé un amendement afin de permettre aux autorités locales d'établir leurs propres heures de fermeture. On espère réduire ainsi l'effet de dernier service transformant le West End londonien et le Fallowfield de Manchester en urinoirs publics où tout le monde se bagarre et vomit. On craint toutefois de voir, à court terme du moins, émerger une culture où l'on boit 24 heures sur 24.)

Et puis, voici la Norvège, élu meilleur pays du monde par les Nations unies pour la quatrième année consécutive, à la suite de la panoplie habituelle de statistiques abrutissantes : une espérance de vie de 79 ans, un taux d'alphabétisation de 91 %, un taux de chômage à long terme de seulement 0,2 % et un produit national brut de 36 000 $ US *per capita* – ce qui classe la Norvège au deuxième rang mondial après le Luxembourg. Depuis la découverte de pétrole au large du littoral à la fin des années 1960, ce peuple de pêcheurs, de marins et d'agriculteurs est devenu très riche en vérité : Oslo vient de dépasser Tokyo à titre de ville la plus chère au monde. Un litre d'essence acheté à une station-service Statoil – propriété de l'État – coûte 10 couronnes (1,42 $) et il faut débourser 30 couronnes (4,28 $) pour faire une balade en tramway dans la ville ; même composer un numéro 1 800 – supposément sans frais – dans une cabine téléphonique coûte cinq couronnes (0,70 $). Étant donné l'envergure du filon de pétrole, on serait en droit de s'attendre à une petite célébration, avec un peu de champagne et des cocktails. Pas question. En dehors du monde islamique, aucune culture ne connaît de régime plus restrictif en matière de contrôle de l'alcool. Premier pays à établir, en 1936, une limite du taux d'alcoolémie au volant, la Norvège interdit la publicité de toute boisson alcoolisée à l'exception de la bière légère. Le vin et les spiritueux sont vendus uniquement dans des boutiques contrôlées par l'État ; la plupart d'entre elles sont ouvertes jusqu'à 18 heures en semaine, 15 heures le samedi, et sont fermées le dimanche. C'est la Norvège qui impose les taxes les plus élevées sur l'alcool et, par conséquent, c'est dans ce pays que la bouteille de gnôle coûte officiellement le plus cher ; un litre de vodka Smirnoff se vend 50 $ US, et une pinte de bière Ringnes de fabrication domestique vous en coûtera neuf au centre-ville d'Oslo.

Les Norvégiens peuvent rassembler quelques chiffres impressionnants montrant que leur forme de gouvernement, qui les prend en charge à partir du berceau jusqu'à la tombe, a un effet positif sur le bien-être public. Avec seulement 60 individus incarcérés pour 100 000 habitants (alors qu'aux États-Unis la proportion est de 730 pour 100 000 habitants), ils ont l'un des taux d'incarcération les plus bas au monde – et comme on y trouve moins de 3000 places en prison, certains criminels condamnés doivent parfois attendre jusqu'à deux ans avant de commencer à purger leur peine. La Norvège est un pays où il fait bon être une femme : les femmes occupent en effet plus d'un tiers des sièges au Parlement, ou Storting, l'État fournit les soins médicaux gratuits, les garderies, et il offre une compensation financière aux parents. Il se commet en général seulement

50 meurtres par année dans le pays – alors que, dans la seule ville de Detroit, le chiffre dépasse 350 – et ces crimes comportent peu de violence fortuite. À l'instar de la Suisse, la Norvège a décidé de ne pas adopter l'euro, préférant conserver la couronne indigène, et elle ne fait pas partie de l'Union européenne. Avec 140 milliards de dollars de pétrole mis de côté – une poire pour la soif, en quelque sorte –, les Norvégiens n'ont pas besoin des paysans européens.

À tous les égards, la Norvège constitue une exception. Elle est une utopie égalitaire où les pierres tombales doivent être de la même hauteur et où, en vertu de l'*allemansretten* – «droit de tout homme» –, les citoyens peuvent planter leur tente, cueillir des fruits ou skier n'importe où dans le pays, même sur des propriétés privées. La Norvège est un royaume sexuellement libéré où le prince couronné a épousé une mère célibataire ayant, de son propre aveu, déjà consommé régulièrement de la cocaïne, où le ministre des Finances a convolé en justes noces avec son conjoint de longue date et où, malgré tout, le premier ministre est un ancien pasteur luthérien totalement abstinent. C'est la version extrême de l'État nounou, où l'on ne fume ni dans les bars ni dans les restaurants et où l'office national du film a interdit 300 films depuis 1955 (notamment *Crash*, *Les yeux grands fermés* et *La vie de Brian*). Pour ce qui est de la sobriété, la Norvège se pose en pays modèle, car ses lois strictes ont apparemment produit le taux de consommation d'alcool le plus bas de l'Europe. Si l'on se fie aux statistiques officielles, les Norvégiens adultes ne boivent que 5,9 litres d'alcool par année, soit l'équivalent d'une cannette de bière par jour, une consommation relativement anodine quand on la compare à celle des Italiens (9,2 litres), des Français (13,6 litres) et des Irlandais, champions du monde qui, avec 14,2 litres d'alcool pur, boivent l'équivalent de deux cannettes et demie de bière par jour.

Traînant ma valise sur les pavés devant la façade néoclassique de la gare ferroviaire d'Oslo, j'eus la surprise de découvrir des vagabonds qui arpentaient les rues proprettes de l'État providence connu comme le plus cher de la planète. Dans Fred

Olsens Gate, je faillis trébucher sur deux jeunes maigrichons, vêtus de chandails noirs à capuchon, assis, les jambes croisées au bord du trottoir entre de luxueuses voitures ; ils s'affairaient à quelque tâche complexe nécessitant cuiller et briquet. Je traversais un stationnement quand les roulettes de ma valise s'accrochèrent dans un petit tas de seringues et d'emballages de pilules écrabouillés. Marchant sur la grêle passerelle qui enjambait une autoroute devant le port, je jetai un regard en arrière et vis deux policières à cheval accoster les hommes en chandails kangourous ; les cheveux blonds des jeunes femmes, attachés sur la nuque, sortaient sous le casque noir, et leurs imposantes montures alezan clair piaffaient tandis que les deux garçons se relevaient tant bien que mal.

Trimballant ma valise, je poursuivis ma route vers le bord de l'eau. À Oslo, mon hôtel allait être un bateau. Le MS *Innvik*, un yacht qui croisait autrefois dans le fjord, abritait désormais une troupe de théâtre qui payait ses factures en louant aux touristes les cabines exiguës du pont supérieur. Après m'être enregistré, je commandai un sandwich au thon que je mangeai en essayant d'oublier la misère sordide dont je venais d'être témoin.

À tribord, la vue était moins déprimante. De l'autre côté du fjord d'Oslo, des conteneurs orange et bleu étaient empilés devant un promontoire couvert de conifères et, un peu plus loin sur la jetée, un traversier s'éloignait des tourelles du château Akershus. La lumière était évanescente, le ciel, d'un bleu aussi pâle que des yeux scandinaves. Je remarquai alors deux silhouettes assises plus près du bateau, face à face, à l'ombre d'une barrière de béton. Il émanait de cette scène une tendresse étrange : une seringue à la main, la femme sondait patiemment les avant-bras décharnés de son compagnon, à la recherche d'une veine. Après les avoir tapotés et palpés pendant quelques minutes, elle renonça et lui injecta directement la drogue dans le cou.

Je repoussai mon sandwich. Les Norvégiens étaient censés être des parangons de vertu, et les premiers avec lesquels j'étais en contact étaient des fans de foot aux prises avec une gueule de bois carabinée et des junkies émaciés qui se shootaient en public. Quelque chose était pourri dans le royaume de Norvège, et ce n'était pas le thon de mon sandwich.

« Nous parlions justement de la dernière mesure prise par la police », dit Alto Braveboy entre deux gorgées de bière Aass.

Il était presque 22 heures. Le soleil s'était enfin couché dans le fjord et je m'étais joint à quelques machinistes assis autour d'une table sur le pont supérieur de l'*Innvik*. Alto, le plus loquace du groupe, était un personnage haut en couleur : vieux punk, adepte de longue date de la planche à neige, il portait un foulard noir autour du cou. Les anneaux dorés qui entouraient ses pouces et perçaient sa lèvre supérieure contrastaient joliment avec son teint café au lait. Sa famille était originaire de Grenade, mais il avait vécu à Oslo presque toute sa vie et il parlait l'anglais avec l'accent de la BBC dont il était un fidèle auditeur.

« Les junkies avaient coutume d'acheter leur drogue sur la *plata*, reprit-il, le square au sud de la gare ferroviaire. Mais l'homme le plus riche d'Oslo, propriétaire de l'hôtel Opera, que tu peux voir d'ici » — il indiqua d'un signe de tête l'enseigne orange au néon sur une façade derrière la gare — « a décrété qu'il ne voulait plus les voir déranger les touristes. La police a donc reçu l'ordre de les faire changer de place. Désormais, les trafiquants opèrent dans 20 parcs différents et dans des cours d'école. Sur la *plata*, il y avait au moins des caméras de surveillance, et les gens étaient sur leurs gardes. Si des jeunes de 13 ans essayaient d'acheter de l'héroïne, la police pouvait intervenir. À présent, plus personne n'est responsable de rien. Et certains de ces revendeurs… eh bien, disons qu'ils n'ont pas une éthique à toute épreuve. Ils vendent à n'importe qui. »

La Norvège n'est pas la Suisse ni les Pays-Bas, où les politiques libérales s'appliquant à la consommation de drogue ont produit l'un des plus bas taux au monde de violence et de problèmes de santé liés à l'usage des stupéfiants. Comme la Suède, la Norvège souscrit officiellement au paradigme de la guerre contre la drogue menée à l'échelle mondiale. On compte au moins 5000 héroïnomanes à Oslo et, en 2001 seulement,

338 personnes ont succombé à une surdose – les assassinats étaient sept fois moins nombreux. En conséquence, la Norvège est devenue la capitale européenne des décès liés à la drogue. L'héroïne, qui arrive clandestinement de l'Afghanistan, coûte depuis peu moins cher que le tabac (c'est vrai que, à 10 $ le paquet, les cigarettes sont loin d'être abordables). L'héroïne n'est toutefois pas bon marché au point que les dépendants puissent se permettre de la renifler ou de la fumer – comme on le fait en Hollande. Ils utilisent donc des seringues et, quand la drogue est plus forte que d'habitude, la surdose survient. Un programme approprié de méthadone n'a été mis sur pied qu'à la fin des années 1990 et ceux qui veulent cesser de consommer doivent parfois attendre jusqu'à deux ans.

« Un vrai désastre, commente Alto. On avait prévu un endroit sûr près de la gare, où les gens qui voulaient se shooter pouvaient recevoir des seringues propres, mais il n'a jamais ouvert ses portes. La Norvège est un des ces pays qui prétendent n'avoir aucun problème. »

Il m'évalua du regard en aspirant une bouffée de sa cigarette. « Mais qu'est-ce qui t'amène ici, mon vieux ? Pas la drogue, j'espère ? »

Eh bien, un genre de drogue, admis-je. J'étais à la recherche d'*hjemmebrent*.

Il éclata de rire. « Avant, nous en buvions beaucoup. À Oslo, nous l'appelons *heimert*. On n'en boit pas régulièrement, juste quelques fois, à des fêtes, pour se soûler. Quand on le prend avec de l'eau, c'est tellement fort qu'on éprouve ce qui s'appelle *kald kjeft*, ce qui veut dire "bouche froide". Le lendemain, on a la bouche complètement insensible. Très désagréable. » Il frémit en évoquant cette sensation.

« Mais si tu en veux, ça ne devrait pas poser de problème. Dans le nord, dans la région de Trøndelag, près de Trondheim, ils ne boivent que ça. Et ils savent *vraiment* boire, là-bas. Les gens qui vivent sur une île, ou dans un village isolé, à trois milles norvégiens de leurs plus proches voisins, ne se réunissent pas le samedi soir pour discuter de littérature. Ce qu'ils veulent, c'est se soûler la gueule. »

Alto prit son téléphone cellulaire, parcourut le répertoire et composa un numéro. Je reconnus quelques mots : « *Kanadisk… bok… heimert…* » Il raccrocha. Il paraissait perplexe. « Mon ami dit qu'il avait bien un peu d'*hjemmebrent*, mais qu'il l'a transformé en absinthe. Je vais donner d'autres coups de téléphone. »

Il prit sa bière et se dirigea d'un pas nonchalant vers la cale. « Ne t'en fais pas, dit-il. On devrait pouvoir te trouver un contact. »

Je découvris mon premier magasin Vinmonopolet (Monopole du vin) dans Grünerløkka, un quartier riverain parsemé de petits parcs, de salons de thé et de bistrots italiens. Je pris conscience de sa présence en voyant un défilé de femmes, en tailleur et talons hauts, avec, à la main, des sacs bleu marine embossés d'argent remplis de bouteilles de vin dans des boîtes de carton. Comme, en semaine, les magasins d'alcool ferment une heure seulement après la sortie des bureaux, les gens doivent souvent trouver un prétexte pour aller acheter du vin pendant les heures de travail ; de toute évidence, j'étais tombé sur la cohue de l'heure du lunch. Le format de trois litres est le plus économique (même si, à 100 couronnes, ou 14 $, le litre, on peut difficilement le qualifier de bon marché). Comme il fallait s'y attendre, un politicien enclin à la sobriété a récemment réclamé l'interdiction du vinier parce qu'il « favorise la consommation ».

Le magasin se distinguait des autres par son logo, un V tarabiscoté, et par d'impressionnants rideaux de fer forgé à chacune des vitrines, sans doute pour empêcher des véhicules blindés de les fracasser pour cambrioler la place. Dans un pays dont la superficie équivaut à près de trois fois celle de l'Angleterre, on ne trouve que 190 boutiques vendant de l'alcool (alors qu'en Irlande, pays moins peuplé, 2023 magasins ont un permis de vente de vin, et 808 vendent des spiritueux). Quelques boutiques libre-service expérimentales ont bien sûr récemment ouvert leurs portes – et l'on a rénové la succursale de Grünerlokka en la décorant de fresques de style vaguement italien –,

n'empêche que le design austère de la majorité des Vinmonopolet ressemble à celui des grands magasins de l'ère soviétique.
Je pris un ticket dans une machine distributrice et fis la queue
derrière un trio de jeunes dans la vingtaine qui durent montrer
leur carte d'identité avant d'obtenir un pack de six bières. (Les
supermarchés sont autorisés à vendre de la bière à moins de
4,7 % d'alcool, mais ces sections sont verrouillées après 18 heures. Mon numéro, 189, s'afficha au-dessus du comptoir, et la
préposée prit mon ticket.

« *Hei. Kam jeg hjelpe deg?* » demanda-t-elle avec bonne humeur.

Je dus lui paraître dérouté.

« Vous parlez peut-être anglais ? reprit-elle. Que désirez-
vous ? »

Je répondis que je ne savais pas trop, car toute la marchandise était dissimulée derrière un comptoir.

« Nous avons un catalogue. » Elle m'indiqua d'un geste de
la main un support fixé au mur.

Le *Prisliste*, une brochure de 80 pages, énumérait les produits actuellement en vente dans la succursale ; un numéro de
trois à cinq chiffres identifiait chaque bouteille de pinot noir,
d'Avocaat ou de Baileys. À la dernière page, un tableau
détaillait où allait votre argent. Prenons une bouteille de caber-
net sauvignon de 79 couronnes : le fabricant en recevait 20,
mais la taxe, *Alkoholavgift*, était de 32,50 couronnes. En fait,
l'État taxait l'éthanol ; plus le taux d'alcool était élevé, plus
l'État s'offrait un gros « cadeau ». Pour une bouteille de Cam-
pari à 42 % d'alcool par volume, les différentes taxes totali-
saient 75 % du montant payé par le consommateur ; pour une
bouteille de vodka à 80 %, ces taxes exorbitantes étaient de
86 % du prix. Grâce à cette politique, les Norvégiens à l'étranger, toujours conscients du taux d'alcool, amusent les Français
et les Italiens en préférant les rouges à 13,5 % aux vins de qualité supérieure, mais moins alcoolisés. Cela incite aussi les Nordiques à visiter les pays voisins pour faire provision de spiritueux meilleur marché. Lorsqu'ils veulent éviter de débourser
l'équivalent de 40 $ pour une bouteille de vodka, les Norvégiens

se rendent en voiture en Suède, où la même bouteille leur en coûte 28. Les Suédois, eux, prennent le ferry jusqu'au Danemark, où elle se vend 14 $; et les Danois traversent la frontière au nord de l'Allemagne où ils paient la même bouteille 7 $.

Je pris un autre ticket, refis la queue et retournai au comptoir. Cette fois, pointant un produit indiqué dans le catalogue, je dis d'un ton confidentiel : « Je voudrais deux bouteilles de... euh... 20609. »

La préposée hocha la tête, disparut parmi les étagères dans l'arrière-boutique et revint une minute plus tard avec deux bouteilles de Duvel, la plus forte des bières belges. Le prix était de 73 couronnes (10,40 $). Qui plus est, la bière était tiède. Je sortis du magasin avec mon sac bleu trop voyant, me sentant un peu minable. Un peu comme si je venais de mettre ma machine à écrire au clou pour m'acheter au noir du sirop pour la toux.

À en juger par la réplique d'un magasin d'alcool historique au Folk Museum d'Oslo, acheter de l'alcool en Norvège a toujours été à peu près aussi agréable que de recevoir un vaccin contre la polio. Selon les écriteaux laminés, jusqu'en 1960 environ, le système d'achat en place comportait trois étapes : on commandait, on payait à la caissière – ici, un mannequin représentant une femme à l'expression sévère dans une cage de verre, qui regardait la caisse par-dessus ses lunettes à monture d'acier – et on recevait une bouteille emballée après avoir présenté son reçu. Les bagarres pour une place dans la file d'attente devinrent un tel problème que le gouvernement décida un jour d'interdire purement et simplement les files d'attente. Les clients durent alors faire les cent pas sur le trottoir, puis converger brusquement vers l'entrée à l'ouverture du magasin.

À tout le moins, la Norvège n'eut pas à supporter les humiliations causées par le système Bratt du contrôle de l'alcool, le célèbre programme suédois en vigueur de la fin de la Première Guerre mondiale jusqu'en 1955. Les spiritueux n'étaient vendus qu'aux hommes mariés munis d'un livret de rationnement, autorisés à acheter de un à quatre litres par mois seulement.

À l'occasion, des fonctionnaires visitaient des foyers pour déterminer si le candidat était suffisamment respectable pour qu'on augmente sa ration; si ce dernier perdait son emploi, sa carte était annulée. (Un système semblable fut appliqué dans la plupart des provinces canadiennes, mais les rations étaient beaucoup plus élevées. La prohibition a existé au Canada à partir de 1919; elle n'a duré que deux ans au Québec et, en Ontario, elle s'est prolongée jusqu'en 1927. De nos jours, c'est le Liquor Control Board qui régit la vente de l'alcool dans cette province, et on achète la bière dans des magasins appartenant aux brasseries, mais gérés par le gouvernement; les employés de l'entrepôt font glisser les caisses de bière aux clients sur des tapis roulants à l'arrière du magasin.)

Au Folk Museum, des bouteilles d'aquavit, de porto et de vin rouge, remplies d'eau colorée, sont disposées sur les tablettes. On a mis des écriteaux, apparemment pour empêcher les fous furieux morts de soif d'enjamber le comptoir.

Innholdet i flaskene skal ikke drikkes! (On ne doit pas consommer le contenu de ces bouteilles!)

Alarm bak disken! (Dispositif d'alarme derrière le comptoir!)

Même dans un musée du XXIe siècle, dont les panneaux invitent les visiteurs à se moquer des lois révolues régissant la consommation d'alcool, il est apparemment impossible de croire les Norvégiens capables de contrôler leurs impulsions.

Le SIRUS, institut national de recherche sur la drogue et l'alcool, qui collabore à l'établissement des politiques officielles sur l'alcool, se penche depuis 1960 sur les habitudes de consommation des Scandinaves. J'avais pris rendez-vous avec quelques-uns de ses experts de haut vol et, un mardi matin, je traversai une cour entourée d'une clôture et j'entrai dans un édifice gouvernemental d'aspect peu engageant, mais dressé au milieu d'un joli square en pavés ronds.

Ragnar Hauge, criminologue et auteur de plusieurs ouvrages sur la politique norvégienne concernant l'alcool, me fit entrer dans son bureau. C'était un grand bonhomme aux yeux fatigués, dont les cheveux coiffés en arrière dégageaient le front carré. Dans mon dos, des étagères montant jusqu'au plafond supportaient des piles de bouquins et de monographies sur l'alcool et la drogue. Un paquet de tabac était posé à portée de sa main sur le bureau.

« J'ai appris, lui dis-je, que, *per capita*, les Norvégiens ne boivent pas plus d'alcool que les autres peuples ; la seule différence, c'est qu'ils le boivent d'un seul coup.

– Bien, *ja*, admit Hauge en riant. C'est peut-être vrai. Nous avons établi des normes très strictes pour contrôler la consommation. Pendant la semaine, on ne boit pas aux repas chez soi, ni au travail à l'heure du lunch. Puis, la fin de semaine arrive et on boit, on boit énormément. Quand on est invité chez quelqu'un, on s'attend à se faire offrir du vin et de la bière. Après le repas, les spiritueux sont apportés à la table : aquavit, vodka, whisky, autant qu'on en veut. Si vous consultez les statistiques, la Norvège est le pays où la consommation d'alcool est la plus basse ; mais promenez-vous la nuit dans les rues et vous croiserez un grand nombre de personnes passablement éméchées. »

Je lui demandai s'il y avait à ce modèle une explication historique.

« Bien entendu, au cours des deux derniers siècles, le mouvement favorisant l'abstinence a été très fort en Norvège. Nos plus gros problèmes d'alcool ont débuté en 1814, quand nous nous sommes séparés du Danemark et avons conclu une alliance avec la Suède. Nous avons constitué notre propre parlement, lequel a aboli l'interdiction danoise de distiller chez soi. »

Lorsque les fermiers commencèrent à produire leur propre tord-boyaux, toute la Norvège se mit à faire la fête, et la consommation moyenne grimpa à 12 litres de spiritueux par adulte. En réaction, un mouvement de tempérance fondé sur la doctrine luthérienne – l'une des branches parmi les plus austères du protestantisme, réputée pour la véhémence de ses prédicateurs – réussit, en 1840, à faire de nouveau interdire les alambics. Après cela, les activistes antialcooliques, concentrés dans le sud-ouest de la Norvège – la ceinture biblique, une région densément peuplée – exercèrent une énorme influence sur la

politique gouvernementale. En 1919, un vote à l'échelle nationale approuva la prohibition des spiritueux et des vins fortifiés ;
en 1926, constatant que des pratiques comme la contrebande,
la fabrication clandestine et l'abus de l'alcool prescrit sur ordonnance s'étaient largement répandues, un deuxième référendum
fit abroger cette loi. Aujourd'hui encore, si la disponibilité est
restreinte et les prix sont élevés, c'est à cause des pressions exercées par les adeptes du mouvement pour la tempérance. Comme
Hauge l'admit, il en résulte un important marché illégal et certaines conséquences déplorables pour la santé publique.

« Au cours des deux dernières années, nous avons eu beaucoup d'alcool importé contenant du méthanol, ou alcool de
bois. Ce genre d'alcool a causé une vingtaine de décès ; hier,
par exemple, une femme est morte après en avoir bu. Et personne n'arrive à comprendre qui a fait ça, ou pourquoi, parce
que le méthanol ne coûte pas moins cher que les spiritueux. »

Hauge se permit un petit rire désabusé.

« On pourrait se demander si c'est le Vinmonopolet ou le
mouvement pour l'abstinence, parce que cela a temporairement tué le marché noir. » (En réalité, l'alcool auquel on avait
ajouté du méthanol venait d'Europe méridionale ; 250 citoyens
portugais furent inculpés pour contrebande dans cette affaire.)
« Auparavant, la plupart des usines et des bureaux avaient des
contacts et ils pouvaient facilement acheter une bouteille pour
la moitié du prix demandé au magasin d'alcool. Ce qui a naturellement provoqué une augmentation de la contrebande d'alcool à partir de la Suède.

— En ce cas, suggérai-je, se pourrait-il que les beuveries auxquelles s'adonnent les Norvégiens découlent des politiques restrictives et des taxes élevées ?

— J'en doute, protesta vivement Hauge. J'ai écrit un livre
sur la législation entourant l'alcool au cours du dernier millénaire, et la consommation excessive existait avant le mouvement pour la tempérance. La Norvège a longtemps été un pays
très pauvre, et les céréales constituaient un produit très précieux, qu'il ne fallait pas utiliser pour des raisons futiles. Quand
on s'en servait pour fabriquer de la bière, on pouvait goûter au

résultat de son effort. C'est pourquoi, pendant une longue période, on n'en buvait pas en petites quantités, comme c'était le cas pour le vin en Italie. Quand nous buvions, nous buvions beaucoup. C'est chez Tacite que l'on trouve la première description des habitudes nordiques concernant l'alcool. »

Il me montra un passage d'un traité datant de l'an 100, dans lequel l'historien romain avait observé les Scandinaves : « Ils mangent simplement et se rassasient sans mets raffinés. Pour ce qui est de la soif, ils manquent également de retenue : si on l'étanche en leur fournissant tout l'alcool dont ils ont envie, ils succomberont bientôt aux vices et aux armes... Boire nuit et jour ne déshonore personne. Les rixes sont fréquentes, comme cela se produit souvent chez les ivrognes, et elles se terminent souvent en massacres et en effusions de sang. »

Voilà qui expliquait pourquoi des motards *death-metal* incendiaient des églises en bois, pourquoi des Vikings nolisaient des avions et allaient se soûler dans des centres de villégiature méditerranéens : ils descendaient en ligne directe de ces barbares déchaînés décrits par Tacite. Mais les Norvégiens étaient désormais les gens les plus riches de la planète ; s'ils le souhaitaient, ils pouvaient acheter toute la vodka de la Russie, toute la bière de Milwaukee. Un changement de politique – une réduction des taxes, disons – pourrait-il produire un effet sur ces habitudes depuis si longtemps enracinées ?

« Je ne crois pas, répondit Hauge. Si l'alcool était offert au même prix qu'ailleurs en Europe, la consommation augmenterait énormément. À mon avis, quelque chose dans nos gènes norvégiens nous pousse à boire. Nous pourrions peut-être changer avec le temps. Mais je crois que ces habitudes font partie de l'âme du peuple norvégien. »

Autrement dit, quand il s'agissait de boire, rien ne changeait. Parce que les Norvégiens buvaient comme des Vikings, l'État avait le droit d'imposer des politiques restrictives.

Je montai à l'étage pour rencontrer une collègue de Hauge : Ingeborg Rossow, criminologue et chercheuse dans le domaine de l'alcool. Cette grande femme blonde, ex-dentiste, se montra amusée par l'intérêt que je portais à la réputation d'ivrognes de ses compatriotes.

Je commençai en lui disant que, en italien, il n'existait pas de mot pour « gueule de bois » ; l'expression qui se rapprochait le plus était *postumi di sbornia*, ou « effets subis par la consommation d'alcool ». Pour leur part, les Finlandais utilisaient *krappola*, un excellent terme. Avait-on un équivalent norvégien ?

« Oui, dit-elle. Nous en avons plusieurs. C'est comme les Inuits qui ont plusieurs mots pour désigner la neige. Nous disons, par exemple, *fyllesyke*, ce qui signifie "maladie d'excès d'alcool". Quand vous l'avez, vous souffrez certainement d'une migraine et ne serez probablement pas en mesure d'effectuer vos tâches normales. Puis, nous avons le mot *tømmermenn*, qui se traduit littéralement par "bûcherons". Dans ce cas, il s'agit d'un mal de bloc ou d'une migraine carabinée, comme si on avait de petits menuisiers qui travaillaient dans notre tête. Nous utilisons aussi le mot anglais *hangover* ; quant au *blåmandag*, c'est un "lundi bleu", quand on a passé le week-end à boire et qu'on s'en ressent encore le lundi au travail ou à l'école. Et puis, il y a des mots liés à la chose, comme *reparere*, qu'on pourrait traduire par "poil de chien" ; on le dit quand on a besoin d'un verre ou deux le matin pour se "remettre sur les rails". »

Dans un récent article, Rossow a souligné que les statistiques officielles ne tenaient pas compte des spiritueux illégaux en Norvège. Je lui demandai d'où, selon elle, provenaient ces spiritueux.

« Environ 25 % de l'alcool consommé en Norvège n'est pas enregistré. La moitié de ce chiffre est de l'importation touristique – hors taxe, vendu à la frontière – et l'autre moitié consiste en alcool de contrebande, alcool domestique, bière et vin de fabrication artisanale. »

Cette consommation illégale pouvait-elle être liée aux politiques de contrôle restrictives ? Lorsque le Vinmonopolet le plus proche se trouve à 200 milles, on peut avoir envie de concocter son propre tord-boyaux.

Rossow n'était pas de mon avis. « Selon moi, il est difficile de voir cela comme une sorte de réaction à la politique de contrôle. C'est davantage lié à d'autres activités effectuées à la maison, comme la menuiserie ou le jardinage. Cela fait partie d'une riche tradition rurale. *Hjemmebrent* signifie littéralement "brûlé à la maison", ou "distillé à la maison". De nombreuses personnes sont fières de fabriquer leur propre alcool et de le partager avec d'autres – elles préfèrent même cela au cognac ou au whisky. Personnellement, je trouve le goût terrible. Mais c'est vrai que certains aiment la grappa. »

Intéressant, pensai-je. Non seulement Rossow avait-elle goûté à l'alcool artisanal, mais elle niait carrément que sa popularité pût être liée au prix exorbitant des spiritueux achetés en magasin. Pas très logique, à mon avis. Si le Jack Daniel's et la Stolichnaya étaient aussi accessibles et bon marché en Norvège que dans le reste de l'Europe, les gens ne prendraient pas le risque d'avoir un alambic à la maison. Dès 1924, l'auteur Louis Lewin avait remarqué le penchant troublant des Norvégiens pour les drogues bouche-trou. « En Norvège, l'usage de l'éther semble avoir pris des proportions considérables », écrivit-il dans *Phantastica*, son étude sur les drogues, un classique du genre. « Les jours de congé, jeunes et vieux, hommes et femmes consomment cette drogue… On comprend facilement que, dans ces pays où l'antialcoolisme est parvenu à atteindre une victoire apparente, le désir de trouver une autre substance enivrante conduit à la découverte de substituts. L'éther est de ceux-là. »

Je posai carrément la question à Rossow : fallait-il protéger les Norvégiens contre eux-mêmes ? Était-ce cela qui justifiait les politiques de contrôle du gouvernement ?

« Ma foi, je pense que, à court terme, du moins, une politique très libérale en matière d'alcool nous ferait beaucoup de tort. En Scandinavie, boire pour se soûler est encore la norme, et chaque litre d'alcool cause ici plus de violence qu'en Europe méridionale. » (Cela est toutefois relatif : on note en Russie et en Grande-Bretagne beaucoup plus de violence liée à l'alcool que dans les pays scandinaves.) « Nous connaîtrions probablement davantage de problèmes tels que les dommages infligés à autrui, les accidents causés par la conduite en état d'ébriété et les maladies chroniques. Même s'il faut 20 ans pour développer une cirrhose ou une forte dépendance à l'alcool, certaines personnes sur le point de devenir de gros buveurs basculeraient dans l'alcoolisme si le vin et les spiritueux étaient plus accessibles.

Bien sûr, mais les cultures peuvent changer. Les Norvégiens favorisent de plus en plus le vin, par exemple.

« C'est vrai, admit-elle, la boisson préférée des Norvégiens peut changer. Mais lorsqu'il s'agit de boire jusqu'à l'ivresse, la situation semble persister. Les premiers sociologues qui ont étudié nos façons de boire dans les années 1850 ont découvert que les Norvégiens commençaient par un ou deux litres de bière le matin, qu'ils continuaient de boire en travaillant et que, le soir venu, ils prenaient des spiritueux. Ils ne buvaient presque jamais d'eau ou de lait. À mon avis, il est plus juste de voir les politiques de contrôle que nous mettons en place comme une réaction à notre façon problématique de boire que l'inverse. »

Ça a toujours été comme ça : un cliché, un refrain bien connu. Apparemment, parce que les Norvégiens avaient toujours été des buveurs immodérés, ils avaient les lois qu'ils méritaient en matière d'alcool. Les Norvégiens avaient pourtant changé à un égard : ils n'étaient plus essentiellement des ouvriers manuels et des paysans un peu pompettes du matin jusqu'au soir. En fait, de nombreuses sociétés préindustrielles avaient partagé ce genre de modèle ; dans l'Amérique rurale du XVIIIe siècle, par exemple, on ajoutait du rhum au lait dans les biberons pour calmer les bébés, les ouvriers agricoles buvaient en travaillant et recevaient une partie de leur salaire sous forme d'alcool et les adultes passaient rarement plus que quelques heures sans prendre un verre. (Une question de simple bon sens : avant Pasteur et les filtres à charbon, l'alcool germicide était un breuvage plus sûr que l'eau ou le lait, facilement contaminés. « Dans le vin, on trouve la sagesse. Dans la bière, on trouve la force. Dans l'eau, on trouve des bactéries », nous dit un proverbe allemand.) Selon toute apparence, il était intellectuellement indiqué d'invoquer le comportement débauché des Vikings et « l'âme du peuple norvégien » comme preuves du caractère inévitable de l'ivrognerie nationale.

Plutôt commode, car cela justifiait également les politiques de contrôle paternalistes de l'État – et les formidables revenus qu'il tirait des taxes imposées grâce au monopole détenu sur la vente de l'alcool. Ce n'était pas une coïncidence si ce même argent servait à payer les salaires des chercheurs de SIRUS.

Per Ole Johansen est l'auteur d'ouvrages de référence sur la prohibition en Norvège, et je le rencontrai dans l'escalier de la Galerie nationale. Il portait une veste en velours noir, et des lunettes à monture argentée étaient perchées sur un nez bulbeux, légèrement marbré. Il avait le dos voûté, et un sympathique sourire en coin quand il se mettait à évoquer le milieu criminel. *Ja-ja-ja*, m'interrompait-il chaque fois que je tentais de répondre à ses questions rhétoriques.

Nous allâmes prendre un café à la cafétéria de l'université. « Vous avez rencontré mes collègues de SIRUS ? me demanda-t-il. *Ja, ja, ja.* Je travaillais là il y a 10 ans ; à présent, je suis au département de criminologie de l'Université d'Oslo. Je fonde ma recherche sur les entrevues et l'analyse des participants, ils fondent la leur sur l'analyse des statistiques. »

Johansen était en désaccord avec ses collègues de SIRUS en ce qui concernait l'impact des mesures de contrôle en Norvège. Selon lui, ce que la prohibition avait surtout produit, c'était une culture de la contrebande.

« Nos croisés considèrent les contrebandiers comme des criminels classiques, mais, en réalité, il existe trois sortes de contrebandiers. Premièrement, les généralistes, qui ont un long passé criminel et qui ont perpétré des hold-up, des vols à main armée. Ensuite, il y a ceux que j'appelle des contrebandiers à vie. Dans les années 1920, c'étaient des marins, vivant sur la côte, parce que presque tout l'alcool arrivait en Norvège par la mer. Pour ces gens, la contrebande est une identité, et ils en sont fiers. Ils ne touchent pas à la drogue, sauf, peut-être, aux cigarettes. Et nous avons enfin les compagnies contrebandières, avec une expérience commerciale, et elles ont beaucoup de succès, parce qu'elles peuvent se servir de leurs sociétés comme couvertures. Il y a des centaines d'exemples de ces dernières. »

En 1927, quand la prohibition prit fin en Norvège, un grand nombre de contrebandiers reprirent leur travail normal, « mais les impôts étaient élevés et l'on ne trouvait de l'alcool qu'à 13 endroits dans tout le pays. Le marché noir et la fabrication artisanale clandestine ont continué, et cette mentalité caractéristique des Norvégiens est demeurée vivante. L'alcool coûte cher et il faut sauter dessus chaque fois qu'on en a l'occasion. Dans les années 1950, de nouveaux contrebandiers se sont mis à travailler avec les vétérans qui avaient débuté pendant la prohibition. La contrebande était devenue une tradition. Et nous avons vu le phénomène se reproduire dans les années 1970 et 1980 pendant une série de grèves, ou de grèves perlées, des employés des Vinmonopolet. Comme les vétérans ne pouvaient répondre à la demande, en l'espace de quelques semaines, de nouveaux contrebandiers ont été en mesure d'approvisionner une nouvelle clientèle considérable. »

Récemment, ajouta-t-il, le gouvernement avait essayé de décourager le marché illégal par une campagne massive à la télévision et dans la presse écrite, dénonçant la fabrication artisanale d'alcool et en criminalisant officiellement l'achat.

« Et que s'est-il passé alors, d'après vous ? *Ja, ja, ja.* Tout est entré dans la clandestinité. Après d'innombrables interviews auprès du public, mes collègues de SIRUS étaient très fiers du succès de ces campagnes. Par la suite, peu de gens ont avoué aux interviewers qu'ils achetaient de l'alcool artisanal ou de contrebande. Mais on a oublié une chose : on avait stigmatisé la culture. Les gens n'ont pas cessé d'acheter de l'alcool, ils ont juste cessé de l'admettre. À l'époque, j'enquêtais sur le terrain, et j'ai perdu des contacts précieux. Les bouilleurs de cru et les contrebandiers m'ont dit : "Il y a deux ans, nous étions acceptés par la société, mais, après cette campagne, on nous considère comme des mafiosi. Nous sommes donc entrés dans la clandestinité." Et qu'est-ce qui définit ce genre de marché illégal ? Premièrement, de l'alcool bon marché – exactement

le contraire de ce que veulent les politiciens. Deuxièmement, de l'alcool fort – notre gnôle artisanale est habituellement de 96 %. »

Johansen s'interrompit et me lança un regard interrogateur.
« Avez-vous goûté au *hjemmebrent* ?

– Non, pas encore.

– *Ja, ja, ja*. Abstenez-vous. En tout cas, la troisième conséquence est celle-ci : vous en avez d'énormes quantités chez
vous parce que vous achetez 10 litres d'alcool pur à la fois. C'est
là le côté sombre, sale, du système de taxes. Vous buvez en
secret, et la culture de l'alcool est moins contrôlée. Je préfère le
style continental avec ses rituels et ses règles – sortir le soir et
prendre un verre avec des amis, ou au repas. »

Je lui demandai s'il croyait que les Norvégiens avaient des
problèmes culturels particuliers, voire génétiques, avec l'alcool.

« En Islande, où la bière a été prohibée pendant 80 ans – jusqu'en 1989 –, les politiciens disaient que la bière était mauvaise pour le sang viking islandais. J'admets que le caractère
national norvégien est très bizarre. Nous aimons boire, nous
aimons nous bagarrer, et faire autre chose que je ne préciserai
pas. Mais nous croyons aussi en Jésus-Christ. Nous sommes un
peuple très ambivalent ; nous oscillons entre la joie et la gueule
de bois, avec tous les sentiments de culpabilité qui y sont associés. Mais nous n'avons pas la réputation d'être particulièrement violents. La plupart d'entre nous sourient en buvant ;
nous nous dévoilons, parce que nous sommes timides, et nous
avons besoin d'un stimulant pour devenir plus urbains.

– Si les lois changeaient, les Norvégiens pourraient-ils
adopter un autre comportement par rapport à l'alcool ?

– Bien sûr que oui ! Ce comportement a déjà changé sous
certains aspects. Dans les années 1980, nous avons commencé
à faire des voyages organisés et nous avons un peu perdu la
tête – parce que nous débarquions dans un paradis d'alcool bon
marché. Mais nous laissions aussi de généreux pourboires et
nous ne nous bagarrions pas autant que les Anglais. Ce sont
des brutes. Les voyages nous ont amenés à adopter des habitudes
plus continentales. Nous buvons plus de vin, par exemple. »

Ses collègues semblaient pourtant penser que les Norvégiens avaient besoin d'être protégés contre l'alcool, lui fis-je remarquer.

« Chez SIRUS, ils sont très proches des politiciens, à bien des égards. Pourquoi ne parlez-vous jamais du plaisir de boire ? leur demandais-je. Pourquoi ne pas dire que si l'alcool est mauvais pour une minorité, il est bon pour la majorité ? »

Je haussai un sourcil.

« *Ja, ja, ja.* » Il esquissa un petit sourire narquois. « Eh bien, c'est évident. S'ils ne considéraient pas l'alcool comme un problème, ils n'obtiendraient pas l'argent. »

Comme l'écrivit George Bernard Shaw : « L'alcool est l'anesthésie qui nous permet de supporter l'opération de la vie. » Malheur aux sadiques qui veulent nous voir vivre consciemment chaque minute. L'histoire est pavée des conséquences infiniment prévisibles de leurs bonnes intentions.

Nous avons, par exemple, connu les lois sur le gin dans l'Angleterre du XVIIIe siècle. La venue du *genever*, une nouvelle méthode hollandaise pour distiller de l'alcool de malt avec des baies de genièvre, submergea l'Angleterre, jusque-là habituée à la bière et au vin, comme une lame de fond. Et l'Angleterre sombra dans la débauche. Après l'apparition d'une version locale buvable dans les années 1720, on comptait 20 000 débits de gin à Londres seulement, et l'on en vendait des petits verres dans des charrettes et des échoppes de fournitures pour bateaux, dans des caves et dans des greniers, dans des barges voguant sur la Tamise et aux exécutions publiques ; en 1743, la consommation annuelle de gin avait grimpé à un ahurissant sommet de 2,2 gallons (10 litres) par personne. Londres s'embourgeoisait rapidement, et le Parlement – surpeuplé de brasseurs, rivaux naturels des distillateurs – réagit au sentiment éprouvé par la classe supérieure qui trouvait malséant de voir les pauvres s'enivrer ainsi au vu et au su de tous. Par le biais d'une série de lois, il augmenta de façon astronomique les frais d'obtention de permis, obligeant par le fait même les débits de boissons réservés aux démunis à fermer leurs portes, et paya les informateurs cinq livres par tuyau (à l'époque, c'était le salaire annuel d'une domestique). Selon Jessica Warner, auteure d'une passionnante analyse de cet engouement pour le gin, « ce qui se cache vraiment derrière les lois sur le gin est très simple : le gin inquiétait les gens en période stable, quand les coffres du gouvernement étaient bien remplis. Ils trouvèrent commode de l'oublier en temps de guerre, c'est-à-dire qu'ils choisirent de le traiter comme s'il n'était qu'une autre source de revenus ». Comme ce fut le cas pour les nouvelles drogues en vogue – le crack et l'ecstasy, notamment –, la passion des Anglais pour le gin mourut de sa belle mort quand une génération prit conscience des conséquences de la surconsommation. « L'explication la plus logique vient des épidémies de drogues que nous avons connues récemment, fit valoir Warner au cours d'une entrevue. Elles suivent une courbe tranquille qui résiste absolument à toute forme d'intervention. » Voici donc ce qu'il résulta de cette inutile intervention de l'État : 12 000 personnes reconnues coupables en vertu de lois sur le gin, des tribunaux bloqués pendant des décennies et des centaines de mouchards morts sous les coups de la populace en colère. Ensuite, un nouvel engouement vit le jour, pour le rhum, cette fois.

Et puis, nous avons eu la grande Prohibition, une « noble » expérience qui se prolongea pendant 13 ans aux États-Unis. Misant sur la méfiance à l'égard des immigrants, un sentiment qui prévalait pendant la Première Guerre mondiale, la Ligue anti-saloon orchestra brillamment une campagne pour démoniser les buveurs de vin catholiques décadents et les brasseurs et distillateurs allemands à l'allure débraillée. À minuit, le 17 janvier 1920, la loi Volstead – son adoption fut supervisée par un certain Andrew J. Volstead, de descendance norvégienne et luthérienne – entra en vigueur. Elle stipulait qu'il était interdit à quiconque de « fabriquer, vendre, échanger, transporter, importer, exporter, livrer, fournir ou posséder des boissons alcooliques ».

Pour commencer, la consommation diminua des deux tiers et, parallèlement, les hôpitaux accueillirent moins de cas d'infarctus et de cirrhose. Malheureusement, les gens se mirent à mourir d'autres maladies. Les pauvres furent les plus touchés : ils buvaient de l'antigel frelaté, de la lotion capillaire, des concoctions appelées « bourbon *yack-yack* », fait à partir de sucre brûlé et de teinture d'iode, ou « whisky sucré », un mélange d'acide nitrique ou sulfurique et d'alcool. Un remède à 170 degrés, l'extrait de gingembre jamaïcain, provoqua une hécatombe : atteintes d'un mal mystérieux, un raidissement – permanent – des membres appelé « jambe jamaïcaine », les victimes, devenues impotentes, étaient facilement reconnaissables à leur démarche claudicante. Des dizaines de milliers en souffrirent. (Les fabricants avaient ajouté à leur extrait un plastifiant toxique qui augmentait les solides dans la solution, afin d'amener le ministère des Finances à l'approuver comme médicament plutôt que comme breuvage.) Au total, les tord-boyaux de l'ère de la Prohibition ont peut-être tué 50 000 personnes – dont 41 à New York le jour de l'An de 1927 – et en ont rendu des centaines de milliers d'autres aveugles ou paralysées.

Entre-temps, la résistance s'organisait. En 1927, on comptait 20 000 bars clandestins aux États-Unis, soit deux fois plus que les débits de boissons légaux avant l'adoption de la loi Volstead. Les femmes, qui évitaient auparavant les saloons trop virils, se sentirent plus à l'aise dans les speakeasies de l'époque du jazz et développèrent un goût pour les spiritueux. S'il était illégal de vendre de l'alcool, on pouvait toutefois en consommer chez soi en toute impunité, et les gens de la classe moyenne supérieure prirent ainsi la triste habitude de boire en secret. Cinq ans après le début de la Prohibition, les États-uniens ingurgitaient annuellement 200 millions de gallons de spiritueux (environ 6,6 litres par personne), les bootleggers encaissaient quatre milliards de dollars par année, et l'alcool était devenu l'industrie la plus prospère du pays.

En plus de donner naissance à une importante classe criminelle, la Prohibition convainquit les États-uniens que leurs dirigeants étaient des hypocrites. Lucky Luciano contrôlait la ville de New York et, de mèche avec le maire « Big Bill » Thompson, Al Capone avait Chicago dans sa poche (après s'être aiguisé les dents sur la Prohibition, ils se tournèrent vers le jeu, l'extorsion, la prostitution et le trafic de stupéfiants). À la Maison-Blanche, alors que les invités officiels sirotaient des jus de fruits au rez-de-chaussée, le président Harding buvait du whisky à l'étage supérieur avec des invités triés sur le volet. Le ministre de la Justice Daugherty empocha personnellement des millions de dollars que lui remettaient des contrebandiers d'alcool pour acheter leur immunité. En même temps, le taux d'homicide et la population carcérale atteignirent des sommets records; pendant les 13 années que dura la Prohibition, un demi-million d'États-uniens – surtout ceux qui ne pouvaient se payer un avocat – furent condamnés à des peines de prison pour des délits liés à la loi Volstead.

La Prohibition finit par imploser sous la pression de forces économiques extérieures. Après le krach boursier, même les industriels paternalistes qui avaient fait vigoureusement pression contre l'alcool durent admettre que le gouvernement perdait de précieux revenus en taxes (et, pis encore, l'État les taxait, *eux*, de plus en plus). Le magnat de la presse William Randolph Hearst, un partisan de la première heure, changea son fusil d'épaule: «Je suis contre la Prohibition, déclara-t-il en 1929, parce qu'elle a fait reculer de 20 ans la cause de la tempérance, parce qu'elle a changé une efficace campagne d'éducation en un rapport de force totalement inefficace, parce qu'elle a remplacé la bière et les vins légers inoffensifs par les spiritueux les plus forts, les plus nocifs.» Tout compte fait, les succès de la Prohibition furent insignifiants: la consommation avait diminué et, en même temps avaient diminué les maladies et la violence liées à l'alcool, mais, au moment de l'abrogation, elle grimpait aux niveaux que l'on avait connus avant la loi Volstead. Quand, le 5 décembre 1933, à l'apogée de la crise économique, les spiritueux furent légalisés, la beuverie généralisée à laquelle on s'attendait ne se produisit pas. Avec 14 millions de chômeurs, la majorité des gens étaient désormais trop fauchés pour s'offrir un repas décent. Comment auraient-ils pu acheter une bouteille de whisky?

La Prohibition, cette guerre menée contre l'alcool par les États-Unis, fut le prototype de la guerre contre la drogue;

l'échec à extrapoler à partir de ses leçons prouve une fois de plus que ceux qui n'apprennent pas leur histoire sont condamnés à la répéter. Ce qui nous réconforte dans ce long combat contre les prohibitions de toutes sortes, c'est l'ingéniosité dont fait preuve le genre humain quand il cherche à contourner des lois arbitraires. En 1851, lorsque le Maine devint le premier État américain à interdire la vente d'alcool, les boutiquiers commencèrent à demander cinq cents pour un craquelin et à offrir gratuitement un verre de rhum : pas de vente, donc pas de délit. Sitôt que la loi Volstead fut adoptée, 57 000 pharmaciens à Chicago seulement demandèrent le permis de vendre des alcools « médicinaux », et le whisky devint bientôt la panacée universelle apte à guérir n'importe quelle maladie, de la goutte au lumbago. La combine la plus habile fut peut-être mise au point par les viticulteurs de la vallée de Napa, qui se mirent à produire des raisins secs et des gâteaux aux raisins. Dans les épiceries, des démonstrateurs recommandaient aux clients, sur un ton plein de sous-entendus, de ne *pas* les faire tremper dans l'eau, puis de ne *pas* laisser pendant trois semaines le liquide dans un pot fermé par un bouchon de liège, parce que le tout pourrait fermenter. Pour ceux qui avaient besoin de se rafraîchir la mémoire, l'étiquette sur l'emballage des gâteaux disait : « Attention : peut fermenter et se transformer en vin. »

Tout cela fait penser aux tours de passe-passe imaginés par les Norvégiens modernes pour contourner les contrôles répressifs en matière d'alcool. Au milieu des conserves de viande de renne et des paquets de fromage brun (une spécialité nationale qui a le goût, et l'aspect, d'une brique de fromage fondu saupoudré de chocolat en poudre Nestlé Quick) disposés sur les tablettes dans les supermarchés, j'ai aperçu d'énormes bidons de sucre et des sachets de levure sèche, ainsi qu'un étrange rayon de bouteilles format avion étiquetées Scotch Whisky, Ouzo et Strand's English Dry Gin. Ce n'était pas de l'alcool, mais un produit utilisé pour donner du goût à la gnôle maison. La majeure partie de la levure ne sert pas à la cuisson de pâtisseries, mais aux alambics illégaux : dans les années 1990, on en achetait suffisamment pour fournir à chaque homme, chaque femme et chaque enfant du pays cinq miches de pain par jour. Depuis, faire passer illégalement de l'alcool par la longue frontière avec la Suède, où il coûte moins cher, est devenu un passe-temps national. Un grand nombre de Norvégiens commandent en ligne des spiritueux bon marché à des compagnies américaines vendant par Internet, puis traversent la frontière pour aller les chercher dans des entrepôts suédois; d'autres achètent leur eau-de-vie hors taxe en montant à bord de ferries qui accostent à des ports ne faisant pas partie de l'UE. Le magasin d'alcool d'État de Stromstad, à 15 minutes, par l'autoroute, de la frontière norvégienne, est le plus achalandé de la Suède. Les statistiques officielles selon lesquelles la Norvège est le pays européen où l'on consomme le moins *per capita* ne tiennent pas compte de cette consommation illégale. Au lieu de cela, le gouvernement se sert de ces chiffres mensongers pour se féliciter du succès de ses politiques de contrôle.

Et à qui profite ce statu quo? La vérité simple et sordide est que l'État répugne à renoncer à un monopole qui génère des revenus si abondants. En ce domaine, le gouvernement norvégien est loin d'être unique en son genre. Au Canada, dans toutes les provinces sauf l'Alberta, l'alcool est vendu par des organismes contrôlés par l'État, dans des magasins curieusement attrayants et commodes, plus proches des clubs de loisirs que des dispensaires de médicaments. Ce qui nous amène à nous poser la question suivante: si l'alcool est une substance si dangereuse qu'il doive être contrôlé par un monopole gouvernemental, pourquoi le gouvernement déploie-t-il de tels efforts pour en faire la promotion? La réponse est simple: en Norvège, comme au Canada, on a besoin de sommes astronomiques pour soutenir le réseau officiel de magasins d'alcools gouvernementaux fortement syndiqué, étouffé par la bureaucratie.

(Il existait des faits prouvant que le Vinmonopolet n'était pas seulement devenu une bureaucratie gigantesque et démesurément onéreuse, mais que celle-ci était également corrompue. Quelques mois après ma visite, un commis congédié accusa 10 directeurs de succursale, ainsi que le directeur général de toute la chaîne, d'accepter des cadeaux – alcool et voyages commandités parfois même jusqu'en Australie – offerts par les distilleries désireuses de conclure des contrats avec le mono-pole norvégien.)

De retour à bord de l'*Innvik*, je retrouvai Alto grimpé dans une échelle en train de suspendre des lanternes. Je l'attirai avec une Duvel tiède et lui demandai s'il avait du nouveau à propos du *hjemmebrent*.

« J'ai appelé un peu partout, mais personne n'a l'air d'en avoir à Oslo. Si ça te tente, j'ai quelques copains à Trondheim, de vieux punks et des hippies qui vivent dans un squat au centre-ville. Ils sont passablement *harry*, ils doivent en avoir. »

Harry ? demandai-je.

« Ça veut dire péquenaud... tu sais, les cheveux longs et la barbe, le genre campagnard. » Il sortit son cellulaire et, après cinq minutes de gros rires et de norvégien onduleux, il m'an-nonça les nouvelles.

« Bon, il va essayer de mettre une bouteille à bord du train et de me l'envoyer. Mais si elle n'est pas arrivée vendredi, tu vas devoir t'y rendre en personne. »

Aller-retour, c'était 16 heures de train. La perspective ne me souriait guère. Qui plus est, il me semblait idiot de quitter Oslo la fin de semaine, au moment où la vraie débauche allait commencer. J'avais fait la tournée des bars et des cafés-terrasses pendant la semaine et, même si j'avais été témoin d'un peu d'ivresse publique, je sentais que quelque chose se développait, une sorte d'énergie sinistre. Tout au long de la semaine de tra-vail, les Norvégiens restent farouchement sobres. C'est un peu-ple sain, dynamique, amoureux de la nature. Physiquement, ces gens sont rudes, comme si on les avait sommairement taillés dans des planches de pin – grands, beaux, le front haut, des cheveux bruns ou blonds étonnamment fournis évoquant des épis de blé dans un champ fertile. Mais j'étais surtout frappé par leurs yeux : quand, dans le tramway, je croisais le regard bleu pâle des passagers, j'avais parfois l'impression de me trou-ver dans un chantier de bûcherons entouré par des loups. Si le

cliché – selon lequel derrière deux siècles de répression luthérienne coulait le sang des Vikings – disait la vérité, je pouvais
m'attendre à voir un spectacle impressionnant quand les Norvégiens se mettraient à lever le coude.

Le vendredi, vers la fin de l'après-midi, Alto me communi-
qua les nouvelles.

« Un de mes amis a apporté du *hjemmebrent* au Teddy's Soft
Bar. Dépêche-toi d'y aller, sinon ils vont le boire. »

Il me donna un numéro à appeler.

« *Ja*, me répondit une voix profonde. Je serai au Teddy's
dans une demi-heure. Tu ne peux pas me manquer : je porte un
short et j'ai les jambes en feu. »

À l'extérieur du Teddy's Soft Bar, des dessins de hot-dogs,
de milk-shakes et de fruits de mer dansaient sur la façade. Très
années 1950. À l'intérieur, le papier peint se décollait et, au
comptoir, les clients tatoués en jeans roulés – à Oslo, le Teddy's
était le lieu de prédilection de la communauté rock *hard-core* –
s'enfilaient des Ringne à 10 $ la pinte.

Debout devant le juke-box, j'hésitais entre The Outsiders et
The Box Tops quand Engel fit son entrée. Impossible de le rater,
en effet. Des flammes de style Hot-Wheels étaient tatouées sur
ses mollets glabres ; on apercevait près de son col un autre
tatouage, représentant un globe oculaire ailé, injecté de sang.
Ses Converses All-Stars étaient ornés de croix de fer, et il arborait des Ray Ban authentiques – les verres à sa vue ajustés à
la monture. Une dent en or scintillait dans sa bouche et sa che-
velure blonde ondulée était enduite d'un gel comme ceux
qu'utilisent les ados. Bien baraqué aussi – un rocker viking à
rouflaquettes fringué comme un Opic qui aurait mal tourné.

Un sac de plastique à la main, il m'entraîna dehors dans
une étroite ruelle. Se dirigeant vers les toilettes, un client du
bar nous regarda curieusement et j'eus l'impression de participer à une transaction de drogue particulièrement voyante.

« C'est plus cher que le truc habituel, m'annonça Engel,
mais j'ai pensé que tu devrais avoir ce qu'il y a de mieux. Ma
tante fabrique du *hjemmebrent* dans son appartement ici même
à Oslo, mais ça ne vaut pas ce machin. »

Il sortit une bouteille de plastique de 600 millilitres d'Imsdal, l'eau embouteillée locale, la déboucha et s'humecta les mains avec le liquide. Il frotta vivement ses paumes l'une contre l'autre et me montra le résultat.

« Tu vois ? »

Ça sentait bien l'alcool à friction, mais je ne voyais rien d'autre que la peau de ses paumes.

« Quand c'est bon, l'évaporation est claire. Quand c'est mauvais, on voit un genre d'écume grise sur nos mains. Celui-ci est pur. Je l'ai obtenu de mon ami, qui vit en banlieue. C'est fait avec du sucre, de l'eau et un peu de levure pour faire démarrer la fermentation. Certaines personnes utilisent des pommes de terre, mais ça va plus vite avec le sucre. »

Je donnai à Engel 200 couronnes (28 $ US) pour un litre, partagé entre deux bouteilles.

« Ça peut avoir l'air cher, mais c'est de l'alcool à 96 %, alors ça dure longtemps. C'est bien pour les fêtes, aussi. Tu peux en verser un peu dans ta main et allumer le feu. Ça va juste brûler. »

Prenant conscience qu'il valait mieux ne pas recommander l'auto-immolation à un touriste, il ajouta : « Attention, ne t'avise pas de faire ça chez toi ! »

Après l'avoir remercié, je hélai un taxi et me rendis dans un quartier de condos chics dans l'ouest de la ville. J'étais invité dans une fête par une amie suisse qui passait la fin de semaine à Oslo.

« Ces gens sont *fous**, me confia-t-elle après l'habituel échange de baisers sur la joue. Ils trimballent leurs bouteilles toute la soirée. En Suisse, on apporte une bouteille de vin, on la pose sur le comptoir et si on ne la boit pas – tant pis ! –, on la laisse en cadeau à notre hôte. Regarde-les : ce type se promène avec une bouteille sous un bras et un verre de vin dans une main. Il ne les a pas déposés une seule fois de toute la soirée. Et celui-là a bouché sa bouteille avec un essuie-tout et il la rapporte chez lui ! Pathétique, si tu veux mon avis ! »

Apprenant que j'étais un étranger, un homme trapu et volubile appelé Alex décida de me prendre à part et de me donner quelques tuyaux sur la vie en Norvège.

« Pendant des années, les Norvégiens ont été très pauvres, dit-il entre des gorgées de bière, et nous devions nous débrouiller avec des pommes de terre et des céréales – nous vivions au jour le jour. Après la guerre, c'était un véritable État de bien-être social, avec des slogans comme ceux de l'Union soviétique : "Unissons nos efforts ! Nous pouvons progresser !" Pour les Norvégiens, personne n'est meilleur que les autres, personne ne regarde les autres de haut. Chacun a la possibilité de posséder sa propre maison ou d'aller à l'université. Le salaire minimum est réellement élevé. Le problème, c'est que nous dépendons totalement du pétrole. L'entrepreneurship n'existe pas, il y a très peu de grosses compagnies fondées par des Norvégiens. Tout est importé, et tout est taxé : la taxe de vente est de 24 % et, pour les voitures neuves, elle est de 110 %... As-tu remarqué toutes les machines à sous dans les dépanneurs ? »

Je les avais remarquées. Les lois norvégiennes régissant les jeux de hasard sont parmi les plus libérales de toute l'Europe.

« Elles acceptent les billets de 500 couronnes, continuat-il, et elles paient en pièces de 20. Chaque fois qu'on appuie sur un bouton, on peut dépenser une couronne et on peut appuyer sur un bouton une fois par seconde ! Les gens se ruinent avec ces machines, des familles entières font faillite. Pourquoi ne pas les interdire plutôt que de rendre l'alcool responsable de tous les maux ? Crois-moi, le gouvernement est vraiment rapace ; il a des milliards et des milliards de couronnes et il ne veut pas y toucher. Il prétend qu'il économise en prévision de temps difficiles, mais je pense qu'il est comme le vieux Scrooge, assis sur son magot. »

À une heure, il ne restait plus une goutte d'alcool ; même les viniers avaient été vidés, éviscérés et transformés en ballons ; le type à côté de moi était en train de siffler le dernier pouce de whisky au fond d'une bouteille de Ballantine's. Tout cela me rappelait l'ambiance morose d'un party d'adolescents après le pillage du cabinet à boissons familial. J'avais la tête tournée quand mon amie suisse prit ma bouteille de tordboyaux et, croyant que c'était de l'eau, elle en avala une bonne lampée.

« *Oh! Mon Dieu** ! hurla-t-elle en crachant en l'air. Je n'ai jamais rien goûté d'aussi affreux ! Je ne sens plus ma langue ! »

Après la fête, j'empruntai Karl Johans Gate, la principale rue piétonnière d'Oslo, pour retourner à l'*Innvik*. Il était quatre heures du matin, et les derniers picoleurs sortaient des bars ; des bouteilles de vodka Smirnoff vides avaient été abandonnées sur les pavés. Un trio de grands traînards costauds ouvrirent la braguette de leur jean, levèrent leur main gauche en l'air et pissèrent dans les marches d'une église tout en chantant en chœur et en ondulant des hanches.

Je tombai ensuite sur des gens vautrés par terre dans la rue. Il ne s'agissait pas de sans-abri – Oslo en compte 5000 qui, étrangement silencieux et résignés, attendent la pièce de monnaie jetée dans leur tasse par l'éventuel passant –, mais de jeunes gens bien habillés qui cuvaient leur vin à l'endroit où ils étaient tombés. Une adolescente était assise, la tête entre les genoux, le dos contre la façade d'une banque, un sac à main à côté d'elle. Un grand bonhomme en chandail rouge était étendu par terre, le visage éclairé d'un grand sourire ; ses amis tentèrent vaguement de le ranimer, mais il se contenta de rouler sur le côté, béat. Dans les quelques rues entre l'ambassade des États-Unis et le Parlement, je dénombrai une demi-douzaine de personnes ivres mortes, paisiblement affalées sur des bancs, le long des trottoirs, à côté des guichets automatiques. Le centre-ville d'Oslo est un endroit tellement sûr qu'on peut y perdre connaissance sans craindre d'y perdre son portefeuille. D'une certaine façon, c'est plutôt réconfortant. Mais c'est toutefois un peu triste de voir des jeunes gens en santé s'enivrer le vendredi soir au point de finir la nuit comme des clochards dans une cour des miracles.

J'avais déjà vu pire au cours de mes voyages : le samedi soir, le centre de Tokyo se transforme en un paysage boschien où des salariés titubent au milieu d'emballages de pizzas, ayant perdu le contrôle de leurs fonctions corporelles les plus primaires ; et rien ne peut surpasser la rage irréelle, le ressentiment de classe et la xénophobie qui s'expriment librement quand des Britanniques en grand nombre se mettent à faire la noce sur des plages étrangères. Le Japon et le Royaume-Uni ont des lois libérales régissant la vente d'alcool au détail et, dans ces cultures fortement hiérarchisées, boire à l'excès ressemble plus à une soupape de sécurité pour les contraintes sociales qu'à une réaction à des lois prohibitives. Les Norvégiens égalitaristes sont au contraire des ivrognes relativement simples, ne recherchant souvent rien d'autre que l'oubli ; ici, on se soûle la gueule pour surmonter les contraintes d'ordre juridique plutôt que psychologique.

En fait, plus je parlais avec les gens, et plus je me rendais compte que boire jusqu'à l'inconscience était une norme culturelle ; les Norvégiens eux-mêmes aimaient raconter des histoires de beuveries, comme, à des réunions de fraternité, des gars se vantent de leurs excès. D'après ce qu'on me dit, le ferry qui effectuait la traversée de nuit entre Oslo et Copenhague offrait une croisière sérieusement arrosée où, s'approvisionnant en gnôle hors taxe dès qu'ils touchaient les eaux internationales, les adultes urinaient dans leurs jeans et vomissaient sur leurs chandails, puis rentraient chez eux, le coffre de leurs voitures rempli de spiritueux danois. Si les Norvégiens privilégiaient British Airways, ce n'était pas parce que ses tarifs étaient meilleur marché – ils ne l'étaient pas –, mais parce que cette compagnie se montrait plus libérale que ses concurrentes scandinaves pour ce qui était du service de l'alcool à bord. Surchargés de travail, bombardés de demandes d'un verre de ceci ou de cela, les agents de bord de la BA préfèrent la plupart du temps arrêter de servir et laissent aux passagers l'accès à leurs chariots à boissons. Une étincelle dans le regard, Ingeborg Rossow, chercheuse chez SIRUS, m'avait parlé du *russefeiring*, la beuverie de deux semaines qui a lieu à la fin de mai pour les finissants d'école secondaire. Les élèves portent une salopette rouge ou bleue, et les casquettes sont décorées de badges accordés pour des exploits alcooliques : un bouchon de bouteille de bière pour avoir bu 24 bières en 24 heures, un bouchon de bouteille d'alcool pour en avoir bu une au complet. Tout cela est très organisé, administré aux niveaux scolaire, municipal et fédéral ; des dizaines de milliers de dollars sont dépensés pour acheter des

autobus pourvus de chaînes stéréo dernier cri. L'une des cuisinières de l'*Innvik* me raconta que, pendant le *russefeiring* de son
mari, une fille ivre était tombée du toit d'un autobus et qu'elle
avait été aussitôt écrasée par un autre qui allait dans la direction opposée.

« Il y avait aussi une fille complètement partie, nue sur le
toit de l'autobus, ajouta-t-elle avec une moue dégoûtée. Les
autres passaient leur temps à dessiner sur son corps avec des
crayons feutres. Rien à voir avec mon mari, pas vrai ? Eh bien,
à la fin, la fille avait une intoxication à l'alcool… elle a failli
mourir. »

Le *russefeiring* est si fortement enraciné dans les mœurs de
la société norvégienne, et la consommation excessive d'alcool
en fait tellement partie que, en 2003, on accorda officiellement
deux heures de sommeil de plus aux étudiants le jour de leurs
examens finaux pour qu'ils se remettent de leur gueule de
bois.

Si, en Norvège, le passage à l'état adulte implique deux
semaines de débauche, faut-il s'étonner de voir même les adultes boire comme des adolescents désespérés ?

« Voici donc la morale, conclut l'un des ouvrages de référence sur la recherche dans le domaine de l'alcool. Étant donné
que les sociétés, à l'instar des individus, obtiennent la conduite
alcoolique qu'elles autorisent, elles méritent ce qu'elles obtiennent. » Cela s'appliquait parfaitement à la Norvège, me dis-je.

Le psychologue Craig MacAndrew et l'anthropologue
Robert B. Edgerton ont effectué une étude sur le terrain du
comportement alcoolique à travers le monde. Publié pour la
première fois en 1969 sous le titre de *Drunken Comportment*, le
résultat de leurs recherches demeure jusqu'à présent insurpassé.
Cet ouvrage remet en question l'idée reçue selon laquelle l'alcool est un genre de solvant universel du surmoi, qui, inévitablement, déprime les centres supérieurs du cerveau, efface les
inhibitions et permet aux gens de commettre des actes que,
sobres, ils n'oseraient jamais faire. Au contraire, les auteurs ci-
tent des douzaines de sociétés où les tabous et la structure

sociale sont strictement observés – où il ne se produit aucune désinhibition – même au cours de beuveries extrêmes. Dans d'autres cas, la conduite alcoolique change d'une occasion à l'autre : l'Irlandais qui braille à une veillée mortuaire et se bagarre au pub est un exemple familier – même substance, contextes différents, conduite différente. Les « changements-pour-le-pire-dus-à-l'alcool », comme ils les appellent, ne sont pas un corollaire inévitable de la consommation ; on pourrait tout au plus dire que l'alcool procure un « temps d'arrêt » pendant lequel la sociabilité et la volubilité sont accrues. L'ivresse est donc une construction sociale. On apprend à s'enivrer en observant les autres.

De façon encore plus intéressante, MacAndrew et Edgerton ont découvert des cas où la conduite alcoolique s'est modifiée avec le temps. À l'époque de leurs premiers contacts avec les marins anglais, en 1767, les Tahitiens montrèrent un dégoût marqué pour l'alcool, préférant le kava, leur boisson indigène. En 1791, lorsque le capitaine Vancouver accosta à Tahiti, les autochtones avaient pris l'habitude de boire des spiritueux et l'ivresse les rendait violents. Mais, au XX\ :superscript :e\ siècle, un nouveau modèle avait émergé : on s'était mis à boire la fin de semaine, et peu de violence était associée à cet usage. Les auteurs font valoir que plusieurs des premières sociétés nord-américaines ont expérimenté une forme tout à fait bénigne d'ivresse et de fatigue lors de leur première exposition à l'alcool. « D'un océan à l'autre, écrivent-ils, les faits prouvent que chez les Indiens d'Amérique du Nord, lorsque la première expérience de l'alcool ne fut pas formée par l'attente du contraire, le résultat ne fut ni le développement d'un besoin constant ni une orgie de destruction et de débauche. » Ayant observé comment les commerçants européens utilisaient l'ébriété comme excuse pour violer les femmes ou assassiner leurs concurrents, les Amérindiens comprirent l'intérêt d'exploiter la réputation de désinhibiteur toxique de l'alcool pour sa valeur de prétexte.

Si les modèles de consommation des sociétés peuvent changer – et *Drunken Comportment* cite plusieurs autres exemples –, l'argument selon lequel les Scandinaves souffrent d'une

incapacité culturelle, voire génétique, à consommer modérément commence à sembler particulièrement suspect. Le comportement ivrogne n'est ni exclusivement inné ni seulement
favorisé par l'usage ; les spécialistes tendent à croire que la culture constitue l'élément clé pour prédire comment un individu
agira sous l'influence de l'alcool. (Il n'existe qu'un seul exemple bien établi d'une différence génétique extrême en réaction
à l'alcool. Environ la moitié des Japonais, et un grand nombre
de Chinois, n'ont pas le gène qui contribue à métaboliser l'alcool ; c'est pourquoi les Asiatiques rougissent et éprouvent une
sensation de chaleur désagréable après un ou deux verres. Ce
qui n'empêche pas les Japonais de boire leur saké, leur *shochu*
ou leur Suntory ; la plupart apprennent à boire malgré cet in-
convénient.) On cite aussi le climat : les Scandinaves boiraient
démesurément à cause de la dépression provoquée par les longues nuits d'hiver et des troubles affectifs saisonniers. Mais l'argument ne tient pas vraiment la route non plus ; certaines des
beuveries les plus notoires ont lieu pendant le solstice d'été,
quand le soleil ne se couche jamais. Et l'argument historique
est trop simpliste : la propension des Vikings à boire à l'excès il
y a des milliers d'années ne veut pas dire que leurs descendants
sont obligés de les imiter. Si les Romains débauchés ont succombé
à des orgies de vin de Falerne, leurs descendants semblent capables de se contrôler avec leur chianti.

Malheureusement, de tels changements dans les modèles
de consommation ont l'air de se produire lentement ; si la disponibilité augmente trop brusquement, il est possible qu'une
génération soit sacrifiée, comme ce fut le cas lorsque le gin fit
son apparition sur le marché anglais, au XVIIIe siècle. C'est
particulièrement vrai dans les cultures où faire la noce est une
tradition. Bien que, *per capita*, les Italiens boivent beaucoup
plus que les Britanniques (et 42 % d'entre eux boivent quotidiennement), ils le font rarement jusqu'à l'ivresse. En Irlande,
au contraire, bien que les buveurs quotidiens soient rares, 58 %
des occasions de boire peuvent désormais être considérées
comme des beuveries. La jeunesse britannique a passé une
décennie à consommer de l'ecstasy et à avaler de l'eau embou-

teillée, mais les distillateurs et les brasseurs jurèrent de prendre leur revanche. Ils la prirent avec les « alcopops » – Bacardi Breezer et Smirnoff Ice, Vodka Jelly, Irn-Bru-and-Whiskey –, des boissons édulcorées mais fortement alcoolisées qui plaisent aux jeunes. Les supermarchés des banlieues ont désormais chassé les épiciers et les bouchers des centres-villes, et des pubs géants ont envahi la place. Pour une raison ou pour une autre, en Grande-Bretagne, le comportement acceptable en état d'ébriété semble depuis quelque temps impliquer de la brutalité fortuite ; chaque année, en Angleterre seulement, 1,2 million d'incidents violents peuvent être attribués aux beuveries.

Étant donné ces statistiques, les législateurs peuvent facilement conclure que, dans des cultures sujettes aux abus épisodiques, la libéralisation provoquerait une recrudescence de violence conjugale, de suicides et de cirrhoses – alors pourquoi se donner cette peine ? Pour Robin Room, un Australien qui dirige à présent le centre suédois de recherche sociale sur l'alcool et les drogues, ce qui s'est passé en Union soviétique dans les années 1980 prouve qu'une diminution généralisée de la disponibilité de l'alcool peut se révéler bénéfique pour la santé publique.

« Environ un mois après la nomination de Gorbatchev au poste de secrétaire général du Parti, l'Union soviétique a entrepris une vaste campagne antialcoolique, me raconta Room. On a réduit la production dans les distilleries d'État ainsi que les heures d'ouverture des magasins d'alcool, on a déraciné des vignes. C'est vrai que tout le sucre a disparu des tablettes des épiceries et qu'on a vu beaucoup plus de *samogon*, le tord-boyaux local. Malgré tout, les meilleures estimations montrent que la consommation totale a baissé du quart. Et le taux d'homicide chez les hommes a chuté de 47 %, les décès causés par un infarctus coronarien, de 9 %, et la longévité des hommes et des femmes a augmenté d'une couple d'années. Mais aussitôt après le démantèlement de l'Union soviétique, on a cessé de contrôler l'alcool et le taux de mortalité des hommes russes a grimpé en flèche. »

La campagne antialcoolique n'a cependant duré que trois ans, et c'est insuffisant pour permettre l'organisation d'un marché illégal d'envergure. Si les Al Capone russes s'étaient sérieusement mis à la contrebande d'alcool, les conséquences auraient pu être désastreuses. Je demandai à Room de me parler des effets à long terme des politiques « régime sec » des Scandinaves (comparativement à celles de pays comme l'Italie, la France et l'Espagne, où l'alcool est en vente libre.)

« Eh bien, il suffit de considérer ce qui se passe pour la drogue ; la politique des États-Unis est une catastrophe. Lorsque la société prend goût à la drogue en question, on se retrouve avec un gros marché noir, cela devient très profitable et, comme les gens ne peuvent conclure des contrats, ils s'entretuent pour établir leur territoire. La police tend à se laisser corrompre, et le marché illégal se mêle à d'autres marchés, comme ceux de la prostitution et des jeux de hasard. Si l'on veut réduire les problèmes de santé et de violence, il faut décourager la consommation de l'alcool de telle façon que prendre un verre ne devienne pas un acte symbolique de défi à l'État. C'est l'argument fondamental contre la prohibition. Il existe d'autres moyens : des politiques de dissuasion, comme les campagnes antitabac entreprises dans un grand nombre de pays. À long terme, il est peut-être vrai qu'un meilleur comportement peut naître de la libéralisation des politiques en matière d'alcool. La question est : combien de problèmes, comme l'augmentation de la violence, sommes-nous prêts à supporter à court terme ? Les pays nordiques sont très disciplinés, ils ont une forte conscience communautaire et tendent à réagir très fortement à tout changement soudain vers le pire, même si c'est à court terme... La Scandinavie, conclut Room, a une culture de fiesta, dans laquelle toutes les règles sont temporairement écartées. Et les gens ne veulent absolument pas y renoncer. Ils sont à ce point réticents à changer leurs habitudes que même l'argument de la santé publique ne fait pas le poids. »

Le changement se produira, évidemment. D'une certaine façon, les Norvégiens sont les « allumés de Beverly Hill » européens : la découverte fortuite du pétrole leur a permis de s'ache-

ter les modèles de voiture les plus récents et d'emménager dans
de nouvelles maisons luxueuses tout en conservant leurs vieilles
coutumes – ici, nos « allumés » ne se promènent pas pieds nus
en brandissant une carabine, mais ils ont un État qui subventionne les fermes et assure le bien-être de ses citoyens. Récemment, toutefois, leurs voisins continentaux se sont mis à modi-
fier leurs habitudes. La Suède et la Finlande font partie de l'UE
et, dans ces pays, on a haussé les limites d'importation : auparavant, on pouvait rapporter d'un voyage deux bouteilles d'alcool ; à présent, on peut importer cinq litres de spiritueux et
52 litres de vin. Pour s'aligner sur le reste de l'Europe, la Suède
prévoit réduire les taxes sur l'alcool de 40 %, ce qui pourrait
faire grimper en flèche la contrebande vers la Norvège. Comme
le paradigme de l'État nounou scandinave menace de se tourner vers le libéralisme libre-échangiste, les infractions aux
politiques sur l'alcool risquent de se produire avec une rapidité
catastrophique, avec tous les problèmes de santé publique qui
y sont liés.

Une question se pose avec une nouvelle urgence : comment, par le biais d'un changement dans les habitudes ou les
politiques de contrôle, atténuer les maux sociaux causés par
l'alcool ? Dans l'ensemble du monde, la consommation *per
capita* a augmenté de 12 % dans les années 1990, surtout en
Amérique latine, en Inde et en Europe de l'Est ; l'Organisation
mondiale de la santé estime que 140 millions de personnes
dans le monde souffrent d'une dépendance à l'alcool et que
1,8 million meurent chaque année de maladies liées à sa
consommation. Les adolescents italiens boivent de plus en plus
de bière et d'« alcopops » et adoptent les comportements de
leurs homologues anglo-saxons. Il faut donc s'attendre à voir
certains politiciens proposer de nouvelles formes de prohibition pour résoudre le problème. Rassemblant les statistiques
sur la conduite en état d'ébriété, ils exigeront qu'on fixe à
21 ans, comme aux États-Unis, l'âge auquel il est permis de
boire de l'alcool. (Ce qui semble plutôt injuste. La relation que
l'humanité entretient avec l'alcool précède d'au moins 8900 ans
celle qu'elle entretient avec l'automobile. Si cela devait un

jour faire l'objet d'un référendum, ce serait sans aucun doute l'automobile plutôt que l'alcool que l'on devrait bannir.) Les historiens des toxicomanies ont détecté un cycle de 70 ans d'oscillation dans l'attitude des États-Unis par rapport à l'alcool – il faut apparemment deux générations pour oublier le désastre que représente la prohibition –, et ce pays a récemment entrepris l'élaboration d'un programme mondial contre les substances psychoactives. Si cela est vrai, nous sommes sur le point d'être submergés par une nouvelle vague puritaine de réactions outrancières et d'interdictions.

Faut-il s'étonner de l'échec récurrent de la prohibition ? La relation de l'humanité avec l'alcool remonte à au moins neuf millénaires, lorsque nos ancêtres néolithiques commencèrent à s'étourdir avec le vin préhistorique fabriqué à partir de riz, de miel et de fruits fermentés dans ce qui est aujourd'hui la Chine. L'alcool précède l'islam, le socialisme, le fondamentalisme chrétien et tout autre système ayant cherché à le contrôler. Les doctrines peuvent bien naître et mourir, l'alcool est là pour de bon ; il a la préséance. (Bien que, quand on parle de substances enivrantes, il soit relativement nouveau sur le marché : le cannabis, la coca et le pavot sont des familiers plus vénérables.) Le désir de s'enivrer – qu'on retrouve en pleine nature chez les éléphants et les sansonnets, les insectes et les primates – est universel et naturel, et toute tentative pour nier cela par la prohibition et autres contrôles paternalistes produit un effet inévitablement contraire et provoque la pire sorte de comportement adolescent. Après tout, l'ivresse est l'une des soupapes de sécurité les mieux développées de la société humaine : elle permet une transgression symbolique au cours d'un « temps d'arrêt » éthylique, mais cette traversée de la frontière est temporaire. D'un point de vue pharmaceutique, l'alcool amortit et retarde la douleur, mais avec le mal de bloc du lendemain, on se retrouve du bon côté de la barrière : la gueule de bois constitue une sorte de pénitence pour nos péchés, et elle serait approuvée par n'importe quel prédicateur luthérien. Plutôt que de remettre en question le statu quo, le cycle tend au contraire à légitimer l'autorité qu'il représente.

À moins, évidemment, que l'État ne commette l'erreur d'interdire complètement l'alcool ou de le taxer au point de le rendre presque inaccessible; c'est alors que le fait de s'en procurer devient un symbole de rébellion encore plus puissant et – par esprit de contradiction – que s'enivrer devient un acte authentiquement subversif.

J'ai mis longtemps à rassembler le courage nécessaire pour essayer le *hjemmebrent*. C'était essentiellement comme l'Everclear – la version américaine légale, à 190 degrés, de l'alcool clandestin – et j'avais gardé de mauvais souvenirs de fêtes punk-rock adolescentes où l'on se soûlait au *purple Jesus*, l'effroyable mélange de Kool-Aid au raisin et d'alcool de grain. L'un des derniers soirs que je passai à Oslo, je pris le train pour la région du parc Vigelands, où je dégustai un simple et délicieux *smørbrød* – des crevettes décortiquées empilées sur une tranche de pain blanc, le tout garni de mayonnaise, d'avocats et de tomates – servi par Marianne et son mari canadien, Jonathan, qui venaient de s'installer en Norvège avec leurs trois chiens. Jonathan me fit un exposé approfondi sur la *lettøl*, bière légère norvégienne.

« Elle contient deux fois moins d'alcool que la bière normale et elle ne coûte que deux couronnes et demie, quatre fois moins cher. *Et ils n'arrivent pas à la vendre.* Elle n'intéresse que les femmes enceintes, et peut-être quelques vieilles dames. Nous en achetons parce que c'est bon, une bière froide, quand il fait chaud, et on n'a pas toujours envie de se soûler. Ce n'est pas une coïncidence si l'étiquette est identique à celle de la bière ordinaire – la seule différence est la couleur de la bande d'aluminium –, parce qu'on n'a pas le droit de faire la publicité d'un produit alcoolisé. Ils font donc la promotion de la marque en montrant la version désalcoolisée sur des affiches. »

Marianne, une Norvégienne, m'expliqua le déroulement d'une soirée : les gens commencent habituellement par quelques verres à la maison ; on appelle ça le *vorspiel* – « avant-party ». Ensuite, vers 23 h 30, ils vont boire quelques pintes, plutôt chères, dans un bar, puis ils se retrouvent dans l'appartement de quelqu'un pour un *nachspiel*, un « après ». C'est là qu'on sort les alcools forts, dont le *hjemmebrent*. Renonçant aux conventions, nous décidâmes de commencer la soirée avec un *karsk*, ou café arrosé. La recette est simple comme bonjour : déposez une pièce de cuivre de 20 couronnes au fond d'une tasse blanche et versez du café noir jusqu'à ce que la pièce soit invisible. Ajoutez alors du *hjemmebrent* jusqu'à réapparition de la pièce de monnaie (inutile de s'inquiéter de la présence de microbes : un alcool aussi fort est capable de tuer le bacille de la peste), et vous avez le drink parfait.

Se rappelant les gueules de bois de son adolescence, Marianne préféra s'abstenir, mais Jonathan et moi en avalâmes une tasse ou deux. Je dus m'y reprendre à quelques fois avant de venir à bout de la première. Chaque fois que je portais la tasse à mes lèvres, les vapeurs de l'alcool me montaient au nez – une odeur qui signifiait, sans doute possible, *Poison* ! –, mais, à la deuxième tasse, je me sentais suffisamment anesthésié. Même dilué, ce machin était bien trop fort. Oublions le rituel et la convivialité : avec le *hjemmebrent,* tout le plaisir esthétique qu'on peut éprouver en partageant un scotch ou un bourgogne de qualité était absent. On était sobre, puis on était soûl. C'était sinistre, ça n'avait qu'un but, et c'était un peu triste. (Et le lendemain de veille ne ressembla à aucun autre : au matin, les *tømmermenn* étaient au travail et ils m'enfonçaient dans le front un pic effilé comme une aiguille.)

D'autre part, le *hjemmebrent* est formidable pour faire des facéties. Jonathan et moi en versâmes un peu sur le plancher de bois franc, éteignîmes les lumières et y mîmes le feu. Marianne fut épouvantée et les chiens devinrent fous.

Nous rappelant que l'alcool fait disparaître les inhibitions, nous rejetâmes le blâme sur lui.

En Norvège la Bonne, le legs de la prohibition se poursuit. En même temps, l'ensemble de la société refuse de reconnaître l'évidence : les beuveries constituent un problème, le marché illégal prospère et des gens meurent d'avoir consommé du méthanol parce que l'alcool est hors de prix. Les chercheurs de

SIRUS me dirent qu'il était impossible d'établir un lien concluant entre une culture de gros buveurs et le taux élevé de décès par surdose en Norvège. Il n'était pourtant pas difficile d'imaginer qu'une société imposant une trop forte pression sur la consommation allait retrouver ce comportement reflété dans l'usage des drogues. Ragnar Hauge faisait partie, me confia-t-il, d'un comité qui recommandait de décriminaliser toutes les drogues en Norvège. Le ministre de la Justice le remercia, mais il lui dit que cela ne serait jamais proposé par le gouvernement ; aucun politicien ne défendrait une telle idée de peur de perdre des électeurs. Il semblait donc que les junkies qui erraient sur les quais autour de l'*Innvik* allaient continuer de se faire déplacer par une police obéissant aux ordres de spéculateurs immobiliers et que la Norvège continuerait de nier qu'elle avait un problème de consommation – de drogue ou d'alcool.

Il n'y a de toute évidence aucune façon de forcer un peuple à boire comme les Italiens ou des Israéliens. Les cultures méditerranéennes prennent du vin en société depuis des siècles et c'est ainsi qu'elles sont parvenues aux normes et aux rituels qui contribuent à la modération ; comparées au reste du monde, elles représentent une anomalie. Il existe cependant une façon sûre de garder une population dans un état d'adolescence attardée. Citez des facteurs comme les gènes, le climat et l'histoire – des arguments tels que « ça a toujours été comme ça » – pour convaincre vos citoyens qu'ils sont trop immatures et qu'on ne peut les croire aptes à gérer leurs propres désirs. Mettez en vigueur des contrôles paternalistes limitant la disponibilité, transformez par le fait même l'alcool en fruit défendu, tout en vous assurant une énorme et constante source de revenus en taxes. Autrement dit, enfermez vos boissons dans un cabinet et montrez bien que vous êtes le seul à en posséder la clé. Vous serez ainsi sûrs d'engendrer une stase dans laquelle l'ivrognerie et la consommation privée honteuse demeureront la norme, de produire une culture de goinfrerie adolescente qui n'évoluera jamais vers une culture de saine modération.

Les Norvégiens savent à tout le moins se détendre, même si ce n'est qu'au cours de leurs bacchanales de fin de semaine.

Dans les sociétés où les prohibitions sont appliquées avec encore plus de rigueur, la situation peut se révéler quelque peu plus tordue. J'étais sur le point de le découvrir. Je venais de réserver un billet d'avion pour l'État nounou le plus notoire du monde, un lieu à côté duquel la Norvège ferait figure de Babylone.

LES CRAQUELINS

De toutes les tyrannies, une tyrannie sincèrement exercée pour le bien de ses victimes
peut se révéler être la plus oppressive. Il est
peut-être préférable de vivre sous la domina-
tion de barons voleurs que sous celle de touche-
à-tout moraux et omnipotents.

C. S. Lewis

Délicieux craquelins

Des graines de pavot pour la nounou

Dans l'aéroport international de Changi, la climatisation nous assurait une température de 72 degrés Fahrenheit – idéale pour le veston de tweed –, et pourtant, en dépit de l'air glacial, je transpirais comme le jeune avec la dope aplatie contre sa taille dans *Midnight Express*. J'avais déjà repéré une demi-douzaine de caméras de surveillance qui me suivaient à la trace ; des gardes en uniforme avaient les yeux fixés sur les écrans des scanners thermaux, recherchant les lueurs suspectes rouges ou jaunes sur les visages – indices indiscutables du SRAS, de la grippe aviaire ou de l'angoisse engendrée par la culpabilité. Je me sentais particulièrement repérable tandis que je suivais les hommes d'affaires en complet sur la passerelle : mes cheveux étaient trop longs, mon tee-shirt était trop noir, mon sac à dos, trop miteux. Qui plus est, mon stylo avait explosé quelque part au-dessus de la mer de Chine, laissant une tache Rorschach vraiment suspecte sur le code-barres de ma carte de débarquement. Celle qui portait, écrit en rouge hémoglobine, les mots : ATTENTION LA LOI DE SINGAPOUR PRÉVOIT LA PEINE DE MORT POUR LES TRAFIQUANTS DE DROGUE. (Dans le plus pur style « bon-cop-bad-cop », la contre-partie disait BIENVENUE À SINGAPOUR.) Mais il n'était pas question de faire marche arrière : j'étais entré dans le pays qui avait le plus haut taux d'exécutions capitales au monde, où l'on pendait ceux qui possédaient plus que quelques grammes de drogue – et je poursuivais mon chemin.

Dans l'avion de Cathay Pacific au départ de Hong Kong, j'avais lu de la documentation sur le *rotan*, cette canne de l'époque coloniale toujours en usage à Singapour pour punir les criminels de tout acabit, des tagueurs jusqu'aux sodomites.

« Au début, je n'ai pas ressenti de douleur, se rappelait un survivant âgé de 62 ans, juste une sensation de chaleur, mais, peu à peu, au fur et à mesure que la sensation se précisait, la chaleur est devenue insupportablement douloureuse. C'était comme si on m'avait appliqué un fer rouge dans le dos. J'ai senti ma chair picoter, puis les élancements ont commencé. Ce n'était que le premier coup. » Il ajoutait que les cicatrices étaient permanentes.

Après avoir commandé une autre Carlsberg à une hôtesse qui passait dans l'allée, j'inspectai une nouvelle fois le contenu de mon bagage à main. Je savais que, dans l'État nounou le plus célèbre du monde, je perdrais mon temps à rechercher des produits interdits. J'avais donc décidé d'importer mes propres fruits défendus. Camouflé dans une poche intérieure, il y avait *Fanny Hill ou Les mémoires d'une femme de plaisir*, le truculent roman porno du XVIIIe siècle écrit par John Cleland, avec sa couverture exhibant les pâles fesses d'une beauté rubenesque penchée et, en quatrième de couverture, ce commentaire on ne peut plus éloquent d'Erica Jong : « Un rayon de soleil dans le monde sordide de la luxure ! » Interdit en Angleterre pendant deux siècles et demi, *Fanny Hill* l'était toujours à Singapour, de même que *Playboy*, *Sexus* d'Henry Miller, l'œuvre complète du marquis de Sade et 167 autres bouquins et magazines jugés pornographiques, immoraux et corrupteurs. L'amende maximale pour possession de matériel pornographique était de 20 000 $. J'avais caché sur ma personne trois paquets de gomme Wrigley – 27 tablettes au total, toutes sucrées. La gomme à mâcher avait été interdite en 1982 après une recrudescence d'incidents où les portes des wagons du métro avaient été bloquées, et elle n'était depuis autorisée qu'à des fins médicales ; l'amende imposée pour l'importation : 10 000 $. Le pire produit en ma possession – j'en grignotais nerveusement depuis que le pilote avait amorcé notre descente –, c'était un paquet de cra-

quelins Marks & Spencer saupoudrés de graines de pavot. Un
an plus tôt, le Bureau central des narcotiques avait retiré un
mélange de gâteau aux graines de pavot des étagères d'un supermarché, condamnant l'importateur à une amende de 60 000 $.
Cela fut suivi de razzias dans les succursales Marks & Spencer,
une mesure de répression énergique contre les pourvoyeurs de
craquelins narcotiques.

« Nos craquelins contiennent des graines de pavot, protesta
à l'époque un dirigeant de la compagnie M&S. Ils contiennent
donc des niveaux extrêmement bas d'opiacées. » J'avais com-
muniqué avec le Bureau des narcotiques avant mon départ
pour demander quel était le châtiment infligé en cas de possession. « Les graines de pavot sont considérées comme des produits défendus en vertu de la Loi sur l'usage des drogues à mauvais escient, me répondit par courriel Dawn Sim, la personne
en charge des relations avec les médias. Si un individu consomme un aliment contenant des graines de pavot avec des
traces de morphine, son échantillon d'urine peut indiquer la
présence d'une drogue contrôlée. La morphine en faisant partie, nous avons instauré des contrôles sévères concernant l'importation des graines de pavot. »

Ce qui n'avait pas vraiment répondu à ma question. Mais
tout cela donnait quelques frissons dans le dos. À tout le moins,
j'avais probablement réussi à faire inscrire mon nom dans une
base de données quelconque.

À Singapour, me rappelai-je, la tolérance zéro était la politique officielle. La méthode d'exécution préférée était la pendaison.

Quand on choisit un contrôleur de passeport, on doit se
montrer à la fois circonspect et résolu. Évitant délibérément
les hommes d'âge moyen qui, les sourcils froncés, examinaient
les documents, je fis la queue au guichet numéro 14. L'inspec-
trice, une jeune Malaisienne, me fit signe d'approcher. Elle
avait d'épais cheveux noirs longs et ondulés, son uniforme
était impeccablement ajusté, ses épaulettes étaient raides ;
elle me lança un coup d'œil, parcourut avec compétence ma

carte de débarquement malgré la tache d'encre, estampilla mon passeport, me le tendit et fit signe à la famille derrière moi.

Ç'avait été facile, trop facile. Mais un tampon sur un passeport n'est pas pour autant synonyme de liberté ; il faut encore essuyer le feu de la douane. Suivant les allées qui menaient aux carrousels à bagages, je récupérai ma valise, laquelle, comme il fallait s'y attendre dans un aéroport high-tech aussi renommé, m'avait précédé. (La plupart des villes aspirent à se distinguer par leurs aéroports. Singapour, elle, aspire à ne pas se distinguer du sien.) Je roulai mon bagage en direction du signal vert RIEN À DÉCLARER et, passant devant les tables où des gardiens fouillaient les valises, j'avais le regard vide du touriste en proie au malaise causé par le décalage horaire tout en me préparant à recevoir une tape sur l'épaule. Il n'y en eut pas. Les portes vitrées s'ouvrirent devant moi. Aucune salle d'interrogatoire ne m'attendait, juste le royaume réconfortant des comptoirs de change et de la station de taxis. Des endorphines de soulagement se répandirent dans mon corps.

Au comptoir d'information touristique, je demandai une carte du métro. « Bienvenue à Singapour », me souhaita l'employée chinoise avec un sourire professionnel crispé. Indiquant d'un geste de la main un bol posé devant elle, elle ajouta : « Prenez une pastille de menthe. »

En vérité, on n'aurait pas dû me laisser entrer à Singapour. Après tout, j'étais un démon, pur rejeton de l'Occident décadent, cette zone amorale où règnent la fainéantise et l'impolitesse, ce paradis pour assistés sociaux où l'amour est libre et la rébellion, une fin en soi. Pas rasé, exhalant les relents de 20 heures d'avion avec repas servis à bord et air recyclé, je traversai les doubles portes – conçues pour prévenir les suicides – d'un impeccable train MRT (*Mass Rapid Transit*), dans lequel je célébrai mon arrivée en déballant une tablette de gomme Wrigley que j'enfournai sans vergogne. Dans le haut-parleur, une voix de femme à l'accent britannique incitait les passagers à se déplacer vers le centre du wagon. Le Chinois à côté de moi regarda silencieusement ma performance, haussa un sourcil et s'éloigna de deux pas vers la sortie.

Ce qui me permit d'avoir un meilleur aperçu du Singapour contemporain. Le MRT aérien glissait dans une banlieue tropicale immaculée, où les frangipaniers, les orchidées et les palmiers – dont la forme rappelait un dos de stégosaure – pullulaient entre des sièges sociaux de compagnies d'une blancheur irréprochable et des viaducs à croisement en trèfle. Soixante-dix ans auparavant, cette île n'était, pour la majeure partie, qu'un dépotoir fétide, un trou perdu colonial célèbre pour ses travestis, ses fumeries d'opium et ses épidémies récurrentes de fièvre jaune. Aujourd'hui, c'est l'une des meilleures histoires de réussite de l'Asie, une ville-État de 4,6 millions d'habitants dont la moitié, formée de Chinois, de Malaisiens et d'Indiens très instruits, ont accès à Internet chez eux, et où l'air conditionné omniprésent donne à sa position à un degré au nord de l'équateur l'air d'un détail insignifiant. En plus d'avoir entendu le nom exotique de Singapour dans une chanson de Tom Waits, les Occidentaux le connaissent comme celui d'une escale sur la route de Sydney ou de Tokyo, source de matériel électronique bon marché, et à cause des nouvelles qui leur parviennent à l'occasion sur les artistes graffiteurs condamnés à la bastonnade. D'une superficie à peine supérieure à celle de Montréal, l'île où j'habite, Singapour se targue d'avoir une armée de 50 000 hommes (auxquels s'ajoutent 300 000 réservistes) et la plus grande armée de l'air de l'Asie du Sud-Est. Ses F-16 lui permettent d'ailleurs de dominer ses voisins plus populeux, la Malaisie et l'Indonésie. Si l'on en croit ses apologistes, Singapour est une méritocratie technocratique dotée de dirigeants incorruptibles, une superpuissance du Sud-Est asiatique dont le niveau de vie dépasse celui de son ancien colonisateur, la Grande-Bretagne.

Ses détracteurs la surnomment *Princessland*, un croisement insolite entre un mandarinat confucéen et un pensionnat britannique, la quintessence de l'État nounou. À Singapour, la vie est microdirigée par un Gouvernement (invariablement écrit avec un G majuscule : ici, l'État et le parti gouvernant ne font qu'un) dont les caméras de surveillance et les réseaux informatiques pénètrent au cœur même des complexes d'habitation. Les histoires que j'avais entendu raconter donnaient la chair de poule : les ascenseurs étaient équipés de détecteurs d'urine, et les débauchés à la vessie fragile pris en flagrant délit par la caméra voyaient leur photo publiée dans les pages du *Straits Times*, propriété de l'État. Tous les citoyens de Singapour reçoivent un numéro à leur naissance et, à partir de l'âge de 15 ans, ils ont tous une carte d'identité nationale qu'ils doivent utiliser pour prendre un rendez-vous chez le médecin, postuler un emploi, ouvrir un compte bancaire et même pour réserver des billets de concert ou des chambres d'hôtel, procurant ainsi à l'État une base de données qui lui permettra de vérifier le cheminement et les habitudes de tous ses citoyens-numéros. Voici, entre autres, ce qui est interdit à Singapour : les pétards (peuvent causer des incendies), les sous en chocolat enveloppés dans du papier métallique (peuvent être confondus avec les vraies pièces de monnaie), se promener tout nu dans son appartement (une offense à la pudeur publique). Les châtiments sont draconiens. Pour une cosse de durion jetée du haut d'un balcon, le délinquant recevra un Ordre de travail correctif – il devra peut-être balayer les rues avec un écriteau portant les mots JE SUIS UN POLLUEUR accroché au cou ; après plusieurs offenses, il peut se faire confisquer son appartement. En vertu de la Loi sur les offenses diverses, faire un bras d'honneur à quelqu'un au milieu de la rue est punissable d'une amende de 1000 $. Et en ce qui concerne les relations homosexuelles ou orales mutuellement consenties (c'est-à-dire le « commerce charnel contre nature »), la loi prévoit une peine pouvant aller jusqu'à deux ans d'emprisonnement. Ici, le chemin de l'excès n'est pas seulement barricadé ; les types du Palais de la sagesse en ont également parsemé les deux côtés de mines antipersonnel.

Mais c'était d'abord pour cela que j'avais décidé de visiter Singapour : je voulais jeter un coup d'œil à une société dans laquelle presque tout ce qui pouvait être interprété comme émoustillant, affectant les facultés ou même vaguement agréable était interdit par des règlements rigides. S'il était difficile d'imaginer à quoi pouvait ressembler une utopie libertaire – je n'avais qu'à me représenter Las Vegas ou Tijuana poussées à l'extrême –, ce l'était encore plus de me représenter son contraire. Que se passe-t-il quand un pays gouverne ses citoyens comme un patriarche féru de discipline régente son foyer ? La société qui en résulte est-elle un parangon d'unité sociale ou une populace de transgresseurs adolescents ricaneurs et de mouchards fouineurs ? Peut-être, pensai-je, les gens ici se sentaient-ils si comblés par la vie que la question du fruit défendu ne se posait même pas. Les habitants de Singapour étaient peut-être simplement un nouveau type d'humains : des humains sans impulsions excentriques à contrôler.

Je n'étais pas tout à fait sûr de ce que pouvait être la sanction imposée pour la possession de craquelins aux graines de pavot. Mais d'après le panneau que j'avais devant moi, où l'on voyait un hamburger et une cannette de boisson gazeuse barrés d'un trait rouge, on s'exposait à une amende de 500 $ quand on mangeait quoi que ce soit dans un wagon du MRT. Je remarquai que le Chinois à côté de moi contemplait, consterné, les miettes de mon craquelin tombées sur le sol. Quand je lui tendis le paquet ouvert, il devint rouge comme une pivoine, me tourna brusquement le dos et se dirigea vers la sortie. Je constatai que nous étions à la station Bugis – qui était aussi mon arrêt – et je le suivis sur la plate-forme. Il me lança un regard par-dessus son épaule et se précipita comiquement vers l'escalier roulant.

Bon Dieu ! Il était aussi facile de choquer les gens de Singapour que de scandaliser les mormons. J'allais avoir du plaisir dans cette ville – ou me faire arrêter en essayant.

« Bien, dis-je avec une grimace tandis que les bulles d'un autre *tequila-and-tonic* se frayaient un chemin dans ma gorge, où va-t-on quand on veut s'amuser à Singapour ? » Ce soir-là, Pam et Kevin étaient mes partenaires inconnus. C'étaient deux agents de voyages singapouriens à la fin de la vingtaine, qui aimaient bien lever le coude et avec qui j'avais été mis en contact à la suite d'un frénétique envoi de courriels à mes amis et connaissances, demandant : « Quelqu'un connaît-il quelqu'un à Singapour ? » Pam s'étant vantée de me faire connaître l'endroit le plus branché de la ville – « Et un journal londonien l'a classé comme l'un des meilleurs clubs au monde ! » –, j'allongeai donc sans rechigner les 35 $ de frais de couvert. Mais une fois à l'intérieur, perché sur un tabouret à une petite table ronde, je ne pus m'empêcher de me demander à voix haute où était l'action. Labyrinthe complexe de trois entrepôts riverains interreliés, le Zouk aurait pu être un antre pour jeunes branchés dans n'importe quelle métropole, un de ces lieux glacials avec canapés moelleux et bar mal éclairé, mais, à minuit un vendredi soir, la piste de danse était déserte ; les serveuses étaient les seules personnes qui bougeaient.

« Ça va commencer un peu plus tard ! m'informa Kev, vociférant pour couvrir la musique techno. Les Singapouriens ont besoin de boire beaucoup avant d'être assez détendus pour danser ou baiser.

– Ah ! Comme les Britanniques », rétorquai-je.

Au même instant, quelques Anglais dans la trentaine passèrent à côté de notre table en jaugeant Pam.

« Ils cherchent des SPG, m'expliqua Kev, des *sarong party girls* ! Ce sont des filles qui sortent avec les Occidentaux, surtout pour l'argent et le statut. »

J'en avais déjà repéré quelques-unes : outrancièrement maquillées, les épaules bronzées dénudées, titubant sur leurs talons aiguilles, souvent avec un air débraillé dû à l'ivresse. Elles étaient faites sur mesure pour leurs proies, parvenus occidentaux notoires, types virils à la calvitie naissante et à la misogynie enracinée, qui vont en Asie chercher les petites amies que leurs troubles de personnalité les empêchent de lever dans leur pays.

« Hé ! Bonhomme, tu sais ce que je fais pour m'amuser ? » me demanda Kev en mettant deux autres pichets de crantini sur sa carte de crédit. « Je vais au zoo de nuit, je prends une bouteille de vin pour me mettre un peu pompette. Je relaxe avec le rhino, j'observe les chauves-souris. Ne ris pas... c'est complètement *rad* ! »

C'était le vocabulaire de Kev plutôt que sa conception du plaisir qui m'avait fait ricaner. Il était d'origine peranakan – un mélange essentiellement singapourien de malaisien et de chinois –, mais sa conversation était parsemée de slang californien glané pendant les années où il avait travaillé comme programmeur à San Francisco; il portait aussi une casquette de baseball et sur sa chemise bleu pâle était cousue une étiquette avec le nom d'un garage en Australie – il y avait occupé un emploi de garçon de fosse pendant quelque temps. Comme Pam, il attribuait à ses origines mêlées son impressionnante tolérance à l'alcool.

« La plupart des Chinois sont complètement partis après un verre. Ils rougissent, se mettent à parler très fort et finissent par dégueuler. Nous, Peranakans, on n'a pas de problèmes avec l'alcool ! »

C'était une des raisons pour lesquelles la prohibition de l'alcool – contrairement à tout autre genre de prohibition – n'avait jamais été envisagée à Singapour; l'absence d'un gène contribuant à métaboliser l'alcool imposait ses limites à la consommation. Grâce à leur héritage génétique malaisien, Pam et Kev ne souffraient pas de cette fameuse rougeur asiatique.

« Je suis une alcoolo ! » renchérit Pam en cognant sur la table son verre de *tequila-and-tonic* couvert d'un sous-verre pour l'avaler ensuite cul sec. « J'estime le degré de civilisation d'un pays et l'intérêt d'y vivre selon le prix d'une cannette de bière au 7-Eleven. Ici, ça coûte 3,30 $! Trooop cher ! »

Je leur parlai des graines de pavot que j'avais fait entrer clandestinement à Singapour.

« Oh ! Seigneur ! grogna Kev. Ils ont aussi interdit les graines de pavot ? Parfois, j'ai honte de Singapour. »

Minuit était passé et l'heure du « deux pour un » aussi; nous nous frayâmes donc un chemin entre les cordages et les corps et atterrîmes dans un autre club du complexe; Ibiza était le thème du décor – adobes et mosaïques marocaines. La foule était élégante, mais vêtue de façon conservatrice – tee-shirts noirs et jeans moulants; les marques internationales prévalaient. On ne trouvait cependant ni individualité vestimentaire, ni pupilles dilatées par l'ecstasy, ni reniflements suspects dans les cabines des toilettes ; il n'y avait que l'ambiance de compétition, vaguement agressive, qu'on reconnaît quand trop de mâles imbibés rivalisent pour trop peu de femelles.

Pam et Kev me dirent qu'ils devaient être pas mal plus soûls pour se risquer sur la piste de danse et nous grimpâmes à bord d'un taxi pour nous rendre dans un quartier appelé Emerald Hill, à quelque distance d'Orchard Road, la grande artère commerciale, où s'alignaient des bars somptueux, fréquentés en majeure partie par une clientèle d'expatriés. Nous choisîmes l'Alley Bar et là, devant nos martinis au litchi, nous nous mîmes à parler de l'Unité de développement social du Gouvernement, qui s'efforçait de favoriser les rencontres en organisant des soirées de danse, des barbecues et des croisières pour célibataires. Je leur dis avoir lu que le but inavoué était d'inciter la majorité chinoise à faire plus d'enfants afin de contrebalancer l'explosion de natalité des Malaisiens plus féconds.

Kev recula, interloqué, et s'écria : « Ho ! Bonhomme ! C'est complètement HL ! » Il jeta un coup d'œil par-dessous la visière de sa casquette pour s'assurer que personne ne m'avait entendu.

« Je veux dire *hors limites* ! C'est l'expression qu'on utilise à Singapour. Il y a trois sujets dont on ne discute pas en public : la race, la religion et la politique. On le sait quand quelque chose va trop loin… c'est instinctif. »

Craignait-il vraiment d'être entendu par des oreilles ennemies ?

« On a parfois l'impression d'être entouré d'espions. On se trompe probablement. Mais ici, les gens ne sont pas portés à s'exprimer en public ; ils sont méfiants. C'est absolument anormal de tenir une conversation avec un étranger. »

Nous essayâmes deux ou trois autres bars dans Orchard Road, mais l'ambiance était partout la même : une foule d'hommes célibataires qui déambulaient, le regard torve, reluquant les barmaids et les rares clientes encore là.

Kevin s'excusa de l'indigence de la situation. «Les gens sont sans doute crevés après les vacances. As-tu envie de retenter le coup un peu plus tard cette semaine?»

Je voulais à tout prix donner une deuxième chance à la vie nocturne de Singapour. Pam ne serait pas de la partie: elle allait en voyage d'affaires à Tapei.

«Je vais t'amener à l'hôtel Mitre, me promit Kev. Une tranche du vieux Singapour. Ça va te plaire, je te le garantis. »

La première chose que le visiteur remarque à Singapour – à part ses vêtements trempés dans l'air humide –, c'est l'abondance des exhortations. La ville nous parle, et le ton est pressant.

NE PERDEZ PAS VOTRE BONNE HUMEUR EN VOUS ADONNANT AU CRIME, recommande un taxi Crown de marque Toyota.

VEUILLEZ JETER LE PAPIER HYGIÉNIQUE ICI… UTILISEZ AVEC DISCERNEMENT! comme la salle des toilettes pour hommes du Tekka Food Centre en implore ses clients.

TOUT COMPORTEMENT IRRÉFLÉCHI A DES CONSÉQUENCES, nous avertit une affiche dans le MRT – on y voit un couple souriant qui bavarde, surpris par les caméras de surveillance en train de bloquer la circulation sur un tapis roulant.

Sur les trottoirs d'Orchard Road, même l'asphalte sous nos pieds se préoccupe de notre santé. Peint en blanc marqué de gris par des traces de pneus, on peut lire ce conseil: VOUS FUMEZ? VOICI LA QUANTITÉ DE GOUDRON QUI SE TROUVE DANS VOS POUMONS APRÈS UN AN. (Certains publicitaires se plaisent à jouer avec l'autoritarisme ambiant. Dans une aire de restauration, j'ai remarqué un distributeur de serviettes de papier Coca-Cola sur ma table: BUVEZ! était-il écrit. PAR ORDRE DU MINISTÈRE DU PLAISIR!) Si Hong Kong et Tokyo sont les enseignes au néon du capitalisme de consommation, Singapour évoque quant à elle un tableau d'affichage dans une école secondaire du Midwest, sur lequel on a sans aucune ironie punaisé des appels totalitaires au civisme.

Dans cette école, le conseil étudiant peut toutefois vous condamner à mort. Selon Amnesty International, c'est Singapour qui a le plus haut taux d'exécutions capitales au monde.

Dernièrement, frappée par une implacable récession économique, une épidémie de SRAS, un taux de chômage jamais vu et l'exil de ses plus brillants cerveaux vers l'Australie et les États-Unis, Singapour a déployé des efforts concertés pour rendre son image moins sévère. Avant mon arrivée, les changements avaient fait la une dans les journaux du monde entier : on allait abolir la prohibition du chewing-gum, diffuser la série *Sex and the City* depuis longtemps interdite, favoriser les arts, tandis que le saut à l'élastique et les danses sur le comptoir de bar feraient l'objet d'une déréglementation circonspecte.

Mais quand on examinait le texte écrit en petits caractères, on constatait que c'était une sorte de valse-hésitation – deux pas en avant, deux pas en arrière. Les pressions exercées par les groupes de lobbyistes états-uniens avaient forcé Singapour à céder sur la question de la gomme à mâcher ; par conséquent, les marques approuvées médicalement, comme Nicorette, seraient vendues, mais uniquement par des pharmaciens et des dentistes qui devraient également prendre en note le nom des acheteurs. *Sex and the City* serait en effet diffusé, mais le comité de censure couperait toute allusion de Samantha au sexe oral et au léchage anal. On construisait un centre d'art impressionnant sur l'Esplanade, mais les auditoriums étaient trop grands pour qu'on y représente autre chose que d'inoffensives comédies musicales telles que *Singin' in the Rain*. Les troupes de théâtre locales seraient encore obligées de soumettre les pièces originales potentiellement subversives au redoutable ministère de l'Information, des Communications et des Arts avant de les présenter au public, sous peine de se faire retirer leur permis. Et quant aux concessions concernant les danses sur les comptoirs, les critiques faisaient valoir qu'elles n'étaient que de cyniques tentatives de manipulation de structures sociales. À Singapour, le taux de natalité stagnait à 1,25 enfant par femme, bien au-dessous des 2,1 nécessaires pour renouveler la population, et un sondage mené par la compagnie de préservatifs Durex montrait que les Singapouriens adultes étaient le peuple qui avait le moins de relations sexuelles au monde – avec 110 actes par année, ils se classaient même derrière les Belges (130) et les

Indiens (116). Si la culture confucéenne de Singapour ne voulait pas être engloutie dans une mer de Malaisiens, elle allait de toute évidence devoir donner à ses bourreaux de travail d'origine chinoise quelques occasions de se rencontrer et de s'accoupler.

Le sexe était, en fait, le seul domaine où le Gouvernement avait relâché son emprise. Sur les questions de liberté individuelle, de liberté de parole et de démocratie, le parti au pouvoir faisait toujours la pluie et le beau temps. Depuis 1959, Singapour était dirigée avec rigueur par le PAP – People's Action Party. Fondé en tant que parti socialiste par « Harry » Lee Kuan Yew, un avocat diplômé de Cambridge, il offrit l'indépendance à une population lasse de vivre sous la férule coloniale britannique et des années de guerre brutale ayant suivi l'occupation japonaise. Après un court drame ayant résulté en l'union avec la Fédération de Malaisie nouvellement formée, Singapour s'en retira en 1965, date où elle devint un micro-État pleinement indépendant. Si le PAP se targue d'avoir fait de Singapour une démocratie – dans laquelle, comme par hasard, le parti en place remporte haut la main toutes les élections, apparemment seulement à cause de son mérite –, il reste quand même au pouvoir en employant des tactiques machiavéliques et hypocrites. En 1974, la Loi sur les journaux et la presse imprimée mit fin à la propriété privée des médias et les journaux et revues se retrouvèrent sous la surveillance directe de l'État. Les membres de l'opposition (le Parlement en compte deux, comparativement à 82 membres du PAP) sont constamment poursuivis en cour, acculés à la faillite, et parfois même emprisonnés quand ils critiquent trop ouvertement le parti dirigeant; Lee Kuan Yew est l'homme qui a gagné le plus de procès en diffamation de l'histoire. La détention sans procès est fréquente, et le Gouvernement a admis utiliser régulièrement la torture pendant les interrogatoires. Les comtés qui votent pour l'opposition se retrouvent au bas de la liste au moment d'attribuer les fonds publics. Lee, qui aime souvent parler de ses concitoyens comme de « numéros », a déclaré ceci en 1987: « On m'accuse souvent de me mêler de la vie privée des citoyens. C'est vrai, et si je ne le faisais pas, si je ne l'avais pas fait, nous ne serions pas là où nous sommes aujourd'hui. Et j'affirme sans éprouver le moindre remords que nous… n'aurions accompli aucun progrès économique si nous n'étions pas intervenus dans des domaines très personnels – qui est votre voisin, comment vous vivez, quel bruit vous faites, comment vous crachez ou quel langage vous utilisez. Nous avons déterminé ce qui est bien. Peu importe ce que les gens pensent. » Aussi révélateur que l'aparté d'un méchant dans une tragédie élisabéthaine.

Bien qu'il ait pris sa retraite comme premier ministre, Lee Kuan Yew continue à jouer son rôle de *deus ex machina* tapi dans les coulisses. En 1971, il déclara à une foule d'étudiants de polytechnique : « Mon fils n'a aucun espoir d'hériter mon poste. Il le sait et vous le savez. » Aujourd'hui, le premier ministre de Singapour est Lee Hsien Loong, B. G., qu'on appelle le *Brigadier général** Lee –, fils aîné de Lee Kuan Yew. Sa femme dirige le holding qui contrôle pratiquement toutes les sociétés importantes de l'île. Singapour, qui se déguise en démocratie parlementaire de style Westminster, est en réalité une technocratie dynastique qui s'auto-perpétue, dans laquelle aucun syndicat, aucune association, organisation non gouvernementale ou autre manifestation d'une société civile ne peut combler l'abîme entre gouvernants et gouvernés.

Errant dans les rues, sur les passerelles et dans les rues piétonnières du quartier central des affaires, je cherchai en vain des signes d'individualité ou de rébellion. Même à une heure du matin, quand il n'y a plus aucune Mazda ou Hyundai en vue, les piétons aux intersections attendent que le feu tourne au vert avant de poser leur pied sur la chaussée (et, à Singapour, les lumières peuvent rester au rouge pendant trois minutes, suffisamment longtemps pour vous faire oublier dans quel but vous vouliez traverser cette rue). Un après-midi, je me rendis à la Place des orateurs, inaugurée en grande pompe à l'aube du millénaire comme une preuve du nouvel esprit démocratique régnant à Singapour, sise dans un parc à proximité des boutiques victoriennes de Chinatown. (Ceci est peut-être le plus triste signe de la colonisation psychologique de Singapour : un lieu dont 77 % de la population est chinoise a encore son propre quartier chinois.) Sur le modèle de la vieille institution de Hyde Park – où des harangueurs de foule peuvent réclamer l'incendie du Parlement ou l'interdiction de la chasse au renard –, la version singapourienne obligeait toutefois les orateurs potentiels à s'inscrire auprès de la police et leur interdisait de discuter de race ou de religion. Comme il fallait s'y attendre, on ne s'est pas rué pour y aller.

Je m'approchai de l'enseigne écrite en lettres brunes bien alignées, soutenue par des poteaux plantés dans les buissons, et je jetai un regard curieux autour de moi. À part un homme en short qui lisait silencieusement son journal chinois sur un banc, j'étais le seul être humain vivant à la Place des orateurs.

*
* *

Hwee Hwee Tan avait suggéré le bistrot de la librairie Borders, dans Orchard Road, comme lieu du rendez-vous. Je marchai sous d'énormes banians dans lesquels des lumières étaient suspendues, évoquant des plantes grimpantes, longeai les Burger King, les Dairy Queen et les Starbuck (offrant des bagels nus et tristounets sans leurs graines de pavot) et entrai brièvement dans un magasin Marks & Spencer (aux étagères remplies de bonbons à la menthe, de thon en conserve et de biscuits à haute teneur en fibres, mais dépourvues de craquelins aux graines narcotiques).

La librairie Borders de Singapour paraissait identique à toutes ses contreparties dans d'autres villes anglophones. On y reconnaissait les piles habituelles de romans sentimentaux britanniques à la couverture fluorescente, une surabondance de livres de cuisine, et cet insolite sous-genre expatrié, qu'on retrouve de Bangkok à Bombay, de thrillers asiatiques et de lubriques confessions interculturelles. Quelque chose manquait : il n'y avait aucun ouvrage critique sur Singapour. On voyait pourtant des piles et des piles de la récente autobiographie en plusieurs tomes de Lee Kuan Yew (« On a menacé de fermer toute librairie qui ne garde pas un stock de ses mémoires », m'a rapporté avec esprit un éditeur expatrié.)

Tan était l'auteure de deux romans. Le premier, *Foreign Bodies*, elle l'avait écrit à 23 ans. J'avais été d'entrée de jeu intrigué par la première scène : nous sommes dans le métro de Singapour et un jeune Anglais au torse nu est surpris en train de verser un cocktail Ovaltine-vodka sur la plate-forme immaculée d'un MRT ; cette scène rendait bien le choc des cultures entre les valeurs occidentales et asiatiques. Chrétienne d'origine chinoise, Tan avait étudié le droit à Oxford et vécu aux États-Unis après avoir gagné une bourse de création littéraire du *New York Times*. Revenue à Singapour où elle travaillait comme pigiste, elle déplorait les bas salaires et la pusillanimité des médias locaux. C'était une femme de 30 ans, menue, aux épaules étroites. Elle portait une blouse blanche sans manches et des lunettes noires à grosse monture. Nerveuse et volubile, elle s'exprimait avec une calme intensité.

La serveuse apporta une pizza végétarienne que Tan attaqua avec appétit. Entre deux bouchées de mon sandwich au saumon fumé, je lui demandai si toutes les prohibitions – chewing-gum, littérature érotique et drogues de toutes sortes – affectaient sa vie quotidienne.

« J'ai une hygiène de vie très stricte, répondit Tan. On ne m'a jamais imposé d'amende pour quoi que ce soit. Mais c'est vrai que les prohibitions sont nombreuses à Singapour. Quand on a interdit la gomme à mâcher, c'est à peine si les gens ont protesté. Et parce que, ici, les valeurs sont différentes, le Gouvernement a beaucoup plus de latitude qu'aux États-Unis. Là-bas, les gens accordent une immense valeur à la notion de liberté. Pour les Singapouriens, la liberté – particulièrement la liberté d'expression – est loin de représenter une priorité. À mes yeux, l'affaire du chewing-gum n'a pas une grande importance – quand on convoite des choses comme de la gomme, des livres interdits ou des vibrateurs, on trouve toujours moyen de se les procurer. C'est l'absence de liberté d'expression qui me trouble le plus. »

Tan, qui n'avait cessé de lorgner mon sandwich, s'interrompit soudain. « Il est vraiment énorme ! » s'exclama-t-elle. J'en découpai un morceau et le lui tendis à travers la table.

« Tu aimes bien manger ? dis-je en la regardant mastiquer.

– Après tout, je suis singapourienne ! répondit-elle. Le problème à Singapour, c'est qu'aucune de ces prohibitions ne dérange les gens. Parce que Singapour est un pays très sûr, et cette sécurité devient un cocon. Plusieurs de mes amis n'ont absolument aucune velléité de révolte. Ils commencent à avoir des enfants, et ils se fichent de la censure. Ils veulent seulement savoir s'ils pourront envoyer leurs gamins à l'école de musique. J'ai de nombreux collègues malheureux, frustrés par le système, mais ils ne pensent pas que la situation risque de changer. Ces interdictions ont été établies par la structure de pouvoir en place, et les choses vont demeurer inchangées jusqu'à la mort des gens qui sont au sommet. »

Je lui dis qu'un tel statu quo me rendrait fou, ou que je me hâterais de déguerpir. J'imaginais que ce devait être aussi exaspérant pour quiconque avait un minimum d'individualité – comme Tan elle-même. Mais elle se considérait comme une anomalie et attribuait ses élans créateurs à sa personnalité bipolaire, une attitude qui me parut tristement déterministe. (« Je dois être un genre de phénomène, me confia-t-elle. Quand on est bipolaire, on a certains dons artistiques. Il n'existait rien dans mon environnement familial pour me pousser à écrire. »)

« Tu sais comment la frustration se manifeste ? me demanda-t-elle. Par les gens qui se fichent de leur travail comme de l'an quarante. La créativité n'est pas vraiment récompensée à Singapour, parce que les créateurs sont perçus comme des trouble-fête, des gens un peu rebelles, et la société boude ce genre de comportement. J'ai beaucoup d'amis qui détestent leur emploi, leurs collègues, leur environnement de travail. C'est pourquoi les gens se replient sur eux-mêmes et succombent à l'ennui. C'est comme la mort de l'esprit de la classe moyenne. »

Dans ce cas, où donc se situait Tan, aux prises avec des élans créateurs qui faisaient d'elle une inadaptée dans son propre pays ?

« J'espère retourner vivre aux États-Unis, admit-elle. J'aimerais habiter à New York ou à Los Angeles et travailler dans
l'industrie du cinéma. Je voudrais réaliser mes propres films. »

Je tirai un paquet de craquelins Marks & Spencer de mon
sac à dos.

Le visage de Tan s'éclaira. « Oh ! Ce sont ceux qu'on a interdits ? demanda-t-elle. Puis-je en avoir un ? »

Nous mastiquâmes en silence chacune des graines minuscules qui offraient une infinitésimale résistance avant de succomber enfin entre nos dents. Il faudrait consommer plus de
600 paquets avant de ressentir le moindre effet narcotique, dis-je
à Tan.

Elle baissa les yeux, l'air songeur, ses petites mâchoires bougeant rapidement. « C'est bon, dit un peu mélancoliquement
la Singapourienne épicurienne. J'adore les graines de pavot. »

À Singapour, se joindre à une diaspora semblait de plus en
plus être la solution pour les ambitieux, les individualistes et
les créateurs. Pour reprendre un trait d'esprit du cru : « Le Gouvernement veut voir Singapour s'ouvrir au monde ? Bien sûr, je
me fais un plaisir d'aider Singapour dans sa quête de mondialisation. Je fous le camp ! » Dans un État si parfaitement réglementé et surveillé, où toute affinité créatrice exprimant une
forme quelconque de déviance était rigoureusement interdite,
l'état d'esprit souverain ne pouvait être qu'un mélange toxique
d'ennui et de stress.

Réalisant que j'allais devoir me créer mon plaisir tout seul,
je me réveillai un bon matin dans ma chambre d'hôtel résolu à
me payer la tournée des crimes. Je commençai par ouvrir mes
rideaux et, après avoir retiré mes sous-vêtements, je me préparai, nu comme un ver, une tasse de café instantané. (Amende
prévue : 20 000 $, et une peine d'emprisonnement pouvant
aller jusqu'à trois mois pour se montrer nu et exposé à la vue du
public dans sa propre maison.) J'espérais bien me faire repérer :
mon hôtel était situé au milieu de Little India et ma fenêtre
donnait sur une mosquée – l'appel enregistré du muezzin me
réveillait aux aurores tous les matins. Après avoir fait quelques

exercices d'élongation debout sur mon lit, je marchai de long en large (pour autant qu'on puisse le faire dans un espace de 10 pieds carrés) et j'attendis qu'on vienne frapper à ma porte ou qu'une foule se rassemble sur le trottoir. Mais les seuls témoins de ma nudité furent les mainates qui se chamaillaient sous les avant-toits à l'extérieur de ma fenêtre.

Je m'habillai, j'enfournai les craquelins aux graines de pavot, un exemplaire de *Fanny Hill* et deux paquets de gomme Wrigley dans mon petit sac, attrapai ma montre de poche et un calepin et je m'apprêtai à aller passer la journée en ville.

Station Bugis, 9 h 05. Un beau matin, je transpire déjà dans l'humidité ambiante. En chemin vers le métro, j'achète une bouteille de cette sirupeuse boisson au glucose appelée Lucozade. Je me place en vue d'une caméra de surveillance sur la plate-forme du MRT, en plein sous l'écriteau qui interdit de boire ou de manger sous peine d'une amende de 500 $. Pensant à l'incident Ovaltine-vodka dans le roman de Hwee Hwee Tan, je renverse la bouteille et laisse lentement s'écouler le contenu sur le sol étincelant, immaculé. Une flaque, couleur d'urine multivitaminée, se répand entre les tuiles. J'attends. « Pour votre propre sécurité, veuillez rester derrière la ligne jaune », roucoule une voix dans le haut-parleur. Après l'anglais, c'est répété en hindi, en malais et en mandarin.

9 h 20. Dans le train MRT, en route vers la station City Hall. Je croise le regard d'un couple indien assis en face de moi, elle en sari et talons hauts, lui en chemise empesée. Je déballe lentement, délibérément, trois tablettes de Juicy Fruit. Je mastique bruyamment. Il donne un coup de coude à sa compagne, qui écarquille les yeux quand je crève une bulle. Je leur fais un clin d'œil. Ils détournent le regard, un sourire embarrassé sur les lèvres. Je regarde les autres passagers, essayant de jauger leurs réactions. La plupart sont en train d'écrire des messages-textes sur leurs téléphones cellulaires. Les autres somnolent.

9 h 50. Dans un café Internet à Stamford House. Je choisis l'ordinateur à côté de la vitrine. Je lis les écriteaux collés sur les moniteurs : INTERDIT DE VISIONNER DES SITES RÉSERVÉS AUX ADULTES. INTERDIT DE TÉLÉCHARGER UN PROGRAMME. VEUILLEZ

OBSERVER LE SILENCE. (Amende prévue pour téléchargement de pornographie : jusqu'à 10 000 $ en vertu de la Loi sur l'usage des ordinateurs à mauvais escient. Tout en ayant bloqué une centaine de sites manifestes, le Gouvernement reconnaît que ce n'est peut-être qu'un acte symbolique : l'Internet est trop vaste et trop anarchique pour qu'on parvienne à vraiment le contrôler.) Je tape les mots : *www.playboy.com*. Aucun téléchargement. Je tape *www.penthouse.com*. Même résultat. Je tape une adresse un peu plus ésotérique : *www.suicidegirls.com*. Bingo ! Des diapositives représentant des filles punk-rock dénudées, tatouées et percées défilent devant mes yeux. Un Chinois s'arrête de l'autre côté de la vitrine, apparemment captivé par une petite pâlichonne, un mamelon traversé par une tige de métal. Quand je lève les yeux pour le regarder par-dessus mon épaule, il détale.

10 h 10. Chassé de ma place à l'ordinateur par la propriétaire du café au visage empourpré. Elle m'ordonne de ficher le camp.

11 h 30. Orchard Road, en face du Hilton. Un étranger rondelet aux mollets roses sur une Yamaha avec une mince Singapourienne derrière lui passe en rugissant sur le trottoir avant de couper la route à une jeep remplie de policiers coiffés de chapeaux à large bord de style ranger attachés sous le menton. Ils sont forcés de freiner ; le chauffeur fait la grimace. Malgré le flagrant délit, les délinquants ne sont pas poursuivis.

16 h 05 – 16 h 30. Inspection de WC. Écriteaux dans les toilettes pour hommes de la station de MRT de Chinatown : EFFORÇONS-NOUS DE GARDER CES TOILETTES PROPRES ET SÈCHES – UN MEILLEUR ENVIRONNEMENT POUR TOUS. Illustré d'une binette. À côté : VEUILLEZ GARDER LE SOL SEC (avec l'image d'une petite flaque sous l'urinoir). J'attends qu'une cabine se libère. Un vieux Chinois court sur pattes sort en traînant les pieds ; j'entre ; il n'a pas tiré la chasse d'eau ! (Amende prévue pour cette négligence : 150 $.) Des liasses de papier hygiénique flottent encore. Je tire la chasse, mais ça ne fonctionne pas – je dois appuyer sur la manette et continuer à appuyer. S'agit-il d'un subtil test d'esprit civique ? Dans le corridor, un maigre

préposé en salopette jaune observe la scène par la porte ouverte. Je vais visiter les toilettes du McDonald, déterminé à ne pas tirer la chasse d'eau. Je tourne le dos à la cuvette et j'entends la chasse démarrer automatiquement. Un senseur à infrarouge a fait le travail pour moi.

18 h 35. Je prends le métro jusqu'au complexe du cantonnement policier, le principal poste de police de Singapour. Immeuble imposant, flambant neuf, à la façade arrondie en verre, aux abords de Chinatown. Au comptoir de sécurité à l'extérieur de la porte, je vide mon sac dans un plateau, traverse le détecteur de métal. De l'autre côté, mes effets – *Fanny Hill*, les craquelins et les deux emballages de gomme Wrigley – me sont rendus. Je m'approche du comptoir. Je vois un énorme écriteau suspendu au mur : Bureau central des narcotiques. Je me hâte de cacher les craquelins aux graines de pavot dans mon sac. « Désirez-vous voir un agent de police ? » me demande une réceptionniste. Je hoche la tête. J'inscris mon numéro de passeport sur une fiche, et on me donne un carton à épingler sur ma chemise.

19 h 10. L'un des deux agents en devoir, une femme, me fait signe. « Oui ? » demande-t-elle en se penchant sur le comptoir. J'explique que je suis un visiteur étranger et que je voudrais me renseigner sur une loi. Est-il légal d'avoir du chewing-gum à Singapour ? Je sors le paquet de Wrigley de la poche de ma chemise et je le lui montre. Je le regrette aussitôt.

« Non, c'est illégal. » Elle consulte du regard son coéquipier, un type baraqué, en train de rédiger un rapport sur un vol de bagages. « N'est-ce pas ?

– C'est vrai.

– Eh bien, dis-je, j'espérais que les touristes pouvaient en apporter un peu pour leur usage personnel.

– Non, insiste-t-il. C'est illégal.

– Bon, et si on en a besoin pour soulager la pression dans nos oreilles à bord d'un avion ? Dans ce cas, peut-on en apporter ?

– Peut-être que si vous le mâchez à bord de l'avion, puis le jetez avant d'atterrir à Singapour…, répond-elle.

– Alors… va-t-on m'arrêter ?

– Non, il y a une amende. Cinq cents dollars, je crois. »

Je lui tends de nouveau mon paquet. Veut-elle me le confisquer ?

« Nous le ferions si vous en aviez apporté deux ou trois livres, parce que vous seriez soupçonné de vouloir en faire le commerce. Mais si vous n'avez que deux ou trois tablettes… »

Je prends un air penaud. « Mais j'en ai 14 ! »

Elle consulte de nouveau son coéquipier. « Pour cette fois, ça va. » Il hoche la tête. « Mais assurez-vous de les jeter avant de retourner à l'aéroport… Pas à terre », ajoute-t-elle après un instant de réflexion.

Je la remercie et je me dirige vers la sortie. Elle quitte soudain son poste derrière le comptoir et me dépasse au pas de course. Merde ! me dis-je. C'était une ruse : elle va déclencher une sonnerie d'alarme. Puis, me lançant un petit sourire gêné, elle entre dans les toilettes des femmes.

20 h 30. Pour célébrer la fin de ma tournée de crimes, je m'offre un Singapour Sling onctueux (19 $) au Long Bar de l'hôtel Raffles. Le sol est jonché d'écales de cacahuètes qui craquent sous les pieds. (Dans les magazines locaux, la publicité du Raffles se lit ainsi : « Sans doute l'unique endroit à Singapour où l'on vous encourage vraiment à jeter vos détritus par terre. ») Mon voisin, un Anglais corpulent d'âge moyen, se lève de son tabouret et, les pieds largement écartés, il prend une série de photos du décor en rotin et bambou, puis il se met à invectiver le barman malaisien en sarong fleuri à cause du prix de la bière.

Morale de l'histoire : à moins de vaporiser de peinture la Mercedes d'un politicien coté, il est presque impossible pour un étranger de race blanche de se faire arrêter à Singapour.

Pour un certain genre d'expatrié – en particulier les Britanniques regrettant le bon vieux temps des châtiments corporels et de la hiérarchie sociale clairement définie –, Singapour incarne la *dolce vita*. Les autobus à deux étages et les trains MRT sont rapides et ponctuels, et les étrangers jouissent de divers privilèges – employés de maison indonésiens et voitures de fonction climatisées, notamment. La nourriture servie dans les *outdoor hawker centers* – l'expression locale pour « aires de restauration » – est bon marché, variée, et les mets portent des noms farfelus tels que « seiche Kang Kong », « La-La frit », « Glace Kacang », « Bouddha saute par-dessus le mur », « Crapaud pompette ». À Singapour, tout n'est qu'infrastructure, fait remarquer l'auteur William Gibson ; sans doute, mais au moins l'infrastructure est-elle tropicale : les passerelles piétonnières sont décorées d'orchidées et les bougainvilliers fleurissent sur les immeubles de style stalinien. C'est seulement lorsqu'on se met à imaginer la vie quotidienne d'un Singapourien que le sentiment de claustrophobie s'installe. La lecture du journal *Straits Times* tous les matins fut pour moi une étrange expérience. L'article à la une de la livraison du mercredi décrivait en détail le crime d'un ex-animateur de télé, qui avait rencontré une femme ivre de 30 ans dans une fête. Il l'avait invitée chez lui, l'avait déshabillée, s'était couché tout nu à côté d'elle et, quand elle s'était réveillée, il l'avait, selon les mots du juge, « embrassée sur ses parties les plus intimes ». Je fus frappé par la sévérité de la peine : 16 mois de prison et quatre coups de *rotan* pour avoir « offensé la pudeur d'une femme ».

Le jeudi, l'un des principaux reportages du *Times* portait sur un ingénieur cadre nommé Chow Peng Wah qui avait sollicité une mutation auprès de son patron ; après avoir été réprimandé par courriel, il s'était jeté du balcon de son appartement au onzième étage d'une tour d'habitation. Avant de se tuer, Chow avait étranglé son fils de 11 ans avec une corde de nylon. Il avait laissé un message expliquant que son enfant préféré « serait incapable de s'adapter aux changements d'environnement » qui suivraient son départ et qu'il devait donc « être avec lui ». Le cas de Steve Chia faisait l'objet de beaucoup de discussions. On avait retrouvé dans la corbeille de l'ordinateur de ce membre de l'opposition des photos de sa domestique indonésienne, les seins nus. Le PAP a beau être connu pour sa propension à fouiller dans le disque dur des abonnés à Internet, cette fois, ce n'était pas un mouchard du Gouvernement qui avait alerté la police : c'était la femme de Chia.

Les histoires de comportement sadique ou pervers révélant une aliénation profonde étaient légion : dénonciations, faux-fuyants, harcèlement. La vie était particulièrement dure pour les domestiques étrangers. Le ministère de la Main-d'œuvre avait conçu des cours d'orientation destinés aux nouveaux employeurs. Il avait pris cette décision après une série de cas choquants impliquant des employeurs chinois maltraitant des domestiques philippines ou indonésiennes : un certain Tong Lai avait brutalisé sa bonne avec un attendrisseur à viande et des pinces à linge, l'avait saisie par les cheveux et lui avait frappé la tête contre le mur des toilettes ; Chow Yen Ping avait si souvent mordu les seins de sa jeune bonne à tout faire qu'un mamelon s'était détaché ; Ong Ting Ting avait fourré des cubes de glace dans la culotte et le soutien-gorge de sa servante philippine parce qu'elle avait laissé une fenêtre ouverte pendant qu'elle repassait. Des 90 employées de maison indonésiennes décédées depuis 1999, 52 avait péri dans un accident et 25 s'étaient suicidées. Dans une structure où la solidarité sociale brillait par son absence et où chacun était isolé de ses voisins, le comportement anomique semblait prendre la forme de la victimisation des démunis.

J'espérais que Cherian George, un chercheur postdoctorant à l'Asia Research Institute, rentré depuis peu des États-Unis où il avait enseigné à Stanford, pourrait m'aider à comprendre certaines de ces bizarreries nouvelles pour moi. Nous nous rencontrâmes à un café en plein air sur le campus – luxuriant – de l'Université nationale de Singapour – un long trajet en MRT et en autobus en partant du centre-ville. George, dont les parents avaient émigré du Kerala, en Inde, était l'auteur de *Singapore : The Air-Conditioned Nation*, un essai sur l'île-État – sans contredit l'ouvrage le plus provocant que j'avais pu trouver sur les étagères des librairies locales. Dans un contexte où l'on se faisait continuellement rappeler ce qui était défendu, demandai-je, émergeait-il des modèles de comportement pervers ?

« Absolument, répondit George. Je vais vous donner un exemple – la chose s'est passée dans le stationnement de mon complexe de condos. Ma voiture a été délibérément égratignée, avec une brosse métallique, qui a laissé plusieurs éraflures sur la carrosserie. J'avais commis l'erreur de me garer dans un espace qui, selon un résident, lui était réservé – depuis, je n'ai vu que sa voiture stationnée là. Le lendemain matin, la police est venue, et quatre voisins ont déclaré : "Oh! oui, notre immeuble est réputé pour ce genre de chose. Ça m'est arrivé à moi, et à un tel, et à tel autre. Désormais, vous saurez qu'il ne faut pas se garer là." Ce qui m'a mis hors de moi, c'est que, pour eux, la réaction sensée consistait à apprendre sa leçon et à ne plus garer sa voiture à cet endroit. Aux États-Unis ou en Grande-Bretagne, on aurait réagi en disant : "Nous allons unir nos efforts et nous occuper de ce type, résoudre ce problème collectif." Ici, l'attitude, c'est : "Mêle-toi de tes affaires." Je pense sincèrement que c'est culturel. Même mes amis chinois admettent que c'est un trait particulièrement chinois que de ne pas penser à la collectivité, ou à la société, comme à une chose réelle. On pense à soi-même, à sa famille, à son clan. Et au lieu d'être le dépôt d'une sorte de volonté publique, une institution servant à des fins publiques valables, le Gouvernement symbolise une autorité dont il vaut mieux se tenir loin. »

Je lui mentionnai mes crimes récents contre la décence publique et lui exprimai ma surprise de m'en être si bien tiré.

« Les étrangers ne sont habituellement pas inquiétés pour des délits tels que traverser la rue ailleurs qu'aux intersections ou jeter ses détritus par terre, m'expliqua George. Mais ici, comme dans la plupart des pays asiatiques, les gens accueillent avec beaucoup de réticence l'idée que les Blancs devraient être traités différemment. »

Il me rappela le cas de Michael Fay. En 1994, cet adolescent états-unien avait été condamné à la bastonnade après avoir, au cours d'une beuverie, dessiné des graffitis – même s'il avait utilisé de la peinture lavable – sur plusieurs voitures de luxe. Quatre coups de *rotan*, aux cicatrices permanentes.

« La plupart des Singapouriens ont pensé : "Ce jeune punk blanc croit qu'il peut violer impunément la loi ? Pour qui se prend-il ?" Au début, quand la cause a été rendue publique, les Singapouriens ignoraient que le vandalisme, un crime contre la propriété, pouvait être puni de la bastonnade. Mais les diplomates états-uniens s'en sont alors mêlés et là, nous avons eu cette réaction très viscérale : "Ils pensent qu'ils sont différents ! Encore un exemple de néocolonialisme !" »

Mes péchés avaient peut-être été trop véniels. Je sortis mon paquet de craquelins aux graines de pavot. Contrairement à Hwee Hwee Tan, George refusa d'y goûter. Il avait peut-être conscience de sa position à l'université. Je lui demandai s'il devait être prudent quand il faisait ou disait quelque chose en public.

« À Singapour, la surveillance a une ampleur inconnue dans la plupart des autres villes. Je dirais que, lorsque des sujets délicats sont abordés, bien des Singapouriens jettent un coup d'œil par-dessus leur épaule. On le fait parfois entre nous pour plaisanter. Mais c'est devenu tellement une blague qu'on oublie de se demander si Big Brother est vraiment en train de nous observer avec une caméra. »

D'après George, le Gouvernement avait établi le contrôle social au cœur même de la géographie urbaine. Le désordre était circonscrit dans le ghetto du Red Light, ou quartier chaud, et dans ceux des communautés ethniques comme Kampong Glam, Geylang et Little India. La rue Bugis, repaire notoire de travestis jusque dans les années 1970, avait été rasée et expurgée de son héritage. Comme George me le fit remarquer, l'université où nous avions cette conversation était un bon exemple.

« On ne trouve pas d'agora sur le campus ; les étudiants n'ont aucun lieu où se rassembler ; c'est très décentralisé, et c'est voulu comme ça. Autre chose : on doit faire son service militaire au moment précis où l'on pourrait être tenté de s'impliquer dans l'activisme étudiant. » À 18 ans, tous les garçons singapouriens doivent faire leur service militaire, d'une durée de deux ans et demi, après quoi ils restent réservistes jusqu'à l'âge de 40 ans. « C'est une façon de les discipliner au moment où ils pourraient devenir turbulents et faire preuve d'indépendance d'esprit. »

Le succès des tactiques du Gouvernement troublait George. « Les mesures civiques sont des ressources qui finissent par s'inscrire dans la mémoire culturelle d'une société. Dans la plupart des sociétés normales, les gens savent que lorsqu'ils se trouvent confrontés à un problème particulier, ils peuvent rédiger une pétition, organiser un boycott, un sit-in ou, dans des cas extrêmes, une grève. Il s'agit d'une ressource culturelle dans laquelle nous puisons quand la nécessité d'engager l'État ou les compagnies se fait sentir. À Singapour, ces techniques de contestation sont absentes depuis si longtemps que les Singapouriens ont tout simplement oublié comment s'en servir. »

Même au milieu de pays aussi conservateurs que ceux de l'Asie du Sud-Est, Singapour représente une anomalie. La veille de mon arrivée, 100 000 personnes avaient manifesté dans les rues de Hong Kong – célèbre pourtant pour son matérialisme –, exigeant davantage de démocratie.

Il y avait sûrement des signes de changement, dis-je. La vieille garde cédait devant la nouvelle génération ; le nouveau premier ministre, Lee Hsien Loong, avait parlé avec éloquence de la « société civique vibrante » qu'il voulait voir se développer. (Un bel idéal, mais il l'avait quelque peu sapé quand il avait ajouté que, même si l'opposition avait le droit de critiquer le parti en place, « le Gouvernement se devait de réfuter ou même d'anéantir ces critiques, sous peine de perdre son autorité morale ».) George m'avoua ne pas se sentir particulièrement optimiste face à l'avenir.

« L'essentiel, c'est que le Gouvernement détient toujours un certain nombre de pouvoirs discrétionnaires. S'il le veut, il peut décréter la fermeture d'un journal, faire emprisonner arbitrairement une personne en invoquant la sécurité intérieure. Il y en a trop pour en dresser la liste. Tant et aussi longtemps que le Gouvernement n'acceptera pas de renoncer à certains de ces pouvoirs, nous serons incapables de progresser de façon concrète. »

Je devais concéder une chose : Singapour semblait un endroit efficace et ordonné, singulièrement à l'abri du crime et de la toxicomanie.

George me regarda sévèrement. « Mais on aurait des problèmes très graves si on laissait entrer ces maudits biscuits aux graines de pavot ! » s'écria-t-il en donnant un coup de poing sur la table d'un air prétendument offensé. Puis, étonné de cet éclat, il jeta un coup d'œil par-dessus son épaule, comme pour s'assurer que personne ne l'avait entendu.

De l'autodérision, peut-être. Ensuite, une fois de plus, il y avait eu le réflexe. Je soupçonnai que, après des années d'auto-surveillance, George lui-même ne le savait pas exactement.

Je retrouvai Kevin, qui allait me servir de cicérone pour cette ultime tournée des grands-ducs de Singapour. Bien que ce fût un vendredi, l'ambiance était toujours aussi calme ; dans les deux premiers bars que nous visitâmes, nous étions pratiquement les seuls clients.

« T'en fais pas, mec. Je vais t'emmener à l'hôtel Mitre. Même si j'hésite à aller dans cet endroit le soir ! »

Nous nous engageâmes dans une ruelle sombre entre des gratte-ciel et aboutîmes à un immeuble de deux étages, de style colonial, aux volets vert et blanc, dressé sur un terrain au milieu d'arbres gigantesques. Des fils électriques pendouillaient sur la façade blanche dont la peinture s'écaillait ; des caisses de plastique remplies de bouteilles de bière étaient empilées dans un patio jonché de détritus. Dans un désert de centres commerciaux, nous venions de tomber sur une oasis d'épaves minables.

À l'intérieur, un barman laconique parlait en français avec un Brésilien moustachu qui aurait pu se faire passer pour Gérard Depardieu. De vieilles valises gisaient un peu partout autour de la pièce ; l'humidité noircissait les murs blancs, évoquant des taches de sueur sous les aisselles d'une chemise habillée. Assis sur un sofa qui perdait son rembourrage – et là, l'image qui venait à l'esprit était celle de la farce s'écoulant d'une dinde de l'Action de grâce –, nous sirotâmes une bière Tiger.

« Ne regarde pas derrière toi, mec. » Kev me fit signe de son auriculaire orné d'une bague. En me tournant, j'eus le temps d'apercevoir une queue glabre filer dans la pénombre. « Un rat de la grosseur d'un chat vient de frôler ta cheville. »

Kev soupira. « J'adore cet endroit. Il me rappelle la maison de mon grand-père avant qu'elle ne soit démolie pour construire une autoroute. » Une expérience qui n'avait apparemment rien d'inhabituel : pour bâtir cette ville-État moderne, le Gouvernement avait exproprié des milliers de cultivateurs et les avait relogés dans des immeubles anonymes.

Je questionnai Kev à propos des grosses bagues qu'il avait aux doigts.

« Avant, j'étais gothique. À Singapour, nous n'étions pas plus de 10 dans les années 1980. On portait du rouge à lèvres noir, du vernis noir sur nos ongles, on écoutait The Cure. Les gens me prenaient pour un freak ! Plus tard, j'ai collaboré à un magazine appelé *Big O*, le seul vrai journal alternatif de Singapour. J'ai même écrit une pièce de théâtre sur Singapour, *L'usine de plastique*. Mais il y a longtemps de ça. »

Je lui demandai si, plus jeune, il avait fait l'expérience de la drogue.

« Je fumais beaucoup de pot en Australie et aux États-Unis, mais c'est difficile d'en trouver ici. Trop risqué, trop cher. Le jeu n'en vaut tout simplement pas la chandelle, à Singapour. »

Je lui dis qu'on envisageait la possibilité de décriminaliser la marijuana au Canada.

« Ça ne risque pas d'arriver ici, mec ! On pend ceux qui transportent de la drogue ! »

C'était vrai : Singapour semblait réserver les pires châtiments aux personnes prises en possession de drogue. Depuis 1991, 400 personnes avaient été exécutées, la plupart d'entre elles pour trafic. Un journalier malaisien de 24 ans au quotient intellectuel de 74 fut pendu pour avoir prétendument tenté de vendre du cannabis à un agent secret de l'escouade des stupéfiants. Une vendeuse de 18 ans de Hong Kong qui passait par Singapour après des vacances à Bangkok fut prise avec de l'héroïne cachée dans un compartiment secret de sa valise. Elle eut beau jurer qu'un couple chinois lui avait donné ce sac en Thaïlande, elle fut elle aussi condamnée à la potence, tandis que son amie de 17 ans se voyait infliger une peine d'emprisonnement à vie. Avec ses routes et ses ponts facilement patrouillés et son aéroport redoutablement efficace, on a peine à imaginer que la contrebande puisse un jour se révéler une menace suffisante à Singapour pour justifier l'application de châtiments aussi draconiens. Si le trafic tend à prospérer dans des situations où les armées privées, la faiblesse de l'État et des conflits endémiques prévalent – comme c'est le cas pour les producteurs d'opium dans l'Afghanistan contemporain –, il est relativement facile de mettre les prohibitions en vigueur dans un environnement totalitaire. Sous les nazis, le trafic de la cocaïne fut pratiquement éradiqué, et les talibans sont venus à bout de celui de l'opium en interdisant la culture du pavot en 2000. À Singapour, la paranoïa entourant la drogue est plus un problème que la drogue elle-même : dans les pharmacies locales, j'ai remarqué des emballages de papier de tournesol à côté des caisses enregistreuses. « Détecteur de drogues ajoutées aux boissons, était-il écrit sur le paquet. Devient bleu foncé quand on a mis du GHB ou de la kétamine dans une boisson ; emballage de quatre bandes. »

Ce qui sautait aux yeux, c'étaient les autres vices légaux. Même s'il n'y avait pas de casinos – les Singapouriens dépensaient 340 millions de dollars US par année à jouer chez leurs voisins de Malaisie et d'Indonésie –, la loterie d'État assurait à celui-ci 1,65 milliard de dollars US en revenus de taxes annuels. Alors que, si l'on en croyait les statistiques officielles sur la consommation d'alcool, les Singapouriens ne buvaient que 1,7 litre par année (l'équivalent de deux cannettes de bière par semaine par personne) – ce qui faisait de Singapour le pays le plus sobre du monde développé –, l'alcool était si peu cher et tellement omniprésent que tout Norvégien en vacances se serait cru arrivé au paradis. La bière forte, comme la Baron's Strong, à 8,8 % par volume, était partout et, dans les incontournables 7-Eleven, on rangeait des bouteilles de Jack Daniel's derrière la caisse enregistreuse. Les cigarettes – portant des noms exotiques comme Texas 5's, Sahara X-Tra Slims et Bonjour King Size – étaient d'un prix relativement abordable, et il était encore permis de fumer dans les bars.

Étonnamment, alors que, en principe, la prostitution était interdite – en réalité, elle était endémique – à Bangkok, elle était légale à Singapour. Quatre cents bordels détenaient un permis dans six quartiers chauds ; quant aux prostitués, ils devaient avoir une carte d'identité particulière portant leurs empreintes digitales et se soumettre à des examens médicaux toutes les deux semaines. On ne cessait de m'inviter à visiter les discothèques, les salons de massage et les prostituées chinoises du très branché complexe Orchard Towers, qu'on surnomme dans la ville *Four Floors of Whores* – Quatre Étages de putes. Je me suis rendu un soir dans les *sorongs*, ou ruelles, de Geylang, le district résidentiel et quartier chaud malaisien ; j'ai croisé des péripatéticiennes chinoises et thaïlandaises en mini-robe noire, faisant le pied de grue devant un hôtel qui louait des chambres à 10 $ l'heure, le « tarif de transit », et j'ai jeté un coup d'œil en passant au deuxième étage où des salons de massage offraient des « services de relaxation complets ».

Je demandai à Kev s'il avait déjà eu des ennuis avec les autorités.

« Je n'ai jamais été arrêté. Ici, on ne va pas te tirer de ton appartement à trois heures du matin et te frapper à coups de tuyau d'arrosage, mais il y a vraiment une culture de surveillance. Les gens se tiennent sur leurs gardes. Quand j'étudiais à l'université, un de nos professeurs, une femme, avait été arrêtée parce qu'elle avait été marxiste dans les années 1980. Sous de fausses accusations, évidemment. Nous avons essayé de la faire parler, mais elle devenait vraiment énervée quand nous abordions le sujet. Elle n'a jamais rien dit... As-tu déjà entendu parler du *Panoptique* de Michel Foucault ? »

Je le connaissais. Dans cette prison circulaire, conçue par l'utilitariste britannique Jeremy Bentham, chaque cellule pouvait être observée par une autorité invisible installée dans une tour centrale ; le philosophe français avait utilisé le panoptique comme métaphore pour décrire la surveillance dans nos sociétés modernes.

« Ce n'est pas que la police passe son temps à écouter aux portes. Je dirais plutôt que, à Singapour, le panopticon est dans la tête des gens. »

Cherian George avait fait la même remarque : ignorant dans quelle mesure ils étaient vraiment surveillés, les gens avaient pris l'habitude de regarder par-dessus leur épaule et ils évitaient toute conduite pouvant être perçue comme « hors limites ».

Nous prîmes encore quelques verres, le temps de voir la clientèle déjà bien clairsemée du Mitre mettre graduellement les voiles. Quand il ne resta plus personne, Kev m'invita à poursuivre la conversation chez lui. Nous hélâmes un taxi. Son appartement se trouvait dans le quartier Paya Lebar, au cœur de Singapour, après des milles et des milles de logements HDB (*Housing Developing Board*) identiques – immeubles de 12 ou 13 étages dressés au milieu des voies élevées du MRT et de routes bordées de palmiers.

« Tu sais ce qu'est le principal problème à Singapour, mec ? » me demanda Kev tandis que nous montions l'escalier éclairé au néon jusqu'à son appartement. Il m'indiqua d'un geste sa porte d'entrée : elle était barbouillée de taches de peinture rouges et brunes évoquant une toile de Jackson Pollock.

« L'endettement. Ici, tout le monde vit à crédit. Le type qui habitait ici avant moi doit de l'argent à un usurier. Ses sbires n'ont pas l'air de comprendre qu'il a déménagé, alors ils continuent à venir défigurer notre porte. Pour le premier avertissement, ils se servent de café. Pour le deuxième, de peinture. Je suis à peu près sûr que, pour le troisième, ce sera de la merde. Je ne peux pas dire que j'ai hâte de le recevoir. » La psychologie derrière ce genre d'intimidation est intéressante : il s'agit d'humilier la victime en rendant son appartement différent des autres. Le clou qui ressort est celui sur lequel il faut frapper.

Kev ouvrit la porte. L'appartement était spacieux, équipé d'appareils high-tech, d'une chaîne stéréo dernier cri et d'un aquarium dans lequel nageaient des poissons tropicaux fluorescents. Mais les murs étaient en béton, les plafonds étaient bas, le balcon donnait sur un garage brillamment éclairé, posé là comme un Guggenheim à loyer modique sous le ciel tropical.

Kev inséra un CD de Radiohead dans le lecteur et renversa dans un bol un bac à glaçons rempli de gelées à la vodka tremblotantes. Il en avait préparé 200 pour une fête la fin de semaine précédente, mais il n'était venu qu'une poignée de personnes.

Je lui demandai si la musique ne risquait pas de réveiller sa femme.

« Elle ? Même un tsunami ne l'empêcherait pas de dormir. »

Nous commençâmes à suçoter nos gelées en regardant un homme astiquer sa Kia dans un stationnement de l'autre côté de la rue.

Kev soupira. « Les gens de mon âge quittent Singapour. Je les comprends, je veux dire. Mais maintenant, je suis marié, et l'appartement est hypothéqué. Qui aurait envie d'avoir des enfants là où je vis ? Les enfants doivent jouer dehors, courir dans la nature, dans les parcs. Il n'y a pas si longtemps, c'était tout vert, ici. Il n'y avait pas d'HDB. Mais Singapour est désormais complètement urbanisée, on ne trouve plus aucun espace vert. Je te le dis, mec, c'est déprimant. J'aimerais bien retourner en Australie ou aux États. »

Je compris soudain, viscéralement, dans mes tripes, ce qui se passait : l'ennui, le taux de fertilité minimal, la claustrophobie. On éprouvait une sensation étrange à se trouver sur cette bosse de la planète, près de l'équateur, sur cette bande de béton psychologiquement colonisée, artificiellement rafraîchie au fréon. Confiné dans une île tropicale dépourvue d'arrière-pays, gouverné par des despotes paranoïaques et relégué dans un clapier, je perdrais probablement ma volonté de vivre et de me reproduire. Malgré la chaleur, je frissonnai.

Je m'étais demandé ce qui se passerait si l'on éliminait tous les chemins de traverse quand le besoin, ou même la possibilité, de transgresser avait été totalement extirpé d'une société. Eh bien, j'avais la réponse. Ce qui se passait, c'était *Singapour*, une société où la pensée indépendante avait été si entièrement supprimée que la créativité et l'innovation étaient maintenant des produits d'importation. Bien entendu, les prohibitions seules ne suffisaient pas à engendrer ce type de société, elles devaient être accompagnées de traditions culturelles profondément enracinées, traditions d'autoritarisme et de crainte du pouvoir. Une situation favorisée par la densité de population à Singapour et par le fait qu'une culture de surveillance rigoureuse était possible dans une ville-État de seulement 4,6 millions de citoyens-numéros. En Norvège, qui pouvait au moins tirer fierté de certaines traditions d'égalitarisme et de libéralisme, on justifiait l'État nounou en invoquant le bien public et la pression exercée par l'entourage. À Singapour, la structure était maintenue en place grâce à une sorte de sinistre sonnette d'alarme, par les incontournables écriteaux « Interdit de fumer » et par les caméras de surveillance placées au-dessus. Pour finir, comme Cherian George l'avait souligné, tout souvenir des techniques d'opposition et de contestation avait disparu. On peut dire ce qu'on veut des substances interdites actuelles – qu'elles sont addictives, que certaines peuvent rendre fou, que d'autres altèrent vos facultés, qu'elles peuvent toutes être des formes de fuite devant les responsabilités –, elles symbolisent à tout le moins un élan vers l'indépendance d'esprit et la subversion. Ce qui donnait froid dans le dos à Singapour, c'était que toute forme d'inconduite était impossible, sauf celles qui étaient approuvées socialement : boire, fréquenter des prostituées ou s'adonner aux jeux de hasard – tous des vices-soupapes de sécurité qui tendent à renforcer le statu quo plutôt que de le remettre en question.

Singapour, une dystopie de totale prohibition, m'avait fourni un nouveau paradigme pour le purgatoire. J'étais content d'avoir eu la prévoyance d'apporter mon propre fruit défendu ; peu importe combien les craquelins et la gomme à mâcher peuvent paraître inoffensifs à nos yeux, ils revêtent, à Singapour, une grande valeur symbolique. Je fis mes adieux à Kev, lui laissant en partant un souvenir subversif : mon exemplaire de *Fanny Hill*. Je me disais qu'une lecture doucement stimulante l'aiderait peut-être à se rendre au bout de la longue nuit tropicale.

Le lendemain matin, avant de régler ma note à l'hôtel, j'allai faire une dernière promenade. Je pris un taxi jusqu'au jardin botanique où je poursuivis mon chemin entre les cygnes et les orchidées. Même dans cet espace vert, on marchait constamment sur le ciment, il était interdit de quitter les allées et de traverser les jardins bien entretenus. Je trouvai enfin un bout de terre dans une plantation de gingembre. Après m'être assuré qu'aucune caméra ne me surveillait, je sortis les craquelins qui me restaient, je les écrasai entre mes paumes et jetai les miettes dans le terreau humide.

Avec un peu de chance, les graines allaient germer et des pavots fleuriraient de nouveau dans l'État nounou. Étant donné le cauchemar éveillé ambiant, j'imaginai que les Singapouriens pourraient le transformer en rêve.

LE FROMAGE

Il doit avoir une longue cuiller
Celui qui soupe avec le diable.

Proverbe

Époisses

Satan dans une boîte en peuplier

Dimanche après-midi à l'angle de Broadway et de la 18e. Une belle journée pour être à New York. Les cerisiers étaient en fleur, les sportifs s'en donnaient à cœur joie, les uns sur leurs vélos, avec des chaînes incroyablement solides autour du cou, les autres, torse nu, en patins à roues alignées ; assis sur un banc dans l'allée médiane, un vieillard coiffé d'un chapeau mou laissait les graines de pavot de son bagel se mêler aux points et aux virgules sur la une de son *Times* dominical.

Je m'approchai de la façade faux Tudor de Zabar's, l'une des meilleures épiceries fines du monde. Rien à voir avec Dean & DeLuca ou Marks & Spencer, où chaque article a l'air d'avoir été astiqué et d'attendre, impeccable et hautain. À ses débuts, Zabar's était un comptoir familial où l'on vendait du poisson fumé ; en 70 ans, il était graduellement devenu ce magasin à deux étages, temple consacré à la gourmandise dans Upper West Side. À l'intérieur, sous l'éclairage au néon, les employés portaient des casquettes de baseball et des blouses blanches effilochées, et les produits les plus délicieux du monde étaient sans plus de décorum emballés dans du cellophane ou dans des contenants de plastique. Je fus aussitôt enivré par l'odeur ineffable qui régnait là : café viennois, curcuma indien et saumon fumé norvégien, babkas russes et peppadew sud-africain mariné, le tout se mêlant de façon à rendre l'air lui-même appétissant. J'éprouvai cette impression de saturation sensuelle qu'un husky élevé dans les hivers arctiques inodores pourrait ressentir si on le lâchait dans un jardin d'épices au Cachemire. Arpentant les allées achalandées, au milieu des chics et désinvoltes résidents de Manhattan qui faisaient provision de couscous israélien ou de caviar de la mer Caspienne, je reconnus les produits exotiques goûtés au cours d'autres voyages – stroop (huile de betterave) belge, mole mexicain, Vegemite (condiment à base de levure de bière) australien – et je me perdis dans des rêveries de pique-niques dans Central Park et de dîners festifs au Dakota. La prochaine fois que j'aurai l'humeur chagrine d'une bruine de novembre, que j'aurai envie de faire tomber un bagel des mains d'un passant ou le chapeau des vieillards sur leur journal, je me souviendrai de chercher la plus proche épicerie fine et d'inhaler profondément. C'est cette odeur que, mourant d'ennui sur leur cumulus, les séraphins doivent évoquer quand le monde des sens se met à leur manquer.

Au rayon des fromages, l'abondance apparente de Zabar's me laissa pourtant perplexe. Ils se targuaient d'en avoir plus de 600 variétés, d'en faire entrer sept tonnes par semaine dans leur magasin. J'avais déjà repéré des pointes de parmigiano-reggiano italien casher, du stilton anglais dans des pots de porcelaine bleue, des boîtes de vieux cheddar extra fort. Devant une balance électronique, attachées par des cordons et estampillées à l'encre comestible, de grosses boules de provolone oscillaient au bout d'une tige métallique plantée au milieu de carrés de Pont l'Évêque.

C'était à Paris que j'avais appris à apprécier le fromage ; là, rien n'est emballé dans du papier transparent et le *fromager** local est fier de faire mûrir ses produits et de ne vendre aux clients réguliers que ceux qui sont *à point** – vieillis à la perfection, ce qui veut souvent dire deux ou trois jours avant la putréfaction. D'ailleurs, tout le monde savait que certains des meilleurs fromages français étaient interdits aux États-Unis. Le camembert mûr de Normandie, le brie de Meaux avant la maturation et le valençay malodorant étaient impitoyablement refoulés à la frontière comme des Iraquiens sans visa. Les règlements de la FDA (Food and Drug Administration) stipulaient que tout fromage fabriqué à partir de lait non pasteurisé, ou cru, était interdit s'il avait moins de 60 jours. Pour une raison quelconque, les fromageries canadiennes, bien que régies selon des règles similaires, sont parvenues à contourner la loi : dans ma ville, les *affineurs** vendent une foule de *fromages** défendus. Parti de Montréal, j'avais roulé vers le sud avec l'un des spécimens les plus odorants du monde dans mon coffre arrière, fromage dans une boîte en peuplier que j'avais pris soin d'emballer dans des couches de papier d'aluminium et de plastique au cas où les chiens renifleurs s'approcheraient de ma voiture. (Ces chiens sont *efficaces*. Je fus un jour tiré de la file à l'aéroport de Cincinnati après un séjour en Normandie. J'avais décollé quelques étiquettes particulièrement kitsch sur des boîtes de fromage, et des relents de camembert authentique devaient y adhérer encore. Farfouillant dans mes affaires, le douanier les avait tenues entre ses doigts gantés de caoutchouc – comme si elles constituaient la preuve de quelque débauche honteuse en terre étrangère. Il ne me les avait rendues de mauvaise grâce qu'après avoir reconnu qu'il n'y avait aucun produit laitier à jeter dans le sac de plastique de sa poubelle.) Cette fois, j'avais pourtant franchi la frontière sans anicroche – juste un autre pâle Canadien qui va se payer du bon temps dans la Grosse Pomme – et j'avais pu livrer mon produit de contrebande à un New-Yorkais en manque. Nidhi, dont le palais avait été formé à Montréal, avait déballé le fromage au Burp Castle, un bar d'East Village consacré aux bières belges.

« Seigneur, c'est magnifique ! » s'était-il exclamé. Il avait fermé les yeux et soupiré tandis que l'arôme de la Chimay éventée était submergé par quelque chose d'aussi putride qu'appétissant. « Ça sent le sexe ! » Nous l'avions dégusté avec des olives et du pain de seigle tout en savourant les regards en coin et les remarques peu amènes des clients aux tables voisines.

Alors, me demandai-je, comment ce fromage que j'avais fait entrer clandestinement pouvait-il se retrouver dans un réfrigérateur de Zabar's, et vendu beaucoup moins cher que ce que j'avais payé à Montréal ? Et pourquoi un autre fromage qui, selon les règlements français, ne doit être âgé que de 50 jours était-il en évidence parmi des emballages de mascarpone et de tartinade de roquefort ? Une fiche imprimée au laser était même plantée au centre de cette grosse meule de reblochon, comme pour narguer les inspecteurs : « Fromage à pâte pressée des montagnes savoyardes. Lait de vache non pasteurisé. »

Après avoir acheté ces fromages interdits à titre de pièces à conviction, je demandai à voir la directrice de la fromagerie. On me répondit qu'elle ne travaillait pas la fin de semaine. Je réussis à joindre Olga Dominguez au téléphone un peu plus tard au cours de la semaine, et elle m'expliqua tout.

« Nous importons nous-mêmes nos produits, dit-elle, et nous essayons de n'accepter aucun fromage interdit par les règlements. Zabar's est plus susceptible d'avoir des ennuis que les commerces plus petits, moins connus. Aux États-Unis, il a toujours été illégal d'importer des fromages au lait cru âgés de moins de 60 jours, mais les gens l'ont quand même fait pendant quelque temps. C'est beaucoup plus sévère depuis que la FDA a adopté la Loi sur le bioterrorisme en 2003. Tous les exportateurs doivent maintenant s'enregistrer. »

Intéressant. Et qu'en était-il de cette énorme meule de reblochon que j'avais vue dans le comptoir ?

« Vous avez dû remarquer que le bord était sec. C'est parce qu'on le retient un peu plus longtemps à la fabrique, en France, afin de satisfaire à l'exigence de 60 jours. »

Rien à redire à cela. Mais comment pouvaient-ils vendre le fromage célèbre pour sa puanteur que je m'étais donné la peine de transporter clandestinement jusqu'à New York ? Ça ne pouvait absolument pas être légal !

« Oui, ce l'est. La version que nous importons n'est pas fabriquée par le même manufacturier que celui que vous avez au Canada. Le nôtre fabrique des fromages pour le marché états-unien, et il se sert de lait pasteurisé. Ce qui est vraiment dommage, parce que même s'ils ont la même apparence, leur goût diffère. Il nous est déjà arrivé de recevoir accidentellement des camemberts au lait cru, et quand on ouvrait la boîte, l'odeur nous submergeait littéralement. C'est différent avec les fromages au lait pasteurisé. »

Dominguez avait raison. J'avais goûté au fromage acheté chez Zabar's, et quelque chose, indubitablement, clochait. Comparé à la version que j'avais rapportée de Montréal – laquelle, comme c'était clairement indiqué sur la boîte, était à base de lait cru –, le produit importé new-yorkais ne tenait pas le coup. Bien qu'également puant à la première bouffée, une fois qu'on dépassait la croûte, l'intérieur n'avait pas la complexité de sa contrepartie au lait cru. C'était insipide et collant, un signe indiscutable de pasteurisation. Le fromage était mort.

Dans ce *delicatessen*, qui aurait dû illustrer comment la grande métropole imposait sa loi aux routes des épices et aux lignes convergentes du commerce mondialisé, on faisait passer pour un fromage français une pâle imitation qu'on vendait à prix fort aux gourmets de Gotham. Dans ce pays qui prônait la liberté du consommateur, on avait érigé un obstacle à la liberté de choix. Je soupçonnai que la justification de cette politique serait celle que le gouvernement norvégien invoquait pour défendre ses politiques de contrôle de l'alcool : une préoccupation paternaliste pour la santé publique. Mais il suffit de gratter un peu pour découvrir des motifs plus sinistres – notamment le protectionnisme, l'inertie bureaucratique et la xénophobie – qui pointent le nez sous la surface. Comme je le découvrirais bientôt, l'explication allait influencer la disparition de la diversité gastronomique du monde. Derrière la plénitude superficielle, tout n'était pas pour le mieux sur les tablettes de Zabar's.

Je jurai d'aller au fond de cette duplicité. Une fois rentré à Montréal, je réservai un billet d'avion pour la France. Je me rendais au lieu de naissance de l'époisses.

Si Satan – le Satan cornu des puritains, avec ses pieds fourchus et son haleine de soufre – voulait préparer un plateau de fromages pour ses disciples, il commencerait certainement par l'époisses, ce fromage que j'ai trouvé chez Zabar's. Il penserait ensuite à un chèvre des Pyrénées à l'odeur piquante, roulé dans la cendre, et il s'assurerait qu'un peu de paille incrustée de crottin adhère encore au fond. Il n'oublierait pas d'ajouter une pointe de Vieux Boulogne, à pâte molle, croûte lavée à la bière, exhalant des relents de fumier – récemment choisi comme le fromage le plus odorant du monde par un « nez électronique » élaboré par une équipe de chercheurs britanniques. Il envisagerait peut-être d'offrir aussi un Stinking Bishop vieilli du Gloucestershire, non seulement à cause de l'exubérance blasphématoire du nom, mais aussi pour sa croûte collante et son arôme de vieille chaussette.

Mais la pièce de résistance de son plateau serait une meule d'époisses tombant silencieusement en état de putréfaction. La noblesse et la notoriété de ce fromage sont bien établies. Perfectionné au XVIe siècle par les Cisterciens, une communauté de moines réputés pour leur austérité, que leur régime végétarien avait conduits à rechercher d'autres sources de protéines, il avait été baptisé le roi des fromages par Brillat-Savarin, parrain des gastronomes. Originalement fait de lait cru tout frais sorti du pis de la vache, il est toujours lavé au marc de Bourgogne – un alcool de pépins et de pelures de raisin – jusqu'à ce que sa croûte ondulée prenne une teinte rouge orangé luisante. Au summum de sa maturité, il se met à suinter sous sa croûte, pâle et transpirant comme la grosse bedaine d'un satrape persan. C'est le genre d'aliment étranger que, dans les émissions de téléréalité, on fait manger aux participants venus du Midwest en leur promettant de grosses sommes d'argent. Les Français, au contraire, le consomment volontairement entre leur *jambon persillé** et leur mousse au chocolat.

En dernier lieu, Satan préférerait l'époisses à tous les autres pour une raison incontournable : son odeur. Si l'on en croit la légende, à l'instar du durion, ce fruit tropical hérissé de piquants interdit dans les autobus de Bangkok, il est illégal de transporter de l'époisses dans le métro parisien. Et si manger un durion a été comparé à avaler une crème caramel dans des toilettes publiques, s'attaquer à un époisses ressemble un peu à grignoter un gâteau à l'urine tout en pataugeant dans un lagon qui sert d'égout. Une fois dépassée la barrière olfactive où se mêlent l'ammoniac et des relents d'étable, on se souvient que Satan est en réalité un ange déchu : notre langue est soudain envahie par la divine essence du lait frais, pure distillation de sel, de sucre, de crème à laquelle s'ajoutent les riches odeurs de la campagne bourguignonne. Comme la plupart des grands fromages européens, l'époisses est à l'origine un mélange de lait, de présure, de sel et de spores de moisissure ; lorsqu'il arrive sur les étagères des marchés, il a pourtant eu le temps de se transformer en un produit beaucoup plus complexe. Une récente analyse du capiteux gorgonzola italien a révélé qu'il consistait en 63 composés discrets, notamment 14 formes d'alcool, 21 esters de chèvre, cinq aldéhydes fruités et un sulfure âcre, qui contribuent tous à lui donner son odeur particulière. L'époisses, qui rend l'arôme du gorgonzola aussi fade que celui du Velveeta, est un cocktail encore plus élaboré de substances chimiques naturelles.

Il peut aussi être mortel. En 1999, une épidémie de listériose – maladie d'origine alimentaire qui provoque de la fièvre, des douleurs musculaires et une brève mais violente grippe intestinale – fut rapportée en France et on en remonta la piste jusque chez un fromager bourguignon. Le coupable se révéla être le plus intimidant des fromages, l'époisses. Une jeune femme succomba, une autre fit une fausse-couche et une femme de 71 ans fut hospitalisée pour une encéphalite, inflammation du cerveau pouvant être déclenchée par la présence d'une bactérie, la listeria. Si la presse française se rua sur le sujet (en province, les journaux à sensation imprimèrent des grands titres comme ÉPOISSES : LE FROMAGE QUI TUE), les médias internationaux ne furent pas en reste. UN FROMAGE TUEUR SÈME LA PANIQUE EN FRANCE, claironna l'*Independant*. HYSTÉRIE – LISTERIA, proclama à son tour le *Wall Street Journal*, qui poursuivait en se demandant avec à-propos POURQUOI DÉFENDRE UN FROMAGE QUI SENT LES VIEILLES CHAUSSETTES ET LE FUMIER ? Car voilà qu'en plus d'être infects et étrangers les fromages français – particulièrement les fromages au lait cru – se révélaient maintenant fatals. Partout dans le monde, les directeurs de supermarchés annulèrent leurs commandes, les fromagers de

Bourgogne virent leurs chiffres de vente chuter des trois quarts et furent obligés de détruire un stock évalué à un demi-million d'euros. Après un règne qui avait duré plus de cinq siècles, on aurait dit que le roi des fromages était mort.

« Avec tout ce harcèlement, *monsieur**, se rappela Jean Berthaut en sortant de sa poche une blague à tabac, je peux bien vous avouer que j'étais sur le point de me tirer une balle dans la tête. »

Nous étions assis dans un bureau ensoleillé dont les fenêtres s'ouvraient sur la cour de la Fromagerie Berthaut, le plus important producteur d'époisses au monde. Son fromage était celui-là même que j'avais acheté chez Zabar's – celui qui, à mon avis, manquait de goût. C'était aussi l'époisses qui se vendait le mieux et, parce qu'il était pasteurisé, il était le seul à pouvoir entrer légalement en Amérique du Nord.

Je me trouvais à Époisses, le village éponyme : un hameau de 800 habitants à trois heures de Paris en voiture ; la rue principale – dans laquelle se suivaient le bureau de poste, un bureau de tabac, la mairie et un restaurant appelé Le Relais de la Pomme – menait au château à tourelles, entouré de douves, où un médecin parisien, rejeton de la noblesse bourguignonne, venait toujours passer ses fins de semaine. La fromagerie était située dans l'un des jardins du monastère où les Cisterciens ont jadis perfectionné le fromage. C'était, jusqu'à la fin du XIXe siècle, le marché du village, où les commerçants avaient l'habitude d'enduire les croûtes de marc pour éloigner les mouches.

Berthaut, un bel homme d'âge moyen aux yeux bleu pâle, aux cheveux gris ondulés, s'exprimait avec autorité. Lorsqu'il évoquait une injustice, son discours semblait écumer d'indignation ; j'avais souvent l'impression qu'il allait me saisir par les revers de ma veste et me secouer, juste pour accentuer l'*é-VI-dence* d'une telle absurdité. Il se contentait plutôt de me marteler la poitrine avec le tuyau de sa pipe et de ponctuer ses propos en frappant son bureau du plat de la main.

« J'ai été forcé, *monsieur**, de rappeler et de détruire trois millions de fromages qui avaient été expédiés dans le monde entier, aussi loin qu'au Japon. J'ai décidé de déclarer faillite.

Oui, monsieur* ! » Paf ! « Et un représentant de l'organisme même qui m'avait condamné – sur la base d'accusations discriminatoires et dénuées de fondement – m'a couru après en disant : "Non, je vous en supplie, ne fermez pas !" Vous vous rendez compte ? » Paf !

Avec une main-d'œuvre de 85 personnes, il s'avéra qu'en plus d'être le plus important employeur du village, la fromagerie constituait également un attrait touristique non négligeable. Sa fermeture aurait représenté une catastrophe mineure pour la région. Même si aucun fromage de Berthaut n'avait été lié aux cas fatals de listériose, les analyses des échantillons envoyés aux laboratoires des services vétérinaires locaux montraient que son époisses était infesté de bactéries à des niveaux invraisemblablement élevés. (On chuchote encore, dans le village, que les échantillons avaient été délibérément contaminés. L'explication ? Une rivalité bureaucratique entre le ministère de la Santé et les services vétérinaires pour le contrôle de la nouvelle Agence française de sécurité sanitaire des aliments. Apparemment, en s'attaquant à une épidémie d'origine alimentaire, les représentants du gouvernement rivalisaient pour prouver leur incorruptibilité et justifier combien ils méritaient une promotion.)

Berthaut prit alors une décision cruciale. Après avoir travaillé pendant 50 ans uniquement avec du lait cru, l'entreprise familiale se tourna vers la production au lait pasteurisé. Ce qui allait leur épargner aussitôt d'être harcelés par les bureaucrates que Berthaut aimait appeler les « fondamentalistes de la santé » et leur permettre de laver le nom de l'époisses. « Nous avons également pu expédier nos produits vers le marché nord-américain, où la demande est énorme. Et j'ai, *monsieur**, la prétention d'affirmer que nous avons obtenu des résultats extrêmement satisfaisants, et même stupéfiants » – paf ! – « en ce qui concerne l'architecture de la saveur de notre produit ! » Berthaut isola et conserva la souche microbienne originale – une souche indigène de la région d'Époisses – qu'il réinjecta dans le lait caillé après l'avoir pasteurisé. Ce qu'il fabriquait était moins un époisses qu'un hommage au *fromage** ancien : une reproduction

assainie, techniquement irréprochable, d'un classique odoriférant, destinée à un XXᵉ siècle refusant de courir des risques. Un
fromage qui, comme il fallait s'y attendre, serait totalement
acceptable pour le vaste marché américain.

Quand j'insistai, Berthaut admit que son époisses n'était plus
le même. Pour pasteuriser le lait, il faut le chauffer – à 145 degrés Fahrenheit pendant une demi-heure ou à 161 degrés pendant 15 secondes – afin de tuer les agents pathogènes à l'origine des maladies. (La pasteurisation à ultra haute température,
alors que le lait est chauffé à 302 degrés Fahrenheit pendant
deux secondes, tue le lait tout en prolongeant de deux mois sa
vie sur les étagères. Le lait UHT ne surit pas ; lorsqu'on le laisse
assez longtemps à la température ambiante, il se putréfie et
devient noir.) Les critiques de ce procédé prétendent que la
pasteurisation détruit également des bactéries et des enzymes
bénéfiques – à l'origine de l'odeur et du goût – et transforme le
fromage en plastique mou sous emballage de cellophane. (Plusieurs fromages français exportés en Amérique sont en fait *ther-
misés**: on les chauffe à une température variant entre 104 et
162 degrés pendant une longue période, ce qui est censé tuer
les agents pathogènes tout en épargnant la microflore à l'origine de la saveur. En matière de santé publique, la pasteurisation a sans doute représenté un progrès au début du siècle dernier, alors que l'absence d'hygiène à la ferme et les conditions
de transport inadéquates avaient donné lieu à des épidémies
massives de tuberculose. On n'a toutefois pas vraiment lieu de
croire que le fromage au lait cru a déjà causé d'importants problèmes de santé. D'ailleurs, le lait non pasteurisé riche en
beurre est une excellente source nutritive : il contient de nombreux enzymes, les 22 acides aminés essentiels et de la vitamine
B2. Le goût est également fantastique : épais, crémeux, subtil.
La quintessence de la saveur, en fait : quiconque a été nourri au
lait maternel dans sa petite enfance garde des souvenirs forma-
teurs, bien qu'inconscients, des plaisirs liés au lait cru frais.
(Les bureaucrates des organismes de santé nationaux ont sans
doute été nourris au biberon dès le premier jour de leur vie.)
Quand ils sont produits et expédiés selon des règles strictes, les

fromages au lait cru sont aussi sûrs que ceux qui sont faits de
lait pasteurisé – peut-être même davantage, étonnamment.

« La listeria est partout, m'expliqua Berthaut. Si je vous
grattais le mollet » – il passa le tuyau de sa pipe sur la jambe de
mon pantalon –, « je vous parie qu'on trouverait la bactérie
dans l'échantillon. *Oui, monsieur**, à cause de la pasteurisation
et d'autres formes de stérilisation de nos aliments, nous perdons notre aptitude à affronter les microbes naturellement pré-
sents ; nous réduisons la capacité de notre système immunitaire. Qui plus est, en pasteurisant le lait, on lui enlève toutes
les bonnes bactéries qui, normalement, combattent les mauvaises et en triomphent. Le fromage pasteurisé est propre – et
la nature a horreur du vide. C'est ainsi que, s'il se produit le
moindre manquement dans les mesures d'hygiène d'une fabrique, des agents pathogènes comme la listeria – celle qui se
trouve sur votre jambe – sautent sur le fromage et les problèmes
qui en résultent peuvent se révéler beaucoup plus importants
que si le fromage était fait de lait cru. »

Berthaut fut le premier à reconnaître que ses propres concitoyens avaient une part de responsabilité dans ce qui était
arrivé à son fromage. Après tout, Louis Pasteur était français
(tout comme les inventeurs de l'homogénéisation, de la cocotte-
minute et de la margarine), et c'était la réaction outrancière
des autorités sanitaires françaises qui avait acculé Berthaut à la
ruine. Mais quand le sujet des États-Unis fut abordé, il ne put
toutefois s'empêcher de laisser libre cours à son amertume.

« Les Américains doivent cesser de nous prendre pour des
Français malpropres avec leur petit béret sur la tête, embour-
bés jusqu'aux genoux dans le fumier. Quand j'affirme que
notre entreprise est comme la NASA, je n'exagère pas. Nos
normes sanitaires internes sont supérieures à toutes celles
qu'on retrouve aux États-Unis. Une fraction de la population
américaine sait que nos fromages sont sans danger et savou-
reux. Mais la peur de la maladie est entretenue artificiellement
par la FDA et encore renforcée par des mesures économiques
restrictives. Si le fromage est dangereux – et l'humanité fabrique du fromage au lait cru depuis 4000 ans –, ce ne sont pas les

Américains… » – à ce moment, le paf! fut si véhément que le cendrier fit un saut d'un demi-pouce sur la table – « … qui vont nous le faire découvrir! Même si j'ai été forcé de travailler avec du lait pasteurisé – dans mon cas, c'était une question de survie –, je suis totalement convaincu que l'avenir appartient au fromage au lait cru. »

Je demandai à Berthaut s'il mangeait lui-même des fromages non pasteurisés.

« Systématiquement, *monsieur**! répondit-il. Systématiquement! Pour moi, c'est presque un dogme. On ne court aucun risque avec un fromage au lait cru fermier! Pour finir, nous, Français, avons compris que c'était une erreur de bannir complètement les fromages au lait cru – peut-être parce que nous sommes de *bons vivants** et que nous apprécions les émotions fortes en matière de goût. Nous avons donc institué des règles rigoureuses pour garantir un produit sain et réduire les risques au minimum. C'est une approche un peu plus sensée – et complexe, et courageuse – que la prohibition totale. »

C'était un bon point. Manger est une activité qui comporte des risques inhérents : c'est dans le tube digestif que le monde extérieur, avec ses bactéries, ses virus et ses moisissures, se fond dans notre corps ; quand on consomme quelque chose, on le domine, mais on peut en même temps y succomber. En matière de nourriture, la question de ce qui constitue un risque raisonnable varie énormément d'une culture à l'autre. Pour les Japonais qui mangent du fugu, la sensation que cela leur procure – engourdissement de la langue, légère ivresse, impression d'être sur le point de suffoquer – est plus forte que le danger, quand même non négligeable, de mourir de son plaisir (on compte encore une centaine de décès par année dus à la consommation de poisson globe mal préparé.) Pendant leur grossesse, les Grecques continuent à manger leur feta au lait cru, les Japonaises, leurs sushis, les Italiennes boivent leur espresso et les Françaises, leur champagne. Aux États-Unis et au Canada, on recommande au contraire systématiquement aux femmes enceintes d'éviter la mousse au chocolat, le café, le poisson cru, l'alcool et, bien entendu, tous les fromages à pâte molle.

En dépit de toutes les traditions d'individualisme et de liberté d'entreprise, les Nord-Américains – et ceci est en partie dû aux poursuites judiciaires dont ils raffolent – tendent à faire preuve de couardise au moment de goûter à certaines spécialités savoureuses, mais quelque peu rébarbatives, que d'autres cultures consomment sans danger depuis des siècles.

Quand un aliment est proche du cœur collectif d'un peuple, ce dernier trouve habituellement un moyen de lui éviter l'interdiction inconditionnelle. Même si la viande hachée des hamburgers a provoqué la mort sanglante et douloureuse de centaines d'enfants aux États-Unis, personne n'a jamais envisagé la possibilité d'interdire totalement les boulettes 100 % bœuf. Au lieu de cela – et malgré les protestations de l'industrie bovine –, l'USDA (U.S. Department of Agriculture) a préféré, avec bon sens, apposer sur les emballages de viande des directives de cuisson pour détruire l'*E. coli* 0157 : H7 et les autres agents pathogènes omniprésents dans le bœuf haché américain. Les consommateurs éclairés purent alors s'adonner aux plaisirs du barbecue estival en connaissant les risques d'attraper une diarrhée hémorragique. Vu le nombre de cadavres qu'il a laissés dans son sillage, le hamburger, s'il avait été inventé en France et importé de France, aurait été depuis longtemps prohibé en Amérique du Nord.

Berthaut ralluma sa pipe et regarda rêveusement par la fenêtre la maison de ses parents. « Vous savez, *monsieur**, dans un avenir proche, j'ai l'intention de relancer notre époisses au lait cru. »

La situation avait quelque chose d'ironique. Le lot de fromages ayant causé l'épidémie – l'époisses tueur qui avait en fin de compte obligé Berthaut à se tourner vers le lait pasteurisé – était constitué de fromages justement faits de lait pasteurisé. Ils venaient de la fromagerie de l'Armançon, une entreprise située aux abords du village, qui avait été, à maintes reprises, accusée de contrevenir aux normes d'hygiène. Le jour même où la nouvelle de l'épidémie de listériose se répandit, la fromagerie était condamnée par un tribunal de Dijon pour avoir produit un époisses contrefait, vendu au rabais et artificiellement teint en rouge avec un colorant. (Lorsque je parlai à Robert Berthaut, père de Jean et fondateur de la Fromagerie Berthaut, de toute cette crise, il répondit avec un gloussement de profonde satisfaction : « Vous savez quoi ? Aujourd'hui, cette même usine fabrique du plastique ! »)

La presse étrangère avait peu mentionné le fait que le fromage impliqué était pasteurisé, dis-je à Berthaut.

Cognant sa pipe dans le cendrier, Berthaut esquissa le plus désabusés des sourires. « *Oui, monsieur*.* »

Je visitai la fabrique le lendemain. Jean Berthaut portait un complet et une cravate pour accueillir une délégation du ministère de l'Extérieur du Japon, lequel envisageait avec circonspection la possibilité d'importer de nouveau de l'époisses, quatre ans après l'affaire de la listériose. (« *Mon Dieu**, me chuchota Berthaut entre les courbettes, il leur faut 15 minutes juste pour dire au revoir ! ») Il me confia à Nasim, un aimable expert en technologie fromagère. Les réservoirs étincelants de 4000 litres où l'on gardait le lait livré des fermes avoisinantes, la salle où une douzaine d'hommes en blouse bleue et bottes blanches en caoutchouc lavaient à la main des meules pâles de jeune fromage, l'entrepôt où des femmes nichaient les fromages dans des boîtes avant leur expédition, tout, à la Fromagerie, était d'une propreté aussi irréprochable que dans une usine de puces de Silicon Valley.

Quand Berthaut comparait son entreprise à la NASA, c'était plus qu'une simple hyperbole. Comme la plupart des fabriques françaises qui exportent leurs fromages, la Fromagerie Berthaut adhère aux normes HACCP (*Hazard Analysis and Critical Control Point*) – on prononce *Hassip*. En 1959, la NASA, préoccupée par les conséquences potentiellement désastreuses d'un empoisonnement alimentaire en gravité zéro, demanda à Pillsbury d'élaborer une série de protocoles sur la sûreté des aliments, « de la ferme jusqu'à la navette spatiale », dans le but de réduire les risques de contamination. Conçues pour prévenir les maladies dans l'espace, les normes HACCP se sont révélées également efficaces sur terre. Si leur mise en application coûte cher, elles transforment néanmoins les usines en entités auto-contrôlées, grâce à l'enregistrement automatique des températures et au prélèvement régulier d'échantillons pour vérifier la contamination microbienne – résultats qui peuvent alors être vérifiés par des inspecteurs du gouvernement. (Ce qui n'est pas sans susciter des controverses. Dans certaines entreprises, comme les gigantesques abattoirs en Amérique du Nord, où l'on s'en tient au strict minimum, confier la supervision des aliments aux employés de la compagnie plutôt qu'à des inspecteurs gouvernementaux pourrait avoir des conséquences catastrophiques pour la santé publique.)

Pour visiter la fabrique, on me demanda de porter des bottes de caoutchouc, un drôle de filet à cheveux bouffant (ce que les Français appellent une *charlotte**) et un sarrau qui m'arrivait aux genoux. Chaque fois que Nasim et moi entrions dans une nouvelle salle, nous pataugions dans un bain de pieds peu profond et rempli de substances chimiques afin de détruire les bactéries sur nos bottes. Dans un laboratoire que de lourdes portes isolaient du reste de la fromagerie, des techniciens analysaient le lait et les solutions désinfectantes à chaque étape du processus de production. Nasim m'apprit que les échantillons étaient envoyés aux laboratoires Pasteur de Lille, lesquels procédaient à une analyse indépendante pour s'assurer qu'on ne trouvait pas de listeria ou d'autres agents pathogènes. Plusieurs bâtiments du complexe de la fromagerie, âgés de quelques siècles, étaient en pierres des champs, mais les murs intérieurs étaient tous de plastique blanc ultra hygiénique. Si j'avais imaginé rencontrer des paysans en sabots, voir les cendres de leur gitane en papier maïs tomber dans le caillé, ce rêve romantique fut rapidement dissipé dans les installations dernier cri de la Fromagerie Berthaut.

Et si j'avais trouvé l'idée de me faire le champion du fromage le plus odorant du monde un tantinet ridicule au moment de m'envoler vers la France, à la fin de ma conversation avec Georges Risoud, j'étais prêt à monter aux barricades et à me joindre au combat pour la *Liberté**, la *Fraternité** et l'époisses.

Ingénieur agricole, chef du Syndicat de défense de l'époisses, Risoud a écrit l'ouvrage qui fait autorité sur l'histoire de ce fromage. Au cours de sa recherche, il est tombé sur un manuscrit espagnol de 1851 superbement illustré prouvant que, même à cette époque, un fromage d'époisses avait été lavé au marc de Bourgogne. Cette preuve historique permit à l'époisses de recevoir le titre convoité d'*appellation d'origine contrôlée** (AOC), ce qui en fait l'un des 34 fromages français dont le nom est protégé par la loi. Depuis 1999, aucun producteur ne peut légalement appeler son fromage époisses s'il ne contient pas 50 % de matières grasses, n'est pas affiné pendant au moins quatre semaines, n'est pas lavé au marc et exempt de tout colorant artificiel. L'essentiel, pourtant, c'est qu'il doit être fabriqué de lait recueilli dans une région géographique précise – principalement la Côte d'Or, laquelle comprend le village d'Époisses –, le département associé avec la production de ce fromage depuis au moins le début du XVIᵉ siècle. Comme le cognac de la Charente, le roquefort d'Aveyron et le Châteauneuf-du-Pape de la Provence, l'époisses de Bourgogne fait partie des 600 produits français protégés par un genre de copyright gastronomique qui lie un aliment à la terre où il a été traditionnellement créé. Tout produit non qualifié qui ose utiliser leur nom peut faire l'objet de poursuites judiciaires pour usurpation d'une marque de commerce.

Je rencontrai Risoud dans les bureaux lambrissés de l'hôtel de ville local. Mince, avec des cheveux grisonnants ébouriffés, il portait des lunettes à monture dorée et semblait aimer les chandails ajustés et les cols rentrés. Bourguignon de naissance, Risoud était gauchisant par instinct. Sa passion pour l'époisses tenait à la fois à un sentiment de fierté à l'égard de sa terre natale et à une conviction intellectuelle à l'égard du concept de *terroir**. À l'origine appliqué au vin, le terme de *terroir**, qui vient du mot « terre », peut à première vue sembler sentimental et semer la confusion dans les esprits – version contemporaine de l'animisme qui donne une âme vivante à tous les phénomènes naturels. C'est la notion selon laquelle la fabuleuse variété de saveurs qui nourrit le palais français vient directement de la terre. Qu'on retire les lentilles vertes du Puy, les poulets de Bresse, les raisins de Bordeaux, et on les dénature subtilement, on leur dérobe cette identité – l'âme – qu'ils tirent de sources aussi intangibles que la richesse du sol, l'orientation exacte d'un champ ou d'une ferme par rapport au soleil et, dans le cas du fromage, la présence de souches de moisissure spécifiques. Le travail de Risoud, qui a établi que l'époisses doit être fabriqué avec le lait de trois races différentes de vaches – la Brune, la Simmental et la Montbéliard –, est un genre de systématisation du concept de terroir* pour produire l'époisses idéal.

« Les vaches, dit Risoud, sont maintenant dans les prés, à brouter de la luzerne – ce qui n'était pas le cas il y a quelques années –, et c'est ce qui importe. En Côte d'Or, nous faisions face à une situation où nous n'avions que des vaches Holstein qu'on gardait dans des étables et qu'on nourrissait de maïs et de soya américain jusqu'à ce que leurs tripes explosent ! C'était une totale dégradation du concept d'un produit lié à son terroir*. Dans un tel cas, je comprends qu'un fromager en Australie, par exemple, dise : "Mes vaches mangent exactement la même chose que les vôtres, j'utilise les mêmes techniques que vous pour fabriquer mon fromage, alors pourquoi n'aurais-je pas le droit de l'appeler époisses, comme vous ? C'est du protectionnisme pur et simple !" »

Dans le contexte de l'industrie agroalimentaire moderne, avec ses fermes-usines et son alimentation génétiquement modifiée, le terroir* peut avoir l'air d'un anachronisme ridicule. Il est également parfois perçu comme une obsession élitiste européenne ; après tout, le champagne et le prosciutto di Parma, protégés par des AOC, coûtent en général beaucoup plus cher que les vins pétillants et les coupes de viande qui ne bénéficient pas d'un label prestigieux. En réalité, les producteurs du monde en développement adhèrent à l'idée d'une protection géographique qui servirait de rempart contre les incursions de l'agriculture industrielle. Le Vietnam s'est vu accorder une AOC de l'Union européenne pour un type précis de nuoc-mam, cette redoutable sauce de poisson ; la Corée cherche à protéger des imitateurs japonais son *kimchi*, un condiment au chou mariné omniprésent ; la Bolivie a demandé que soit protégé son quinoa indigène et la Thaïlande essaie d'obtenir la même chose pour son riz au jasmin. Et même si les Français ont été les premiers à mettre au point la notion d'AOC, celle-ci ne travaille pas toujours en leur faveur. En 2002, des milliers de fermiers en colère ont manifesté dans les rues de Millau – cette ville où José Bové, un fabricant de roquefort, a démoli un McDonald's pour protester contre la mondialisation – quand la Commission européenne a accordé aux fromagers grecs le droit exclusif d'appeler leur fromage de brebis « feta ».

« L'idée que tout ne peut être délocalisé, que certaines choses ne peuvent être recréées que dans leur lieu d'origine, offre beaucoup d'intérêt, et quand je vois des pays comme l'Inde la soutenir, je trouve que c'est de bon augure », me dit Risoud. Comme il l'admit d'emblée, certains produits ont été exportés et commercialisés avec tellement de frénésie que les noms sont devenus génériques ; le Somerset et la Normandie, pour ne citer que ceux-là, ne peuvent plus légitimement revendiquer la paternité exclusive du cheddar et du camembert, qui sont depuis longtemps des produits courants dans les supermarchés du monde entier. Mais, comme l'a prouvé Risoud, c'est en Côte d'Or qu'on fabrique traditionnellement, presque exclusivement, et de façon ininterrompue, le fromage appelé époisses.

« Nous avons désormais entrepris de fabriquer un fromage traditionnel en utilisant des méthodes modernes. C'est un travail de titan ; le Syndicat a dû fournir aux cultivateurs la formation et le soutien technique, mais cela en a valu la peine, pour eux comme pour nous : à présent, nos fournisseurs de lait sont mieux payés que partout ailleurs. » C'est exactement le contraire de ce qui se passe chez la plupart des acteurs de la chaîne alimentaire dans le monde, où les grandes sociétés achètent les petits producteurs pour accroître leurs profits et où l'on entasse les animaux – augmentant de ce fait le risque de graves maladies d'origine alimentaire.

L'évidence d'une diminution graduelle du nombre de producteurs fromagers constitue l'aspect le plus dérangeant dans

l'essai de Risoud sur l'époisses. En 1900, environ 300 fermes différentes produisaient de l'époisses ; en 1939, même après que la
Première Guerre mondiale eut décimé la main-d'œuvre, on pouvait encore trouver le fromage dans 23 fermes. Robert et Simone
Berthaut, les parents de Jean, avaient littéralement arraché
l'époisses des griffes de l'extinction ; après la Deuxième Guerre,
nostalgique du fromage de son enfance, Robert avait obtenu la
recette d'une voisine, une certaine Mme Monin, et il s'était mis à
le fabriquer avec le lait de ses propres vaches. (J'ai mangé avec
les Berthaut un après-midi ; il y avait une omelette aux champignons sauvages, une quiche, un excellent Savigny et un époisses
juste à point. Pendant le repas, Robert, les joues rouges, a regardé
affectueusement sa femme et m'a dit : « Nous sommes tous deux
nés au village. Nous sommes de purs produits du *terroir**. »)

« En 1968, on trouvait encore au moins 100 fromagers en
Côte d'Or, se rappelle Risoud. Aujourd'hui, il n'y en a plus que
cinq, dont quatre fabriquent de l'époisses. » Cette perte de la
diversité – un parallèle troublant avec la disparition d'espèces
végétales et animales et la mort de langues indigènes – peut en
partie être attribuée aux complexités de la législation sanitaire
française et européenne. Quand, en 1999, je visitai l'un des
derniers producteurs de camembert fermier normand, il se plai-
gnit de ce que l'application des règlements de la nouvelle
Union européenne coûtait tellement cher qu'il songeait à se
retirer des affaires ; deux ans plus tard, c'était chose faite. Risoud
m'apprit que certains producteurs d'époisses avaient renoncé à
fabriquer le fromage pour des raisons similaires.

« Les bureaucrates veulent éliminer toute possibilité de risque parce que, confrontés chaque jour à la législation, ils craignent d'être tenus pour responsables en cas de problème. Ils
ouvrent donc le parapluie ; ils se protègent en inspectant, en
sur-contrôlant, jusqu'à ce que les petits fromagers disent : "Ça
va, je vais travailler avec le lait pasteurisé si vous arrêtez de me
harceler." En France, la "transparence" et le "retraçage" sont
devenus des obsessions, surtout depuis la maladie de la vache
folle et la fièvre aphteuse. Ne voulant pas être mis en cause, les
fonctionnaires ont tendance à tout interdire. »

Heureusement, le fromage est tellement inhérent à l'identité française qu'une prohibition totale est tout simplement
inconcevable. Au début des années 1990, quand le Danemark
et l'Allemagne furent soupçonnés de faire pression pour l'interdiction des fromages au lait cru dans l'Union européenne,
les Gaulois réagirent avec une telle véhémence contre l'impé-
rialisme nordique que l'UE finit par adopter, en 1998, les normes
françaises relatives au lait cru. N'empêche, et c'est déplorable,
que les Français adoptent graduellement certaines attitudes
nord-américaines : de plus en plus, les gens font leurs courses
au supermarché et ils fréquentent moins les marchés et les boutiques spécialisées ; aujourd'hui, 10 % seulement du fromage
vendu en France est fait de lait non pasteurisé. Auparavant, les
fromages avaient leur saison : les fromages de chèvre étaient
meilleurs au printemps, le début de l'été était la saison du
camembert, et l'automne, celle de l'époisses (car qui avait
envie de manger un fromage à l'arôme aussi puissant en juillet,
en pleine canicule ?). Mais les consommateurs s'attendent
désormais à ce que leurs fromages soient disponibles en tout
temps, et la pasteurisation assure cette uniformité à longueur
d'année. Au cours de la dernière décennie, la baisse de la
demande, à laquelle s'ajoute une réglementation plus sévère, a
été fatale pour des milliers de producteurs de fromages fermiers
au lait cru.

J'avais vraiment envie de goûter à un époisses au lait cru, et
Risoud m'indiqua en détail comment me rendre chez les derniers producteurs du produit original. Je pris la route le lendemain et roulai dans la brume matinale le long de champs où
paissaient des troupeaux de Charolais blancs aux flancs mous,
aussi glabres que des bébés gerboises ; j'entrai ensuite dans une
forêt mystérieusement parsemée de camionnettes Renault – un
mystère résolu lorsque je tombai sur un groupe de chasseurs de
cerfs, casquette sur la tête, carabine pointée vers le sol, qui
regardèrent sans aménité mes plaques parisiennes. J'émergeai
de la pinède à Gevrey-Chambertin, une ville réputée pour son
vin, que Napoléon était censé avoir dégusté avec un époisses
lors de son passage en 1804. Je longeai des rangées de vignes

séparées par des sillons réguliers, protégées par des panneaux ordonnant sévèrement PAS DE GRAPILLAGE – sans doute pour réduire les déprédations que leur faisaient subir les touristes allemands voyageant en car, qui envahissaient les boutiques de vin et les cafés du village. Je reconnus d'anciens écriteaux Michelin encore fixés aux façades d'édifices de pierre, indiquant la direction d'autres petites villes et de crus encore plus prestigieux : Nuits Saint-Georges, Vougeot, Musigny. J'arrivai enfin à la Laiterie de la Côte, à Brochon, lieu d'origine du fromage que j'avais acheté à Montréal – cet époisses que j'avais fait entrer clandestinement à New York.

Dans la boutique du rez-de-chaussée, j'examinai les fromages lavés au chablis et saupoudrés de cendre, les fromages de chèvre au bout de bâtons, comme des sucettes, et incrustés de moisissure, puis l'époisses de la Laiterie, aux circonvolutions luisantes, dont l'aspect rappelait un cerveau humain. Des messages de félicitations télécopiés étaient accrochés à côté de la caisse enregistreuse ; ils avaient été envoyés par Paul Bocuse et par Bernard Loiseau (ce dernier aurait fait incriminer le chef vedette pour contrebande de fromage – « Merveilleux séjour à New York. Grand succès avec votre époisses… En ai apporté 24 à New York » – s'il ne s'était pas suicidé, apparemment après avoir entendu dire que son restaurant allait être dégradé dans le guide Gault-Millau). Olivier Gaugry avait des cheveux châtains hirsutes et une barbe de trois jours bleuissait ses joues vermeilles. Il me fit faire une visite rapide de son entreprise. Elle était aussi impeccable que celle de Berthaut et dirigée selon les mêmes normes HACCP, dans son propre laboratoire. Gaugry m'expliqua que d'autres échantillons étaient envoyés à Strasbourg où un laboratoire indépendant effectuait les analyses. Contrairement à Berthaut, Olivier Gaugry et son frère Sylvain avaient décidé de continuer à travailler avec le lait cru et leurs employés versaient toujours le caillé à la louche dans des moules circulaires individuels, ainsi que les Cisterciens l'avaient fait pendant des siècles.

Dans la salle d'expédition, je remarquai un lot d'époisses dans une caisse portant le nom d'un détaillant montréalais.

« Nous livrons ceux-ci plus jeunes, m'expliqua Gaugry. Comme ils sont transportés par bateau, ils mettent 12 jours pour traverser l'océan. »

J'exprimai mon étonnement : en principe, les fromages au lait cru n'ayant pas l'âge requis étaient interdits tant au Canada qu'aux États-Unis.

« Au Québec, on est un peu plus souple pour ce qui est des importations, me dit Gaugry, bien qu'il leur arrive parfois de bloquer des cargaisons. En tant que fromager, je ne suis pas du tout d'accord avec cette exigence de 60 jours ; c'est une aberration. Nos fromages ne vont pas s'améliorer en restant sur les quais ou dans des camions pendant deux mois ; ils vont au contraire se détériorer plus que s'ils étaient âgés de 30 jours. On dirait qu'on essaie de tout aseptiser. Le fait est que nous avons besoin de certains microbes pour être en bonne santé. Un litre de lait est un écosystème en soi ; nous ne devons pas tenter de le dénaturer complètement. Il faut conserver le goût. »

Tandis que Gaugry m'aidait à choisir quelques fromages parfaitement *à point**, je lui demandai si les nouvelles normes européennes lui avaient causé des problèmes. Sa réponse m'étonna.

« Pas vraiment. En fait, je crois que l'Union européenne a été bénéfique pour nous, parce que la mondialisation favorise également la régionalisation. Nous sommes de plus en plus fiers de nos communautés. Nous ne nous battons plus pour la France – qui n'est plus qu'une entité à l'intérieur de l'Europe –, mais pour la Bourgogne et, comme Bourguignons, nous sommes fiers de montrer au monde ce que nous sommes capables de faire. Et nous prenons conscience que l'Allemand qui nous rend visite n'est pas seulement un Allemand ; d'abord et avant tout, il est peut-être bavarois. En ce sens, l'AOC est également une bonne chose, parce qu'elle nous permet de protéger l'authenticité de l'époisses dans le monde, de telle sorte que les Japonais ou les Brésiliens n'aient tout simplement pas le droit d'appeler époisses n'importe quel fromage. »

Le fait d'obtenir une AOC était particulièrement avantageux pour les fabricants disposant du capital nécessaire pour améliorer leurs installations. Le commerce de Gaugry était prospère ; il m'indiqua fièrement, par la fenêtre de son bureau, la grosse bâtisse – anciennement une usine construite par Ricard, le fabricant de pastis – où il prévoyait s'installer dans un avenir proche. Là, des cloisons de verre allaient permettre aux visiteurs de suivre tout le processus de fabrication, de l'arrivée du lait jusqu'à l'emballage des caisses pour l'expédition – entière transparence.

Je pris congé, le coffre de ma voiture rempli des meilleurs fromages de Gaugry ; chemin faisant, je songeai que si j'avais visité la campagne bourguignonne 20 ans plus tôt, j'aurais pu m'arrêter dans des marchés ou des fermes et goûter à des douzaines d'époisses différents. Cette même mondialisation dont Gaugry avait fait l'éloge – grâce à laquelle je pouvais acheter son produit à Montréal – avait également balayé une part de la diversité gastronomique qui faisait naguère de la visite de la campagne française un tel plaisir.

Les derniers producteurs d'époisses fermier habitaient à Origny-sur-Seine, un hameau de seulement 40 habitants, où un coq d'argent pirouettait au sommet du clocher d'une église minuscule et où le boucher, le boulanger et l'épicier livraient encore leurs marchandises dans des camionnettes. Caroline et Alain Bartkowiez possédaient un troupeau de Montbéliard et de Brune et une ferme en tuiles rouges appelée Les Marronniers, en honneur des arbres imposants qui bordaient les rues du village. Assis devant un café à la table de la cuisine, Alain m'expliqua le réseau de lois dans lequel s'empêtrait quiconque souhaitait fabriquer du fromage au lait cru en France. (Caroline nous pria de l'excuser : même si elle était enceinte de plusieurs mois – ce qui ne l'empêchait pas de consommer du lait cru quotidiennement –, quelqu'un devait s'occuper de la ferme pendant que son mari faisait la causette avec les visiteurs.) Adhérant au plan HACCP conçu à l'origine pour la NASA, ils devaient contrôler eux-mêmes la qualité et le contenu microbien de leur lait, puis soumettre chaque mois leurs résultats aux services vétérinaires français. Des échantillons de lait et de fromage étaient également envoyés chaque mois à un laboratoire indépendant à des fins d'analyse – une mesure onéreuse pour les propriétaires de petits troupeaux. De plus, des inspecteurs se présentaient à l'improviste, quatre ou cinq fois par année, pour vérifier les conditions d'hygiène.

Se conformer aux normes européennes s'était révélé particulièrement difficile, me confia Alain. En visitant la fromagerie située dans un édifice indépendant à côté de leur maison, je fus encore une fois contraint de porter des protecteurs de pieds, un sarrau blanc et une *charlotte** et de patauger dans d'interminables bains de pieds. Les Marronniers était une version miniature, comme en Lego, des entreprises de Berthaut et de Gaugry, avec des murs recouverts de panneaux de plastique, des piles d'époisses AOC mûrissant sur leurs supports en acier inoxydable.

« C'est dommage, me dit Alain. Cet édifice de pierre date du début du XIXe siècle et nous avons été obligés de le rénover avec ce plastique. Et les rénovations coûtent incroyablement cher – au moins 50 € euros pour chaque mètre carré de sol. Bien des fromagers préfèrent renoncer parce qu'ils n'ont pas l'argent nécessaire pour transformer leur ferme. »

Pour finir, les Bartkowiez conclurent que l'investissement en valait la peine, puisque la certification européenne leur permettrait de vendre leur fromage à Paris et à l'extérieur de la France. (Les producteurs fermiers ne disposant pas des crédits nécessaires ne sont autorisés à vendre que dans un rayon de 80 kilomètres de leur ferme.) Cette certification fit également d'eux les seuls producteurs d'époisses fermier au monde. Leur plan se révéla un succès.

« Nous commençons à vendre notre époisses dans des fromageries fines à Paris, dans le midi de la France et même en Hollande. Des marchands ont pris contact avec nous parce qu'ils sont intéressés à échapper à la routine du fromage pasteurisé dénué de caractère. »

Pendant que les Bartkowiez vendaient du yogourt et du lait cru à une femme aux cheveux blancs, je choisis dans la boutique un époisses mûri à point et une *flamiche burgonde**, cette tarte savoureuse faite de farine, d'œufs, de lait, de crème et d'époisses. Je leur fis remarquer que, avec ses murs blancs et son réfrigérateur réglé par un thermomètre numérique, la boutique paraissait aussi impeccable que la fabrique elle-même – loin de ce qu'on s'attendrait à trouver dans une ferme.

« Incroyable, *non**? dit Alain. Franchement, je pense que les autorités nous ont forcés à en faire un peu *trop*, surtout que nous vendons un produit fermier. » En Europe, le métier d'agri-culteur n'est plus une question de *savoir-faire** héréditaire, trans-mis de génération en génération. Après le lycée, Bartkowiez avait dû suivre une formation de deux ans dans une laiterie ou une fromagerie. Au total, le couple avait passé cinq ans à éco-nomiser dans le nord de la France ; Alain avait travaillé dans une laiterie industrielle fabriquant du lait UHT et Caroline, dans une ferme où l'on produisait le maroilles, un autre grand fromage français au lait cru.

Connaissant la réputation des Bartkowiez, c'est avec con-fiance que j'ajoutai leurs fromages à ceux que j'avais déjà achetés à la Laiterie de la Côte, et je me mis en route pour Paris. Il faisait très chaud et quand j'atteignis le *périphérique**, cet anneau qui encercle la capitale, l'odeur qui régnait dans la voiture faisait tourner la tête – l'espace d'un instant, j'eus même peur d'être submergé par tous les aldéhydes, les esters et les alcools qui émanaient du coffre et de foncer dans un mur de béton en louvoyant à travers les quatre voies de circulation. Après avoir laissé la voiture dans un stationnement, j'envelop-pai mes fromages dans deux épaisseurs de plastique et les ran-geai au fond de mon sac à dos. L'odeur suinta quand même à travers le plastique. Dans le métro qui m'amenait vers la rive droite, au nord, des passagers me lancèrent en descendant des regards réprobateurs, comme si j'étais un autre de ces vaga-bonds en chaussettes sales munis d'une passe de train. Je pris conscience que je violais une autre prohibition – on ne doit pas transporter d'époisses dans le métro parisien. Quand j'arri-vai à la station Châtelet, j'avais le fond du wagon pour moi tout seul.

Je devais quitter la France un peu plus tard au cours de la journée, mais il n'était pas question de jeter pour 50 \$ de bon fromage dans une poubelle. Marchant rue de Rivoli, je pensai à acheter une baguette et à m'offrir un pique-nique solitaire sur la place des Vosges, jusqu'à ce que la solution me saute aux yeux : un bar à vin dont le nom, La Tartine, était peint en un bourgogne impressionnant. M'approchant du comptoir, j'expliquai mon problème à un serveur en bras de chemise et gilet noir.

« Vous êtes au bon endroit, me dit-il avec bonne humeur. Le patron est bourguignon. Du moment que vous commandez du vin, pas de problème. »

Je pris place à une table près de la fenêtre à l'extrémité d'un banc qui faisait toute la longueur du bar, et le serveur m'apporta une corbeille de pain Poilâne, un pain au levain spongieux, en tranches fines, et un verre de Graves, un vin de Bordeaux, rapidement suivi d'un Saint-Estèphe, du Médoc ; ils avaient tous deux suffisamment de caractère pour se colleter avec un époisses à point. « À point » était probablement un euphémisme : mon fromage coulait littéralement. Le Gaugry, en particulier, s'échappait de sa boîte ; il valait mieux l'attaquer avec une cuiller qu'avec un couteau.

Un trio de buveurs, deux hommes au visage couvert de marbrures et une femme boursouflée, qui avaient manifestement un (ou plutôt deux) coups dans l'aile, étaient appuyés au zinc. Ils avaient déjà regardé dans ma direction et émis quelques grognements approbateurs quand la porte s'était ouverte et que les effluves du lait cru leur étaient passés sous le nez. Il m'était impossible de manger les deux époisses à moi tout seul, alors je leur portai la moitié de mon Gaugry étalé dans le couvercle de la boîte.

« Vous aimez le fromage ? demandai-je.

– J'aime tout ce qui est gratuit ! » rétorqua la femme.

Ils lui firent son affaire entre des gorgées de vin rouge.

Une belle jeune femme, le dos droit, avec une sévère frange de cheveux blonds, feuilletait tranquillement un livre à la table voisine. L'odeur ne lui avait pas fait prendre la poudre d'escampette, et c'était tout à son honneur, pensai-je.

Je lui offris du fromage. Elle me regarda d'un air dubitatif, puis elle parut tentée.

« Ce sont des époisses, de Bourgogne, dis-je. Je sais qu'ils sont plutôt avancés... »

Sa fierté gauloise parut piquée au vif. Elle vint à ma table et examina les meules suintantes.

« J'adore le fromage ! dit-elle. Je travaille dans un restaurant, à Genève. Le soir, une fois que tous les clients sont partis, nous nous jetons sur le fromage qu'ils n'ont pas mangé. »

Je l'invitai à s'asseoir et lui proposai un verre de vin.

« Il n'est que quatre heures de l'après-midi ! protesta-t-elle. Et je viens de boire un chocolat chaud. »

Elle se joignit cependant à moi et commença aussitôt à replier de gros morceaux de pain pour accueillir le fromage. Elle s'appelait Marion, elle était originaire de Nantes et elle prenait une semaine de vacances à Paris.

Après cela, il ne fut pas difficile de la convaincre d'accepter un verre de vin. Je me dis que j'avais découvert une nouvelle technique – peut-être même pour les Français – : draguer avec du fromage.

Nous nous amusions bien, Marion et moi, vautrés comme nous l'étions dans les esters et les aldéhydes. Mais cela ne pouvait pas durer. Le serveur finit par venir à notre table, l'air soucieux.

« Il va falloir faire quelque chose, pour l'odeur, dit-il en poussant un hennissement exaspéré. Nous perdons nos clients. »

Je regardai la rangée de tables. Là où j'avais vu plus tôt des Parisiens fumer des cigarettes à la chaîne, boire du vin et parler à leur téléphone cellulaire, il n'y avait plus que des chaises vides et des tables abandonnées en catastrophe. Le serveur s'empara de mes fromages et les emballa dans cette formidable innovation américaine, la pellicule transparente. C'était comme un aveu de défaite. Je me sentis personnellement vengé, comme si j'avais découvert un juron capable d'offenser un Australien, ou un déhanchement qui ferait rougir un Brésilien.

Devant mon succès, Satan aurait souri. J'avais trouvé – et consommé – un fromage trop puant même pour les Français.

De retour dans le Nouveau Monde, où les consommateurs aiment leur fromage aromatisé au bacon ou offert en cannette d'aérosol, je m'aperçus que j'avais laissé quelques questions sans réponse. J'appelai Max McCalman, *maître fromager** chez Picholine et Artisanal, deux restaurants de Manhattan spécialisés dans le fromage. Quels effets les nouvelles règles de la FDA, notamment la Loi sur le bioterrorisme, avaient-ils eu sur le commerce ? lui demandai-je.

« L'époque de l'hystérie de la listeria est révolue, répondit-il d'un ton posé, tout à la fois lugubre et passionné. Aujourd'hui, c'est le règne de la bioterreur. Une affaire plus politique que scientifique, dirait-on. Pendant des années, les producteurs pouvaient nous expédier leurs fromages, personne ne posait de question. Ces derniers temps, nous avons perdu les chèvres de la vallée de la Loire, parce qu'ils n'ont pas 60 jours. Et, comme vous avez pu le constater, les Français ont modifié leurs méthodes de production, ils utilisent le lait pasteurisé. L'époisses que nous avons ici maintenant » – c'était celui de Berthaut – « est insipide. » Il cracha le mot avec un gloussement. « L'interdiction qui frappe les importations semble toucher la France plus que n'importe quel autre pays. Un sentiment anti-français traîne encore par ici, et c'est terriblement ennuyeux. »

La France avait bien sûr refusé de participer à l'invasion de l'Iraq, mais les racines de ce sentiment étaient plus profondes. L'Europe et les États-Unis avaient des conceptions fondamentalement divergentes de l'aliment convenable et, dans les coulisses, ils s'étaient assenés quelques coups plutôt bas. En 1999, les Européens avaient décidé d'interdire l'importation de bœufs américains nourris aux hormones de croissance prétendument cancérigènes. Les États-Unis réagirent en imposant des tarifs excessifs sur le chocolat belge, le roquefort, le *pâté de foie gras** et la moutarde de Dijon (certains propriétaires de cafés dijonnais protestèrent symboliquement en haussant le prix du cocacola à 100 $ la bouteille). L'attitude profondément conservatrice, voire mystique, à l'égard de la nourriture incarnant l'idée du *terroir** était adoptée dans son ensemble par l'Union européenne, sous la forme d'une mesure de précaution. Le modèle américain d'analyse du risque évalue les nouvelles technologies en essayant de calculer leur probabilité de nuire au public ;

selon le principe de précaution, on présume au contraire que, dans l'impossibilité de connaître l'impact des nouvelles technologies, il vaut mieux prendre des mesures pour prévenir le tort potentiel causé à l'environnement et la santé publique. Autrement dit, quand il s'agit d'amincissement de la couche d'ozone, d'organismes génétiquement modifiés et de pluies acides, notre espèce devrait pécher par excès de prudence. Ce principe tend à favoriser les techniques de production établies, comme nourrir les vaches laitières avec les céréales qu'elles ont toujours broutées, plutôt que d'adopter les innovations biotechnologiques. C'est profondément traditionnel et cela remet sérieusement en cause l'industrie alimentaire américaine. Depuis quelque temps, en brevetant des graines à base de gènes de poisson, en entassant les vaches dans de vastes étables insalubres et en les gavant d'antibiotiques dans l'espoir qu'elles ne succombent pas aux maladies, l'industrie agroalimentaire américaine a en effet subi des revers.

En 1994, on trouva de la salmonelle dans la crème glacée Schwan (au lait pasteurisé : pour gagner du temps, un camionneur avait négligé de laver son réservoir entre des livraisons d'œufs liquides et de lait) et 224 000 personnes furent malades. Pendant les années 1990, des milliers d'enfants furent hospitalisés et des centaines d'autres moururent après avoir mangé des hamburgers contaminés par l'*E. coli* 0157 : H7. Le ministère de l'Agriculture des États-Unis, qui cumule les mandats de promouvoir les produits alimentaires américains et de les contrôler, et qui est habituellement dirigé par d'anciens producteurs de porcs et des éleveurs de bétail, est chargé d'inspecter la viande et la volaille – un peu comme si on plaçait un propriétaire de casino à la tête de la brigade de la répression des fraudes. Comme les économies d'échelle dans l'abattage massif constituent un argument de poids, l'USDA déclara il y a longtemps qu'il était normal de retrouver l'*E. coli* et d'autres agents pathogènes dans la viande et la volaille. Il en résulte que 80 % de la viande dans les supermarchés américains contient des bactéries résistantes aux antibiotiques et que 40 % des volailles crues sont contaminées par le campylobacter qui provoque fièvre et nausée. De nos jours, 500 Américains meurent chaque année après avoir consommé des hot-dogs ou de la viande en conserve contaminés par la listeria. (De telles statistiques font frémir les fonctionnaires européens : il y a des dizaines d'années, la Suède, par exemple, mit sur pied un programme efficace visant à éliminer complètement la salmonelle de son bétail.) La balle est désormais dans le camp du consommateur américain, qui doit faire cuire sa viande à température élevée afin de tuer tous les contaminants mortels qui grouillent sous l'emballage de plastique ; un site Web du gouvernement recommande aux personnes très âgées, très jeunes, aux femmes enceintes et à quiconque a un système immunitaire affaibli de faire cuire complètement les viandes froides « prêtes à manger ».

Le fromage, l'un des aliments les plus sains qui existent, est aussi l'un de ceux qui font l'objet d'un contrôle excessif. C'est absurde. Aux États-Unis, entre 1990 et 2003, 720 personnes furent malades après avoir mangé des fruits de mer et 355, après avoir consommé de la volaille. Le fromage, quant à lui, ne causa que 35 maladies, dont la grande majorité fut provoquée par des fromages au lait pasteurisé. En réalité, les fromages à pâte dure, affinés et faits de lait cru n'ont pour leur part *rien* à se reprocher. Le fromage mou, au lait non pasteurisé, le plus souvent cité dans les cas d'empoisonnement alimentaire est le *queso fresco* mexicain, qui est habituellement de fabrication artisanale et vendu sans étiquette dans les marchés ou les kiosques le long des routes. (Et franchement, si vous êtes prêt à acheter des produits laitiers vendus à l'arrière d'une camionnette dans un stationnement à San Diego ou à El Paso, vous devez vous attendre à avoir mal au ventre de temps en temps.) Les producteurs artisanaux dignes de ce nom se conforment à des règles tellement strictes, et ils sont tellement dévoués à leur clientèle, que les possibilités d'attraper une maladie grave en mangeant un Shepherd du Vermont ou un roquefort français – si vous avez les moyens d'en acheter – sont infinitésimales.

Curieusement, aux États-Unis, il est légal de vendre du steak tartare et permis de servir des huîtres de Chesapeake Bay, même si l'on est presque sûr que le bœuf utilisé fourmille de microbes et qu'on sait qu'une portion de mollusques crus sur 2000 nous rendra malades. Encore plus bizarrement, on peut légalement acheter du lait cru à la ferme et dans les magasins de 28 États (y compris la Californie et le Texas, les plus populeux du pays). Dans d'autres États, dont le Wisconsin et la Virginie, les cultivateurs contournent l'interdiction en vendant des parts de leurs vaches. Comme les éleveurs ont le droit de boire le lait de leurs animaux, les clients peuvent se présenter à la ferme et faire provision, à la source même, de gallons de lait chaud. La FDA est chargée de réglementer le commerce entre les États (ces règles sont appliquées pour les importations d'autres pays) ; tout fromage qui traverse la frontière d'un État doit être pasteurisé ou, dans le cas d'un fromage au lait cru, il doit avoir été affiné pendant plus de 60 jours.

Les origines de cette loi sont obscures et sa raison d'être est peu convaincante. Elle fut mise en application en 1947 (curieusement, ce fut cette année-là que Reddi-wip, le premier produit alimentaire en aérosol, apparut sur le marché), à une époque où les camions réfrigérés n'étaient pas d'usage courant. L'analyse scientifique qui la sous-tendait était loin d'être fiable. On perdait des échantillons, on omettait de rechercher la listeria dans les fromages analysés, dont un grand nombre avaient été vieillis pendant des périodes si différentes que toute comparaison digne de foi était impossible. C'est néanmoins cette loi qui empêche les Nord-Américains de consommer des fromages délicieux et sains depuis plus d'un demi-siècle.

Lorsque je discutai de ces contradictions avec Max McCalman, je compris à quel point il se sentait lésé.

« C'est vraiment injuste, dit-il. Les fromages sont souvent fabriqués dans des fermes familiales, ce qui est l'une des dernières formes d'agriculture valables laissées à l'humanité, et ils sont interdits à cause de ce sentiment hystérique anti-français. Cela s'estompe un peu, à New York, en particulier, mais l'antipathie est encore très forte au centre du pays, d'où sont originaires 80 % des employés de nos organismes législatifs nationaux. L'engouement pour les fromages au lait cru à New York il y a une dizaine d'années était perçu comme une sorte de caprice, un goût du risque. "Oooh ! disaient les gens, nous sommes téméraires en commandant ceci. Comment est-ce entré au pays ?" En fait, les fromages au lait cru ont meilleur goût parce qu'ils *sont* meilleurs. Regardez la liste des ingrédients sur l'étiquette : lait entier, sel, et présure – aucun organisme génétiquement modifié, aucun pesticide, alors que c'est ça qui devrait nous inquiéter. Et j'invite les dirigeants, quels qu'ils soient, de ces administrations, je les *conjure* de faire le compte des bactéries présentes dans ces fromages. Je sais ce qu'ils vont trouver : il y a moins de bactéries dans nos fromages au lait cru que ce que nous tolérons dans un demi-gallon de lait pasteurisé vendu à l'épicerie. »

Malheureusement, la FDA ne dispose pas du budget qui lui permettrait d'effectuer des analyses en magasin. Pour un bureaucrate, la chose la plus sûre à faire dans une telle situation consiste à maintenir le statu quo – dans le cas du fromage au lait cru, l'interdiction –, ce qui le décharge de toute responsabilité officielle pour ce qui est devenu une activité illégale. Et pourquoi ne pas y aller en même temps d'un peu d'hyperbole et de désinformation pour s'assurer que le public reste loin du produit en question ? Le magazine du consommateur publié par la FDA affirmait récemment que manger n'importe quel produit au lait cru équivalait à « jouer à la roulette russe avec sa santé. »

Après plusieurs tentatives, je finis par joindre John Sheehan, directeur du service de la sûreté des œufs et des produits laitiers de la FDA depuis 2000. Comme McCalman l'avait prédit, il était originaire du centre des États-Unis – le Michigan – et il avait travaillé dans l'industrie laitière pendant 20 ans avant de rejoindre les rangs de l'agence fédérale contrôlant les produits laitiers. Pendant notre appel conférence – un agent des relations avec les médias de la FDA filtrait mes questions et contrôlait chaque mot prononcé par Sheehan –, il cita beaucoup de numéros de dossiers à plusieurs chiffres et il fit souvent allusion à d'autres ministères. Après mes conversations avec des amateurs et des producteurs de fromage, des gens passionnés qui appellent un chat un chat, j'eus l'impression d'essayer de communiquer en me servant d'un équipement IBM datant des années 1960.

Sheehan déclara n'avoir aucun compte à régler avec les Français : « Pour ma part, je ne me méfie pas de la France. Mon beau-frère est français ! Je serai le parrain de son dernier-né au mois d'août ! » (J'entendis l'agent des relations avec les médias glousser à l'arrière-plan, comme pour dire : « Elle est bien bonne ! ») « Et je suis allé plusieurs fois en France. J'adore ça ! »

(Les gens parlent encore comme ça ? Je ne pus m'empêcher de penser à ce que certaines personnes répondent quand on les accuse de sectarisme : « J'ai d'excellents amis qui sont noirs, juifs, et gays ! »)

Je mentionnai les fromageries que j'avais visitées en France et les normes d'hygiène très élevées que j'avais pu y observer.

« Selon les termes d'une entente conclue avec la France en 1986, les fromages à pâte molle doivent être produits dans des fabriques certifiées par le gouvernement français. Si un petit fermier bourguignon fabrique de l'époisses, il est, on l'espère, enregistré auprès du gouvernement.

— Malheureusement, lui fis-je remarquer, l'époisses fermier ne satisfaisait pas aux exigences de vieillissement de la FDA.

— S'il s'agit d'un fromage au lait cru affiné pendant quatre semaines, cela nous pose un problème. De toute évidence, il serait considéré comme illégal en vertu du paragraphe 21-CFR-1240.61 du code des règlements fédéraux. »

Sheehan me conseilla de consulter l'alerte aux importations #12-03 du site Web de la FDA ; j'y trouverais la courte liste de tous les fromages totalement interdits – le reblochon, le brie et le camembert de Normandie en faisaient partie – et la liste beaucoup plus longue de ceux, dont l'époisses, qui n'étaient autorisés que s'ils étaient faits de lait pasteurisé.

Prévoyait-on, demandai-je, réévaluer les conclusions scientifiques à l'origine de l'exigence d'un affinage de deux mois ?

« Très bonne question, admit Sheehan. C'est vrai, les conclusions scientifiques sur lesquelles repose notre position ont été mises en doute. C'est pourquoi nous avons entrepris une étude exhaustive du sujet. Nous évaluons toute la documentation sur laquelle nous pouvons mettre la main qui traite de la sûreté des fromages au lait cru. Nous avons déjà rassemblé 400 documents de référence que nous consultons afin d'obtenir un profil de risque en ce qui concerne l'ensemble des fromages au lait cru. »

Je lui demandai s'ils envisageaient d'indiquer les risques potentiels pour les femmes enceintes et les personnes souffrant d'immunodéficience sur les emballages de fromage au lait cru. (Après tout, la FDA avait récemment adouci ses règles et autorisait exactement le contraire. Ainsi, Heinz affirmait que son ketchup réduisait les risques de cancer de la prostate et du cerveau, et Campbell's aimait prétendre que son jus V8 contenait des antioxydants capables de ralentir les changements dus au vieillissement. Rien de tout cela n'avait jamais été vérifié ni corroboré.) De cette façon, les consommateurs américains responsables pouvaient se faire une idée – tout comme ils peuvent le faire avec les huîtres et le bœuf haché.

« Eh bien, les huîtres, ça regarde un autre service. Il faut vous adresser au service des produits de la mer. Et pour ce qui est d'étiqueter les fromages, je pense que nous envisagerons toutes les options possibles une fois que le profil de risque sera déterminé.

– Et quand cela sera-t-il fait ?

– Bien, c'était une priorité A un peu plus tôt cette année, mais c'est maintenant devenu une priorité B. Peut-être vers la fin du prochain exercice financier, mais je ne vous promets rien. »

Je remerciai Sheehan et son sinistre surveillant, et je raccrochai.

J'avais un peu la nausée après l'avoir entendu citer sans fin des numéros de dossier et refiler à d'autres ses responsabilités. Non seulement la FDA empêche-t-elle l'époisses et d'autres extraordinaires fromages au lait cru d'entrer au pays, mais elle s'assure aussi que les Américains n'aient aucun contact avec des horreurs telles que le jambon séché espagnol, produit avec des cochons élevés en liberté et nourris de glands, le beurre riche en matières grasse incrusté de sel de mer, venant du lait de vaches broutant dans les prés de Bretagne, le poivre du Sichuan, ou le mangoustan de l'Asie du Sud-Est, ce fruit affriolant à l'arôme de melon miel.

(Vers la fin de 2004, certains signes permirent d'espérer voir la situation s'améliorer. L'organisme regroupant 170 pays des Nations unies qui rédige le *Codex Alimentarius*, code de la santé pour le commerce alimentaire mondial, révisa ses règles relatives aux produits laitiers, y compris le fromage. L'industrie fromagère américaine, dirigée par Kraft, faisait depuis longtemps pression en faveur d'une approche de tolérance zéro face au lait cru, faisant valoir que la pasteurisation était la seule façon d'assurer l'uniformité et la sûreté du produit. Les Français avaient réussi à démontrer qu'un fromage propre pouvait également être garanti par le type de contrôle sévère que j'avais vu en Bourgogne, et le *Codex* fut récrit de façon à permettre la fabrication de fromages non pasteurisés. Si les législateurs états-uniens persistent à refuser les importations de fromages français, la France peut désormais les accuser de créer un obstacle illégal au commerce et les traîner devant l'Organisation mondiale du commerce. Un jour, l'authentique époisses au lait cru pourrait refaire son apparition dans les magasins et les restaurants américains.)

Heureusement, je vivais au Québec, une région de l'Amérique du Nord dominée par une vénérable tradition latine : ignorer toute règle vous empêchant de profiter pleinement de la vie. J'ouvris le bac à légumes de mon frigo et j'en sortis un morceau d'époisses au lait cru que j'avais illégalement rapporté de la Laiterie de la Côte. Une fois qu'il fut à la température ambiante, remplissant la cuisine de ses esters et aldéhydes odorants et enivrants, j'en pris une grosse bouchée que je laissai fondre sur ma langue.

Ma nausée disparut aussitôt. Rien ne vaut un peu de lait non pasteurisé pour se débarrasser de l'arrière-goût que laisse la langue de bois.

LE PLAT DE RÉSISTANCE

Écoutez-moi et comprenez ceci : un homme
n'est pas défini par ce qui entre dans sa bouche, mais par ce qui en sort.

MATTHIEU, 15, 11

Criadillas

Bruxelles contre Couilles de taureau

En Sardaigne, une île italienne, des dîneurs locaux se réunissent à l'occasion de repas où la principale attraction est le *casu marzu*, un pecorino introuvable dans les magasins. Il est affiné en blocs de la taille d'une tête humaine et tartiné sur de minces tranches de pain repliées. Le problème que doit affronter le néophyte n'est pas de prendre le fromage, mais de le garder sur son pain : le *casu marzu* se mange fermenté et il n'est considéré comme mûr que lorsqu'il est infesté de milliers de vers translucides. Qui plus est, il faut que les larves soient vivantes, car des asticots morts indiquent indubitablement un fromage trop pourri pour être consommé. Les Sardes conseillent aux novices de garder une main au-dessus de leur sandwich pour empêcher les insectes de leur sauter dans les yeux.

En Gascogne, une région des Landes, des braconniers vieillissants piègent dans leurs filets un oiseau chanteur protégé, l'engraissent aux grains de millet dans des cages obscures jusqu'à ce qu'il ait quatre fois sa taille originale, puis ils le noient dans l'armagnac. L'ortolan, aussi connu sous le nom de bruant, est dégusté lors de dîners gastronomiques clandestins où les convives aspirent les entrailles fumantes de l'oiseau par le rectum. Lorsqu'il apprit qu'il souffrait d'un cancer, François Mitterrand, le président français aujourd'hui décédé, invita 30 amis à une fête du Nouvel An à laquelle on servit des huîtres, du *foie gras** et une assiette d'ortolans – un mets interdit à la

plèbe, mais, selon le sempiternel principe exemptant les dirigeants de leurs propres règles, permis à l'élite. Après avoir été
rôtis à feu vif pendant cinq minutes, ces oiseaux minuscules
sont traditionnellement mangés entiers, avec les os et tout, et
le mangeur a la tête cachée sous une serviette de table blanche.
Pour certains, c'est pour empêcher la graisse, les fragments d'os
et la salive du gourmand enthousiaste d'éclabousser ses commensaux. D'autres croient que c'est pour que Dieu ne voie pas
ce qu'on est en train de faire.

Presque tous les peuples européens ont quelque tradition
gastronomique abstruse, que leurs voisins trouvent insalubre,
incompréhensible ou simplement dégoûtante. Les Allemands
raffolent de l'*Ochsenmaul-Salat*, une salade à base de cartilages
finement émincés de mâchoire de vache. Pour leur part, les
Scandinaves ont un penchant marqué pour les fruits de mer en
état de putréfaction : les Suédois aiment le *surströmming*, ou
hareng pourri, salé si légèrement qu'il continue de fermenter
sur les étagères et boursoufle les contenants dans lesquels il est
conservé (on a décrit son odeur comme un croisement entre
une cuvette de toilettes dont on n'a pas tiré la chasse et un œuf
pourri). Les Islandais sont friands de *hákarl*, le requin vénéneux
du Groenland, dont on enfouit la chair à deux mètres sous terre
pendant plusieurs semaines, jusqu'à ce qu'elle ait fermenté et
perdu sa charge toxique d'acide cyanhydrique ; on sort la chose
de son trou et on la grignote, comme du bœuf séché aux relents
d'ammoniac, entre deux lampées d'aquavit. (Les Britanniques
aiment se croire au-dessus de telles absurdités, tout en se régalant de *spotted dick* – pouding au suif et aux raisins secs –, de
couenne de porc et d'œufs écossais, de préférence noyés dans la
sauce brune.)

Si, pendant les 10 dernières années, j'ai limité ma consommation carnée à un repas de poisson ou de fruits de mer à l'occasion, quand je me sens d'humeur aventureuse, je suis toutefois prêt à goûter à n'importe quel mets bizarre, même quand il
est délibérément carnivore – tout en essayant d'éviter la poudre de corne de rhinocéros, la viande de panda et d'autres espèces en danger. Je suis particulièrement ouvert aux nouvelles

expériences carnivores en Europe où, en vertu de la loi, les organismes génétiquement modifiés et les protéines animales sont exclus de l'alimentation du bétail, auquel on ne peut non plus injecter des hormones de croissance. Depuis les années 1990, l'Europe a connu une série de catastrophes liées à l'alimentation – la maladie de la vache folle qui a pratiquement anéanti l'industrie bovine britannique, la découverte de BPC et de dioxines dans les porcs et les poulets, qui a fait tomber le gouvernement belge, la fièvre aphteuse qui, en 2001, a conduit à l'abattage de six millions d'animaux de boucherie en Grande-Bretagne. De la Pologne au Portugal, une population jusqu'alors négligente est devenue de plus en plus consciente des désastres susceptibles de se produire quand l'industrie alimentaire est livrée à elle-même. Sur un continent où le lien mystique entre campagne et saine alimentation est profondément inscrit dans l'inconscient collectif – où la grappa de *nonna*, le fromage au lait de chèvre de *grand-mère** et le saucisson de porc d'*abuela* sont sacrés –, ces catastrophes ont entraîné une suspicion généralisée à l'égard de l'industrie agroalimentaire. Les Européens eurent beau protester que des pouvoirs distants se mêlaient de leurs traditions ancestrales, après cette décennie de peur, tout le monde se mit à exiger qu'un contrôle strict soit exercé sur l'industrie alimentaire. En janvier 2002, l'Union européenne établit l'Autorité européenne de sécurité des aliments (European Food Safety Authority, EFSA) à Bruxelles (le siège social se trouve actuellement à Parme, en Italie) en tant qu'organisation scientifique supranationale chargée de superviser la sûreté de l'approvisionnement.

Comme il fallait s'y attendre, certains journaux britanniques comme le *Sun* – le tabloïd de Rubert Murdoch qui cogne sur tout ce qui est lié aux syndicats, aux réfugiés, aux homosexuels et à l'Union européenne – attaqua l'EFSA qu'il traita de nid d'eurocrates « anonymes » et « irresponsables » qui, dans un complot diabolique visant à priver les honnêtes consommateurs de leur purée de pois, de leur prosciutto et de leur canard laqué, lâchait ses inspecteurs à la noix, politiquement corrects, dans les pubs et les échoppes de plats à emporter. Même le *Wall*

Street Journal, habituellement plus posé, décrivit une révolte de gourmands italiens, inquiets de voir leurs pizzas cuites dans des fours à bois, leur lard toscan et leur mozzarella de lait de buf-flonne interdits en vertu de quelque obscure norme nordique par des commissaires venus de Copenhague ou de Helsinki. Étant donné l'envergure et la complexité de l'Union européenne récemment élargie – en 2004, l'UE a incorporé 10 nouveaux pays, dont la Pologne, la Hongrie et la République Tchèque –, l'établissement d'une politique commune concernant la sécu-rité des aliments pour 450 millions de citoyens, semblait repré-senter un défi gigantesque. Après la naissance d'une puissante bureaucratie à l'échelle du continent, les jours des ortolans français, de la baleine séchée scandinave, du fromage italien aux asticots, en somme, de tout ce qui transformait en aven-ture un repas pris en Europe, seraient comptés, j'en avais peur.

C'était pour cette raison que, debout au comptoir dans un bar madrilène, j'essayais de convaincre le barman de me don-ner l'adresse d'un restaurant – ou d'un bar à tapas ou même d'un étal de marché – où je pourrais déguster une assiettée de testicules de taureau. Je me disais que si un pays européen devait résister à l'obsession de la santé omniprésente en UE, ce serait l'Espagne vigoureuse, paradoxale et je-m'en-foutiste. Et s'il y avait une ville en Espagne qui se fichait complètement des bureaucrates bruxellois, c'était bien Madrid, cette capitale noblement provinciale où l'on pouvait encore souffler la fumée d'une Ducado brune en direction des jambons poussiéreux sus-pendus aux poutres du plafond sous un éclairage au néon. Et si un bar à Madrid pouvait me rancarder sur de rustres délices carnivores, c'était sans contredit La Torre del Oro, un temple de la tauromachie légèrement psychotique situé sur la Plaza Mayor, la grande place au centre de la ville.

Je sirotais un manzanilla au comptoir, sous la tête de Bar-bero, un taureau qui, si j'en croyais l'inscription sur la plaque, avait pesé 616 kilos à l'apogée de sa courte vie. Les serveurs de La Torre del Oro, très chics dans leur veste noire à revers avec leur nœud papillon vert, avaient conservé la rude bonne humeur de leur Andalousie natale. J'avais échangé des regards avec l'un d'eux, un fier Sévillan qui contemplait le monde en louchant derrière le verre épais de ses lunettes, apparemment toujours un peu amusé par sa clientèle.

« Difficile de trouver des *criadillas* ces jours-ci, dit-il en me tendant une demi-tasse de gaspacho velouté. Je te conseille de chercher dans les marchés. On n'en trouve que dans des restaurants cachés, surtout depuis cette histoire de vache folle. Mais les *criadillas* sont délicieuses. C'est pour ça que les gens sont prêts à payer très cher pour s'en procurer. »

Criadillas est le mot espagnol qui désigne les testicules d'un animal – du moins une fois qu'ils sont cuits. Avaler les *cojones* d'un taureau fraîchement tué a longtemps été considéré comme une preuve de machisme. Pendant des années, les gens se rassemblèrent dans les restaurants aux abords des arènes pendant la saison des corridas pour se régaler de ce qu'ils prenaient pour la chair foncée, imprégnée d'adrénaline des animaux qu'ils venaient de voir tomber sous l'épée du matador. En fait, la demande dépassait presque toujours l'offre, et le *rabo de toro* – queue de taureau – traditionnel était le plus souvent un *rabo de vaca*, la queue d'une banale vache, pas tout à fait virile. Dans la fièvre provoquée par la *vaca loca* – maladie de la vache folle –, les carcasses des taureaux tués dans les arènes espagnoles furent incinérées plutôt que transformées en viande de boucherie, et même les queues et les oreilles ensanglantées, traditionnellement lancées dans la foule par le torero victorieux, furent remplacées par des imitations par crainte de la contagion. Depuis 2001, l'abattoir derrière Las Ventas, la *plaza de toros* de Madrid, a officiellement fermé ses portes. Je commençais à penser que, vu l'histoire récente des phobies alimentaires, il allait se révéler impossible de dénicher d'authentiques *criadillas*.

« Il y a plein d'autres choses à essayer, me dit le barman pour me consoler. Les *zarajos*, les *entresijos*, la *morcilla*. On en trouve encore dans quelques bars. Tu sais comment on reconnaît un bon bar à Madrid ou à Séville ? C'est quand le plancher est sale. S'il est propre, c'est qu'ils ont trop de temps pour le balayer, et on comprend que ce n'est pas un bar populaire. Et on fait mieux de l'éviter. »

Je recrachai un cure-dent sur le sol, contribuant au riche compost qui s'accumulait sous mes pieds – noyaux d'olives, mégots de Fortuna, serviettes de papier souillées, écales de graines de tournesol. Le gouvernement espagnol venait tout juste d'annoncer qu'il serait interdit de fumer sur les lieux de travail en 2006 et que les bars et les restaurants du pays allaient bientôt devoir offrir des sections pour les non-fumeurs. Tu parles ! me dis-je. En principe, il était déjà interdit de fumer dans les transports en commun, mais je n'étais pas sorti de mon wagon depuis 10 secondes que j'avais déjà repéré trois personnes avec une cigarette à la main sur la plate-forme de la station de métro Chamartin. L'aptitude des Latins à la dissonance cognitive – le fait, pour un Français ou un Italien conservateur, d'appuyer totalement l'institution du mariage, par exemple, tout en jonglant avec une épouse et une maîtresse – expliquait également comment un peuple aussi viscéralement rétif que les Espagnols parvenait à vivre à l'intérieur des contraintes de l'Union européenne obsédée par les règles. Ils avaient approuvé la législation pour la forme, mais, dans la vie quotidienne, ils préféraient l'ignorer. Selon le point de vue où l'on se plaçait, on pouvait considérer les Espagnols comme des gens pathétiquement confus ou, au contraire, rompus aux usages du monde. (Je me disais que cette attitude venait des siècles où ils avaient dû vivre avec les contraintes du catholicisme tout en désespérant de parvenir à les concilier avec la réalité observable.) Appliqué dans une juste mesure, un tel laxisme peut rendre la vie quotidienne plutôt agréable ; poussé à l'extrême, il peut aussi conduire à une hypocrisie de corruption institutionnalisée. L'Espagne nonchalante, raffinée, élégante et anachronique est de loin mon pays préféré en Europe de l'Ouest – du moins pour le visiter. Ce n'est toutefois pas le genre d'endroit où j'envisagerais de me lancer en affaires.

En regardant les murs de La Torre del Oro, je me rappelai une chose que j'aimais dans les cultures latines : l'omniprésence de la mort. Encastré dans le mur à côté de moi, il y avait une *puntilla*, le genre de couteau qui avait servi à mettre un terme à la courte vie de Barbero. Sur un des écrans, on voyait un torero projeté au-dessus des cornes d'un taureau ; la séquence passait au ralenti, de sorte qu'à un moment son corps était vraiment perpendiculaire au sol. Une photo en noir et blanc montrait un autre torero sur une table d'opération, entouré d'une équipe médicale, le torse hérissé de scalpels et de clamps.

Remarquant mon intérêt, le barman me dit sèchement : « C'est le seul encore en vie. Mais il est aussi complètement paralysé. »

Je dégustais mes tapas et mon sherry dans une sorte de mausolée, un temple consacré à la mort. Les cultures latines reconnaissent explicitement l'intensité accrue qu'on éprouve quand la nourriture – ou tout autre plaisir – est liée à la transgression et au risque. S'il est impossible à mesurer, le frisson qui nous parcourt quand on mange un steak tartare, des huîtres crues ou des oiseaux sauvages pochés est aussi indéniable.

Ce n'est toutefois pas le genre de chose qu'une bureaucratie vouée à la sécurité des aliments à l'échelle du continent trouverait facile à écrire dans ses directives et ses règlements.

*
* *

L'Espagne entra dans le XXIe siècle comme un taureau se rue dans l'arène – furieux d'avoir été si longtemps enfermé, avec des générations d'impulsions ataviques inscrites dans son sang, fier mais circonspect devant la nature et l'envergure de la scène sur laquelle on l'a précipité. Isolée pendant les 40 années de la dictature de Franco qui, jusqu'en 1975, ferma presque entièrement les portes du pays à l'immigration, l'Espagne choisit de devenir membre à part entière de l'Europe moderne, renonça aux contrôles douaniers et adopta l'euro en 2002. Elle reçut sa première blessure de picador avec les bombes terroristes posées à la gare d'Atiocha un an plus tard – devenant le premier pays occidental attaqué après la destruction du World Trade Center. L'Espagne réagit à sa façon, c'est-à-dire extrême, en élisant au poste de premier ministre un socialiste de 42 ans qui retira les troupes espagnoles d'Iraq et rétablit des relations cordiales avec la France et l'Allemagne.

Je m'étais rendu en Espagne une demi-douzaine de fois au cours de la dernière décennie et je gardais l'impression que les Espagnols ne s'étaient jamais vraiment libérés de la polarisation de la guerre civile des années 1930, laquelle avait opposé des fascistes à des gauchistes radicaux : la vie du pays était toujours un étrange et troublant mélange de tendances conservatrices et progressistes. La prostitution était légale et le nouveau gouvernement favorisait le mariage gay. Pourtant les femmes continuaient à faire la lessive dans 84 % des ménages. Les quartiers à la mode de Madrid fourmillaient de jeunes branchés avec leur téléphone cellulaire et leur iPod, mais chez les 18 à 30 ans, 68 % vivaient encore chez leurs parents. D'autre part, quoiqu'on puisse attribuer le phénomène au fait que ce peuple aime les substances enivrantes traditionnelles comme l'alcool et le tabac – on trouve plus de bars en Espagne que dans tous les pays de l'Europe de l'Ouest réunis –, c'est en Espagne que se consomment le plus de marijuana et de cocaïne du continent. Le respect de la vie privée étant toutefois enraciné dans la culture espagnole, ceux qui consomment des stupéfiants chez eux ne sont pour ainsi dire jamais poursuivis.

Pour ma part, je trouvais ces enchaînements d'anachronisme et de modernité stimulants et, tandis que j'explorais les rues en quête de repas risqués, j'observais avec plaisir des travestis partager des bancs de parc avec des vieillards en béret et cardigan. Au Museo del Jamón – le Musée du jambon –, un bar-restaurant, je contemplai, fasciné, les cuissots de porc qui séchaient tranquillement un ou deux pieds au-dessus de ma tête. À voir les sabots noirs, la moisissure verdâtre et les poils hérissés, on savait que cette nourriture avait été tirée d'un être qui avait déjà vécu.

Je commandai au barman une portion de son meilleur jambon *ibérico*. Il roula les manches de sa chemise blanche, décrocha un jambon suspendu à une poutre du plafond et le fixa à une *jamonera*, une planche pourvue d'une vis. Puis, à l'aide d'un long couteau affûté avec soin, il découpa des tranches

rouges translucides qu'il déposa en cercle sur une assiette blanche, m'expliquant que les cochons étaient élevés en liberté
dans les montagnes de l'Estrémadure et qu'ils étaient nourris
des glands des mêmes chênes qui étaient cultivés pour le liège.
Je mangeai ma première tranche : marbrée de graisse ambrée,
elle fondait à la température du corps, laissant sur ma langue
une couche salée, à saveur de noisette, rappelant le beurre le
plus riche combiné avec le plus satiné des carpaccios.

Je n'avais jamais rien goûté de pareil, dis-je au barman.

« Ça ne m'étonne pas ! répondit-il. Notre jambon est le
meilleur au monde. Mais je suis content que les Américains
n'en veulent pas, parce que nous n'en avons pas tant que ça
pour nous-mêmes. S'ils le goûtaient, ils verraient comme c'est
bon et nous n'en aurions plus ! »

L'*ibérico* et les autres jambons espagnols sont complètement
interdits aux États-Unis ; l'importateur peut se voir infliger une
peine maximale de 10 000 $ d'amende et de 10 ans de prison.
(C'est très sérieux ; une Californienne a récemment été condamnée à 2 000 $ d'amende pour avoir importé un seul chorizo.)
Cette prohibition n'a pas vraiment de raison d'être. Les cochons
ibériques sont élevés en liberté dans des forêts de montagne et
classifiés selon la version espagnole du système garantissant la
pureté des fromages et des vins français d'*appellation d'origine
contrôlée**. Le jambon *ibérico* est constamment classé comme
le meilleur au monde, supérieur même au *prosciutto di Parma*
italien.

Les gourmands états-uniens ne peuvent avoir d'*ibérico* chez
eux parce qu'aucun abattoir espagnol ne satisfait aux exigences
de leur ministère de l'Agriculture. Mais pourquoi l'industrie de
la viande espagnole descendrait-elle aussi bas ? L'USDA autorise la scission des embryons, le clonage et l'administration
d'antibiotiques pour favoriser la croissance du bétail. On
engraisse les vaches et les cochons avec un mélange de restes
de restaurants, de nourriture pour chiens et chats périmée et de
fumier de poulet, et du sang de porc est ajouté à l'eau du bétail
pour lui fournir une source supplémentaire de protéines bon
marché. Et tout cela est approuvé par la FDA. Le fait d'avoir

donné des protéines animales à manger aux animaux fut probablement à l'origine de l'épidémie d'encéphalopathie spongi-
forme bovine (ESB, ou maladie de la vache folle) à laquelle
120 personnes succombèrent en Grande-Bretagne, et pourtant,
en Amérique du Nord, on continue d'ajouter des sous-produits
de bétail à la moulée des poulets et des cochons, dont les carcasses sont à leur tour moulues pour nourrir le bétail. Alors que
l'administration Bush (le Parti républicain est celui qui reçoit
le plus de contributions des producteurs de viande) a progres-
sivement autorisé l'industrie à contrôler elle-même ses installations, le nombre de rappels pour cause d'*E. coli*, de salmonelle
et d'autres agents pathogènes a atteint des sommets records :
113 en 2002 seulement (tous volontaires : l'USDA n'a pas le
pouvoir d'exiger un rappel). Le péché récurrent des abattoirs
espagnols est apparemment celui-ci : comme ils sont relativement petits, il leur arrive de traiter à la fois les bœufs et les
cochons – et c'est pour ça que le jambon *ibérico* est interdit aux
États-Unis. (L'USDA est sur le point d'approuver l'importation des produits d'un seul abattoir espagnol ; les premières
livraisons devraient arriver en 2007.)

L'origine de l'interdiction est probablement liée à une épidémie qui a frappé les porcs espagnols dans les années 1970.
Ou peut-être l'USDA cherche-t-il simplement à se venger : au
XIXᵉ siècle, les Européens fermèrent leurs portes aux porcs américains après y avoir découvert un taux inhabituellement élevé
d'infection aux ascarides, ce qui a déclenché la première guerre
commerciale transatlantique. Plus vraisemblablement, les puissants producteurs de viande américains exercent des pressions
parce qu'ils préféreraient ne jamais voir l'onctueux *ibérico* sur
l'étal des bouchers de leur pays.

Car, bien sûr, comment les gens pourraient-ils se satisfaire
des produits de la ferme-usine après avoir goûté au jambon
espagnol ?

J'eus beau chercher, rien ne semblait indiquer que les normes sanitaires nord-européennes gênaient particulièrement le
style des propriétaires de bars et de restaurants madrilènes.

Dans un restaurant aux murs couverts de vieux sabots et de souliers de flamenco, je grignotai des *orejas*, ou oreilles de porc, servies sur une planche de bois fissurée, terreau idéal pour la prolifération des bactéries. Dans un bar de la Plaza de Cascorro, je commandai une portion de *patatas bravas* tout en regardant un bébé coquerelle détaler sous la soucoupe d'olives vertes posée devant moi. Une jeune mère entra, demanda un verre de bière mousseuse et souffla de longues volutes de sa Ducado sans filtre vers le plafond tout en faisant sauter le bébé sur ses genoux et en insérant des pièces de monnaie dans un appareil de jeu vidéo. J'observai le barman chauve essuyer avec un torchon sale une traînée verdâtre sur des assiettes d'anchois, de poulpes et d'escargots baignant dans l'huile d'olive et astiquer le thermomètre numérique brouillé. Une concession aux normes bureaucratiques est visible dans les bars espagnols : les employés sont censés noter toutes les trois heures les températures mesurées électroniquement des denrées exposées sur les comptoirs. Dans un établissement, j'ai vu un barman inscrire sans broncher les lectures de toute la semaine d'un seul coup.

Peu importe combien de questions j'ai posées sur les « inspecteurs de Bruxelles », personne n'avait vraiment d'anecdotes à me raconter sur des Nordiques aux yeux bleus faisant soudain irruption pour passer leurs doigts gantés de blanc sur les comptoirs. Quand les restaurateurs maugréaient, c'était à propos des gars de la Sanidad – les inspecteurs locaux qui leur avaient toujours compliqué la vie. L'Espagne a bien sûr un ministère de la Santé et des Affaires du consommateur, mais c'est un pays très décentralisé, avec 17 communautés autonomes dont chacune a son propre parlement et est responsable de la sûreté des aliments sur son territoire. (Après ma visite, on a créé l'Agence espagnole de la sûreté des aliments, avec des bureaux à Madrid, pour établir une politique nationale.) En outre, dans les municipalités de plus de 50 000 habitants, les inspections incombent à l'administration municipale. Théoriquement, les directives concernant le traitement et la sûreté des aliments viennent de Bruxelles ; en fin de compte, leur interprétation donne lieu à une grande liberté d'action. Au Lhardy, un restaurant français à proximité de la Puerta del Sol, célèbre pour ses tripes et son décor XIXe siècle, un des gérants m'a dit que le nouveau régime ne lui causait pas trop de problèmes.

« Nous recevons régulièrement la visite des inspecteurs de la santé. Nous devons nous conformer aux normes européennes, mais les inspecteurs sont espagnols. Il y a d'autres choses que nous contrôlons nous-mêmes. Nous avons, par exemple, un dossier sanitaire pour nos fromages. Deux fois par mois, nous envoyons des échantillons à un laboratoire privé pour qu'il procède aux analyses. »

Il pointa le doigt vers une vitrine à plusieurs niveaux, une fabuleuse concoction de verre et de métal, dans laquelle on exposait auparavant les sandwichs.

« Nous avons débuté en 1839, et cette vitrine a 200 ans. Les inspecteurs nous ont dit de ne plus l'utiliser parce qu'ils pensent qu'on ne peut la garder propre. C'est malheureux. Mais la plupart des règlements sont faciles à suivre, et logiques. Il faut vous rappeler que l'Espagne a connu des problèmes alimentaires par le passé – la maladie des porcs et le scandale de l'huile d'olive –, alors les gens acceptent ces règlements. »

L'Espagne a connu des problèmes de sûreté alimentaire avant la plupart des autres pays européens. En 1981, 25 000 personnes tombèrent malades après avoir consommé de l'huile d'olive vendue sans étiquette dans les marchés hebdomadaires. On découvrit qu'un groupe de fabricants et de négociants avaient comploté pour se débarrasser de stocks d'huile faite de résidus d'olives, à laquelle on avait ajouté une teinture conçue pour un usage industriel. Six cents personnes succombèrent et des milliers d'autres subirent des dommages permanents aux poumons et au système nerveux. Cet incident vit toujours dans la mémoire populaire et sert à rappeler jusqu'où, poussée par l'appât du gain, l'industrie peut aller quand elle n'est pas soumise à des règles ; il y a d'ailleurs toujours suffisamment de maladies d'origine alimentaire en Espagne – 3818 cas en 2002 – pour que les gens restent vigilants. Les œufs, *huevos*, continuent d'être un grave problème : cette année-là, la présence de salmonelle dans les œufs a entraîné 2106 hospitalisations et quatre décès.

Je ne devais pas oublier de refuser toutes les tapas garnies de mayonnaise.

Entre-temps, ma recherche d'un autre genre d'*huevos* – mot familier pour « testicules » – n'aboutissait pas. Quelqu'un me donna un tuyau, et je me rendis à Maravillas, un marché couvert dans lequel s'alignaient des comptoirs numérotés. La cuisine *castizo* traditionnelle de Madrid est celle du pauvre, constituée de viscères souvent cuisinés sous forme de *callos*, tripes en sauce assaisonnées de piment moulu et servies avec des morceaux de boudin. Dans la section du marché réservée à la boucherie, des têtes d'agneau à la langue pendante étaient posées au milieu de briques de sang coagulé, couleur haricot rouge (dans lequel, m'assura-t-on, il suffit de faire revenir un oignon pour démarrer une sauce). À la Casquería Gerardo, spécialisée dans les abats, je les trouvai enfin : le mot CRIADILLAS était écrit en toutes lettres sur une carte plastifiée au bout d'une tige de métal, et c'était vendu au bas prix de 1,8 € le kilo. Reposant dans un plateau d'acier inoxydable, chacun des globes ovales ressemblait à un œuf d'autruche cramoisi couvert d'un réseau de veines écarlates. C'était incontestablement trop gros pour être avalé d'une seule bouchée. La tripière, une femme joviale aux cheveux noirs, revêtue d'un sarrau blanc, me regarda d'un air soupçonneux photographier ma trouvaille.

« Vous en voulez ? » demanda-t-elle.

Je lui expliquai que j'étais en visite et que je n'avais pas d'endroit où les cuisiner. Connaissait-elle un restaurant où je pourrais y goûter ?

« Ce n'est pas vraiment l'époque de l'année pour en trouver au restaurant, répondit-elle. La plupart de mes clients sont des maîtresses de maison, qui en achètent pour servir à leur famille, pas des restaurateurs. »

J'étais déçu, mais je me jurai de ne pas renoncer. Entre-temps, j'allais essayer une autre friandise, celle-là disponible à longueur d'année – à condition d'y mettre le prix. Elle n'avait pas encore été bannie. (Même si elle devrait l'être sans tarder.)

Avec les Japonais, les Espagnols comptent parmi les plus enthousiastes consommateurs de produits de la mer. Depuis

l'époque franquiste, des camions chargés d'huîtres fraîches, de
colins et de homards roulent à train d'enfer sur les côtes de la
Galice, de l'Andalousie et du Pays Basque, faisant des routes
vers Madrid les plus dangereuses au monde. Dans mon pays
natal, le Canada, les bateaux de pêche espagnols sont générale-
ment perçus comme des délinquants rapaces ; un combat
naval a éclaté il y a quelques années, quand un garde-côte
canadien a tiré au-dessus de la proue d'un chalutier qui bracon-
nait dans les Grands Bancs de Terre-Neuve. Les Espagnols
dévorent à peu près tout ce qui nage dans l'océan ou s'aventure
dans les eaux de marée. Les oursins de mer sont des tapas populaires dans les villes côtières, et les lamproies, mijotées dans
leur propre sang et servies entières, sont un mets apprécié par
les Galiciens, jeunes et vieux. Lorsqu'un pétrolier, le *Prestige*,
déversa 64 000 tonnes de pétrole au large de la côte nordique
espagnole en 2002, contaminant le fond océanique et affectant 1250 milles de côte, le marché des fruits de mer espagnol
en fut à peine touché.

Dans une poissonnerie, l'impressionnante Pescaderías Coru-
ñesas, j'avais déjà essayé les *percebes*, ou pousse-pieds, l'une des
bestioles les plus intimidantes de l'océan. Quand celui-ci est
calme au large de la côte de la Galice, les pêcheurs s'embar-
quent et se dirigent vers les rochers sur lesquels s'accrochent
les anatifes. Reliés les uns aux autres par des cordes nouées
autour de leur taille (une précaution nécessaire : chaque année,
les vagues emportent un ou deux pêcheurs), ils décollent les
percebes des rochers à l'aide d'outils spéciaux et les mettent
dans des sacs en filet. Ébahi que quelqu'un ait déjà eu l'idée de
manger de telles monstruosités, j'avais regardé le gérant en sortir deux de la glace pour moi. Longs de six pouces, avec leurs
tuyaux noircis et coriaces terminés par une coquille en mosaï-
que rose et blanche, on aurait dit des phallus d'extraterrestre
dans quelque film de science-fiction porno à petit budget. Le
gérant m'invita à le suivre dans l'arrière-boutique, où il laissa
tomber les deux *percebes* dans une grande marmite d'eau salée
qui bouillait sur le poêle, m'expliquant qu'on les cuisait le
temps de réciter un Notre Père.

Il les sortit ensuite du chaudron avec une écumoire et me montra comment tordre le bout en forme de gland – un jet d'eau salée éclaboussa alors sa chemise – pour trouver la chair rose et chaude à l'intérieur.

Un gardien de sécurité me regarda les manger d'un air approbateur. « ¡ *Jamón del mar* ! » s'exclama-t-il.

« Jambon de la mer. » La comparaison était juste : la chair était tendre et salée, comme un heureux mélange de pétoncle et d'*ibérico* nourri de glands.

Les *percebes* ne sont pas donnés, surtout depuis que des braconniers munis d'équipement de plongée sous-marine ont commencé à vider les fonds marins : pendant mon séjour, un kilo coûtait 99 € (129 $ US). Mais si l'on compare leur prix à celui des *angulas*, qui se vendaient 360 € (470 $ US) le kilo à la poissonnerie, c'était une bonne affaire. Ce soir-là, résolu à goûter à ce mets délicat, j'allai souper au El Pescador, probablement le meilleur restaurant de fruits de mer de Madrid. Sur le menu, une entrée d'*angulas*, une chiche portion de 110 grammes, allait me coûter 51 € (67 $ US). J'avalai ma salive et commandai mon assiettée de bébés anguilles.

Les anguilles voient le jour dans la mer des Sargasses, au sud des Bermudes. Chacune des minuscules larves transparentes contient une goutte d'huile lui permettant de flotter à la surface de l'océan, où elle se nourrit d'êtres vivants microscopiques tout en se dirigeant lentement vers la terre. Nageant et dérivant à la fois sur 4500 milles en plein océan, les bébés anguilles – connues aussi sous le nom de civelles – peuvent mettre jusqu'à trois ans pour atteindre l'embouchure de la rivière Douro et de l'Èbre. Les mâles restent dans l'estuaire, tandis que les femelles remontent le courant pour aller vivre dans les lacs – on sait qu'elles ont traversé des pâturages pour parvenir à leur destination – jusqu'à ce qu'elles aient atteint leur taille adulte – soit une longueur de 1,5 verge et un poids de 15 livres. Elles retournent alors à l'embouchure du fleuve et rejoignent les mâles qui ont désormais leur pleine maturité. Ensemble, ils nagent vers la mer des Sargasses où ils s'accouplent et meurent.

Une véritable odyssée. Du moins si les civelles n'étaient pas cueillies par centaines de millions alors qu'elles n'ont que quelques centimètres de long, puis expédiées à toute vitesse vers les poissonneries et les marchés de Madrid. Comme elles se font rares, leur prix monte : jusqu'à 850 € (1110 $ US) à l'époque de Noël, au point qu'un nouveau marché d'ersatz d'*angulas* a commencé à se développer. Appelés *gulas*, ces « poissons » sur lesquels on a imprimé deux yeux minuscules sont faits de chair de goberge d'Alaska pressée pour ressembler aux bébés anguilles.

La façon traditionnelle de cuisiner les *angulas* consiste à les plonger dans une infusion de tabac, mais le Pescador a une recette différente : on les jette encore vivantes dans de l'huile bouillante. Le serveur m'apporta un rince-doigts, sur lequel flottait une rondelle de citron, et une fourchette de bois à quatre dents. Avec un grand geste du bras, il déposa devant moi un plat en terre cuite. Je regardai l'agglomérat de corps minuscules. Ils étaient sinueux, ils ne mesuraient pas plus de huit centimètres et leur colonne vertébrale était à peine visible sous la peau incolore et ridée ; ils avaient tous des yeux. Je plongeai ma fourchette de bois dans la masse, la portai à ma bouche et commençai à mastiquer.

Au premier abord, c'était poivré, avec un goût d'ail rôti. Je laissai les *angulas* glisser sur ma langue, puis vers le fond de ma bouche : c'était comme des vermicelles veloutés, salins, légèrement *al dente* ; à l'intérieur de chacun d'eux, un mince fil croustillant – l'épine dorsale, probablement. Pas mal du tout. On éprouve un certain plaisir morbide et sensuel à faire rouler ainsi des douzaines de petits corps dans sa bouche.

Mais à mesure que je mastiquais et que le compte des corps augmentait, je commençai à me sentir très, vraiment très coupable. L'ampleur de la décadence humaine me frappa : je ramassais des centaines de cadavres – peut-être une entière génération ! – chaque fois que je portais la fourchette à ma bouche. L'odyssée des anguilles d'une mer tropicale jusqu'à un cours d'eau de montagne et vice-versa, interrompue par la voracité des humains, avait pris fin sur cette vulgaire fourchette de bois.

Bien que les anguilles ne soient pas une espèce en danger, elles ne se portent pas très bien, particulièrement en Espagne. Bien sûr, commander une assiette d'*angulas* est moins immoral que, disons, déguster un steak de panda. Je pouvais toutefois m'imaginer dans 10 ans en train de lire un article de journal sur la disparition définitive de l'anguille d'eau douce dans les rivières européennes ; je regretterais alors d'avoir un jour pris ce repas.

J'ai beau croire au droit de choisir impunément ses plaisirs, il y a quand même des limites. Quand nos choix de consommateur – qu'il s'agisse d'acheter un désodorisant en aérosol qui réduit la couche d'ozone ou des bottes en peau de caïman – finissent par affecter tous les habitants de la planète, nos représentants élus ont le droit, et même le devoir, d'intervenir et d'imposer des règles. C'est pourquoi l'utopie libertaire d'un marché entièrement libre m'a toujours semblé tellement myope : la fameuse « main invisible » censée contrôler le capitalisme n'a jamais montré qu'elle était reliée à un cerveau fonctionnel. On ne surestime pas la myopie de l'être humain : nous sommes capables de faire frire à la poêle le dernier œuf de dodo pour notre petit-déjeuner ou d'abattre et de débiter le dernier arbre de l'île de Pâques pour alimenter notre feu de camp. Nous avons récemment épuisé les réserves de morues dans l'Atlantique et nous avons l'air d'être sur le point de provoquer l'extinction de l'esturgeon pour alimenter le marché toujours plus lucratif du caviar. Comme espèce, l'*Homo sapiens* a toujours eu besoin d'être refréné.

Je regardai mon dîner ; il me rendit mon regard. Ce soir-là, je faisais incontestablement partie du problème. Mais, au diable ! J'avais commandé des bébés anguilles – et à 10 $ la bouchée, il n'était pas question que j'en laisse dans mon assiette !

Mais croyez-moi sur parole : les *angulas* n'en valent pas la peine. Elles ont peut-être bon goût, n'empêche que, une heure plus tard, on a encore faim.

Si une personne en Espagne était en mesure de me dire si les *criadillas*, les *percebes* et autres plats traditionnels faisaient l'objet d'une menace imminente de la part de Bruxelles, c'était Pedro Subijana, président actuel d'Euro-Toques, une association de 4000 chefs fondée en 1986 pour défendre la cuisine et les méthodes culinaires traditionnelles contre les assauts de l'industrie agroalimentaire et de la bureaucratie. Propriétaire de l'un des restaurants les plus renommés de la communauté autonome d'Euskadi, Subijana était une vedette de la télévision et un fier promoteur de la cuisine basque. Pour le rencontrer, je devais prendre le train vers le nord jusqu'à San Sebastián, une ville de 178 000 habitants, située près de la frontière française dans la baie de Biscaye.

Ce n'était pas vraiment une corvée. San Sebastián est un bijou de la *Belle Époque** proche de la perfection : sise dans une baie dont la forme évoque celle d'une coquille, la ville est encore mise en valeur par une toute petite île aussi judicieusement placée que le grain de beauté de Marilyn Monroe. La Parte Vieja est un genre de quartier français pour amateurs de bonne bouffe : un réseau de rues étroites où se suivent les meilleurs bars à tapas (qu'on appelle ici *pinchos*) du monde. Je consacrai quelques soirées à un *poteo* solitaire, c'est-à-dire que je fis la tournée des bars à *pinchos* – des centaines s'entassaient le long d'une douzaine de pâtés de maisons et chacun avait sa propre spécialité : champignons, anchois, *foie gras** –, et partout le barman m'accueillit avec un petit verre de Txakoli, un vin blanc piquant fait de raisins cultivés dans les vignes des collines escarpées, qu'on verse au bout du bras dans des verres sans pied pour en accroître la subtile effervescence.

Tout était insolemment, magnifiquement non hygiénique. Des brochettes d'écrevisses ou de crevettes et des sandwichs tartinés de mayonnaise restaient sur les comptoirs des après-midi entiers. Les tue-mouches à lumière bleutée qui bourdonnaient sur les murs constituaient la seule mesure contre la contagion. Sur le sol, le compost faisait peur à voir, ses différentes strates nous racontant le déroulement de la soirée ; dans un bar, j'observai une femme en patins à roues alignées qui, la main sur l'épaule de son amie, glissait à une extrémité du comptoir pour attraper un feuilleté farci d'araignée de mer, puis à l'autre pour prendre un morceau de morue posé sur un enchevêtrement de frites effilochées. J'étais surpris qu'elle arrive même à rouler dans cet amas de sciure, d'écales de graines de tournesol, de Ducados à moitié fumées, de cure-dents, de serviettes de papier graisseuses et de noyaux auxquels adhérait encore la chair des olives.

Je rencontrai Pedro Subijana à l'Akelare, son restaurant au sommet de la montagne. Vêtu d'une blouse blanche sur laquelle son nom était brodé en bleu, arborant une exubérante moustache sel et poivre qui s'étirait d'une joue à l'autre, Subijana était le portrait vivant du chef à étoiles Michelin.

Dans un mélange de français et d'espagnol, il se moqua de mon étonnement devant l'apparent manque d'hygiène des bars à *pinchos* de San Sebastián.

« Dans les bars à *pinchos* où on sert le midi et le soir, il y a beaucoup de rotation. Les gens se préoccupent davantage de la fraîcheur, parce qu'ils ne sont pas stupides et qu'ils entendent servir la nourriture de façon saine et hygiénique. C'est vrai que, dans certains bars, quand on n'a pas vendu les *pinchos* l'après-midi, le propriétaire essaie de les refiler le soir. Mais ce n'est pas parce que quelques bars sont mauvais qu'on devrait interdire les *pinchos*, interférer avec la tradition. Ce ne serait tout simplement pas juste.

« Ce qui se passe, poursuivit-il, c'est qu'on commence à se rebeller contre les normes sanitaires, qu'elles soient dictées par l'Espagne ou par Bruxelles. Les normes ne peuvent s'adresser à tout le monde. Si vous possédez une chaîne de fast-food, vous embauchez des adolescents non qualifiés, qui n'ont pas fait d'études. Dans ce cas, vos employés devront porter des gants de plastique et se conformer à toutes les mesures d'hygiène nécessaires. Quand ceux qui manipulent la nourriture sont des professionnels, ils savent ce qu'il faut et ne faut pas faire.

« Chez Euro-Toques, et dans mon cas en tant que citoyen de l'Europe, la pensée que des administrations lointaines vont légiférer sur des sujets dont ils ne connaissent absolument rien nous cause beaucoup de souci. Je ne crois pas que quatre bureaucrates assis dans un bureau à Bruxelles en sachent plus que tous les gens qui manipulent la nourriture de la même façon depuis des siècles. Sincèrement, je n'ai pas encore rencontré un seul inspecteur sanitaire qui en sache plus que moi sur la nourriture. »

Je lui demandai de me donner des exemples précis. Quelles étaient les traditions menacées ?

« Nous militons pour exiger que le chocolat contienne un certain pourcentage de cacao pour pouvoir être appelé chocolat. Nous voulons que les emballages identifient clairement les aliments génétiquement modifiés. Et il y a une chose qui me préoccupe profondément. En Espagne, il est maintenant interdit de casser un œuf frais dans la cuisine d'un restaurant. On doit acheter des « ovo-produits » qui nous arrivent préemballés et pasteurisés dans des contenants hermétiquement scellés. C'est barbare, complètement absurde ! Il n'existe pas de produit plus naturel que l'œuf. On peut s'employer à réformer les conditions dans lesquelles les poules sont élevées. On peut travailler à changer le fait que, pour accroître les profits, ces animaux soient nourris avec une moulée de la plus mauvaise qualité, parfois même contaminée, et que cette contamination soit transmise aux humains. On peut obliger les serveurs à suivre un cours pour apprendre à manipuler la nourriture. On peut même chercher dans le monde un détecteur électronique ou nucléaire de salmonelle qui identifiera les mauvais œufs. Mais on ne peut pas bannir l'utilisation des œufs ! »

(Tout en admirant la passion de Subijana, je me sentis franchement soulagé d'apprendre que la mayonnaise que j'avais vue traîner des heures sur les comptoirs de bars était faite à base d'œufs pasteurisés. Quelques mois après notre entretien, la salmonellose causa 6000 cas d'empoisonnement alimentaire et 15 décès en Grande-Bretagne. L'épidémie était liée à des œufs espagnols.)

En fait, Subijana ne put me fournir un seul exemple d'une interdiction venue directement de Bruxelles. L'interdiction d'utiliser des œufs frais avait été imposée par la couronne espagnole ; Juan Carlos lui-même avait signé la proclamation royale en 1991 après une série de décès liés à des œufs infectés. Subijana admit que les suspects habituels – chaînes de fast-food, supermarchés, aliments génétiquement modifiés et bœuf nourri aux hormones d'Amérique du Nord – l'inquiétaient davantage que toute intervention directe des bureaucrates de Bruxelles. Mais j'aimais bien l'entendre fulminer.

« Je pense que les Espagnols seront capables de se défendre mieux que d'autres peuples contre la perte des traditions, reprit-il, contre la mondialisation et le fast-food, parce que notre culture fait de nous des *bons vivants**. En général, les Espagnols ont une bonne alimentation, à la fois saine et variée ; nous avons des produits de haute qualité. Et aujourd'hui, les consommateurs espagnols recherchent l'authenticité. Leur grand défi consiste à exiger d'être informés sur le contenu exact de ce qu'ils mangent. Les aliments doivent être étiquetés – nous avons, par exemple, le droit de savoir si notre nourriture est génétiquement modifiée. »

Je pensais comme lui. Jusqu'à présent, je n'avais toutefois rien trouvé prouvant que les infâmes bureaucrates de Bruxelles avaient été responsables du bannissement d'un seul produit – du moins d'un produit qui ne méritait pas de l'être – ou de l'anéantissement d'une seule tradition culinaire. C'est vrai, les règlements avaient compliqué la vie de petits fromagers, mais ceux qui voulaient exporter leurs produits avaient appris à s'adapter aux nouvelles normes sanitaires.

De toute évidence, les inspecteurs n'avaient pas gêné le style de Subijana. À l'Akelare, dans la salle à manger circulaire et vitrée surplombant la baie, je choisis un repas à multiples services dont chacun, de la taille d'une *tapa*, était accompagné d'un vin espagnol différent. Ce fut l'un des meilleurs, et peut-être l'un des plus risqués, repas de ma vie.

Avec cette huître retirée de sa coquille et déposée sur un lit de raisins glacés, j'aurais, par exemple, pu souffrir d'un empoisonnement aux fruits de mer et rester paralysé. En dégustant le *foie gras** frais couvert de fines herbes croustillantes, je risquais non seulement d'attraper la salmonellose, mais aussi d'être attaqué par les défenseurs des droits des animaux. Désossé et très légèrement rôti, l'agneau de lait à l'amarante et aux peaux de trois poivrons aurait pu me transmettre quelque nouvelle variante de la fièvre aphteuse parfaitement capable d'enjamber la barrière des espèces. Et pour ce que j'en savais, l'assiette de fromages bleus au lait cru, accompagnée d'une infusion de coing, pouvait fourmiller d'agents pathogènes.

Mais vous savez quoi ? Je n'ai pas été malade. J'ai juste été *rassasié*, délicieusement repu. Pedro Subijana et son équipe de professionnels avaient manifestement fait leur travail, protégeant ma santé tout en me procurant ce petit frisson qu'on éprouve quand on flirte avec les extrêmes de la saveur et de la texture. Levant mon verre de *moscatel* de Navarre, je trinquai au peuple espagnol, conscient depuis toujours que les plaisirs les plus exquis viennent avec une bonne cuillerée de risque.

De l'autre côté de la baie, la statue de Jésus au sommet de la colline répondit à mon toast avec une main levée, offrant aux gourmands je-m'en-foutistes de San Sebastián sa bénédiction silencieuse.

De retour dans la capitale, je décidai qu'il était temps de demander l'aide d'un Madrilène de souche pour reprendre ma chasse aux *criadillas*. Un mathématicien espagnol rencontré à Montréal m'avait donné le numéro de Chipi, et je lui téléphonai.

C'était un samedi soir humide et froid. Nous allâmes prendre une bière Mahou au bar Cervantes. « Aucun problème ! répondit Chipi une fois que je lui eus expliqué ma mission. J'adore manger ! » Il devait même son surnom à un fruit de mer populaire : « Chipi » était l'abréviation de *chipirón*, « petit encornet » en espagnol.

« Parce que j'étais petit et laid dans mon enfance », m'expliqua-t-il.

Ce surnom ne lui convenait plus du tout. À présent au début de la trentaine, il travaillait comme avocat pour une pétrolière du Moyen-Orient. Avec sa chemise empesée, boutonnée jusqu'au cou, Chipi me faisait penser au reporter Tintin, consciencieux, honnête et d'apparence soignée, tandis qu'il arpentait les trottoirs en quête d'excès carnivores.

Si nous devions trouver des *criadillas* quelque part, me dit-il, ce serait dans le quartier ouvrier de Lavapiés où, entre les façades ocre, ornées de balcons, des immeubles sans ascenseur, les rues en briques descendaient en pente douce depuis la Plaza Tirso de Molina. Même si plusieurs vieux bouis-bouis servaient les clients du Rastro, le marché aux puces de la fin de semaine, le quartier était depuis récemment surtout peuplé d'immigrants arabes, et l'on voyait des chats de gouttière filer entre les restaurants *döner kebap*.

« Il faut chercher les endroits où le menu est peint en blanc sur les murs », me dit Chipi. Ouvrant la porte du *bar-restaurante* El Jamón, il regarda à l'intérieur. « Celui-ci m'a l'air plutôt bien », dit-il. Il devait l'être, puisque les mots « CRIADILLAS, 4 € 50 » étaient calligraphiés sur le mur au-dessus du comptoir.

Nous prîmes place à une table au fond, où un téléviseur clignotant diffusait une émission de téléréalité espagnole. Chipi jeta un regard approbateur sur la couche de sciure et de mégots de cigarettes qui couvrait le plancher : à ses yeux, c'était encore de bon augure. (« Au Danemark et en Suède, ils ne laissent même pas une serviette de papier toucher le sol, me fit-il remarquer. Nous devrions emballer notre compost et l'exporter chez eux. Ils pourraient s'en servir pour nourrir leurs cochons. ») La serveuse étala une grande feuille de papier sur la nappe, y flanqua une corbeille de pain, une bouteille de limonade pétillante et une autre de vin rouge appelé El Barrio de Lavapiés, dont l'étiquette ne représentait pas un vignoble campagnard, mais une lessive qui séchait sur un balcon.

Chipi posa la main sur la bouteille et fit la grimace. « Froid, dit-il. Habituellement, ça veut dire qu'il n'est pas très bon. »

La serveuse revint prendre notre commande.

Je hurlai presque : « ¡ *Tomaré criadillas* ! »

– Désolée, répondit-elle. Nous les avons toutes vendues cet après-midi. »

Je dus avoir l'air déconfit. « Regarde, me dit Chipi, ils ont des *entresijos* et des *gallinejas*. C'est assez extrême. »

Je fis la moue. Ce n'était pas la même chose, mais j'acceptai malgré tout. La serveuse nous apporta une assiette d'organes huileux, tout frais sortis de la friteuse. Les *gallinejas*, qui sont des intestins d'agneau, étaient graisseuses et croustillantes, présentées en paquets; leur forme tubulaire les faisait ressembler aux doigts noueux et tordus de quelque extraterrestre malveillant. Les *entresijos*… eh bien, nous savions que ça venait de l'intérieur d'un mouton. Chipi était presque sûr que c'était une partie du système respiratoire. Luisants de graisse, ils formaient d'étranges poches et sacs boursouflés.

Je découvris que, comme tous les viscères, ils dégageaient une forte odeur d'étable et qu'ils étaient passablement coriaces. Je parvins à avaler presque tous ceux que j'avais dans mon assiette en les insérant entre des morceaux de pain, et je fis passer le tout avec des rasades du grand cru Lavapiés. Le vin était si jeune qu'il perçait encore ses dents… sur notre langue.

Après le repas, nous errâmes dans les rues, un peu étourdis, chacun dans sa propre bulle de graisse. Chipi sortit soudain de sa torpeur. « On devrait pouvoir trouver des *criadillas* ici… »

Nous nous arrêtâmes devant le bar Mariano, sur la Plaza Tirso de Molina. Dans la vitrine, la tête écorchée d'un agneau, coiffée d'une couronne de persil, nous fixait d'un regard vide, comme une figurine dans un atelier d'anatomiste flamand.

À l'intérieur, l'éclairage au néon était presque aveuglant, la sciure formait une couche épaisse sur le sol, et les cris des fans qui suivaient le match de football du Real Madrid étaient tout simplement assourdissants. Nous trouvâmes une petite table et étudiâmes le menu, à la recherche de *criadillas*. En vain.

« Encore une fois, tu n'as pas de chance, soupira Chipi. Mais ils ont des *zarajos*! Au chapitre des viscères, ce sont mes préférés. »

Le serveur nous en apporta cinq dans une assiette, avec un quartier de citron. Nous mangions de nouveau des intestins d'agneau, mais ceux-ci, enroulés artistiquement autour de deux scions de vigne posés en croix l'un sur l'autre, formaient une masse circulaire de ficelle caoutchouteuse. Cela évoquait un jouet de la Grande Dépression, une balle rebondissante de fabrication domestique, improvisée par Spanky and Our Gang.

Chipi loucha en effilochant un *zarajo* avec une incisive; quand il parvint à en arracher un morceau, celui-ci lui rebondit sur la poitrine comme un élastique, nous éclaboussant de graisse.

Je réussis à en terminer un avant de repousser mon assiette. Je commençais à m'interroger sur l'intérêt qu'il pouvait y avoir à manger de la tête fromagée, des tripes et de la cervelle. Peu importait comment on les apprêtait, c'était toujours des langues avalant des langues, des entrailles digérant des entrailles, des intestins glissant dans des intestins. Plus j'y pensais, et moins cela me faisait envie. Mais à quoi m'étais-je attendu? Le mot, abats, parlait pour lui.

Hébétés, nous sortîmes pour aller consulter d'autres menus dans les rues. À un pâté de maisons de la Plaza Mayor, Chipi parut soudain frappé par une révélation. «Bien sûr!» Il m'entraîna, presque au pas de course, vers l'étroite façade rouge et verte d'un restaurant.

«C'est ici que j'ai mangé des *criadillas*! dit-il. La Casa Rodriguez!»

Les rideaux métalliques étaient déjà tirés devant la porte pour la nuit.

Chipi dut alors se dépêcher pour attraper le dernier train vers sa banlieue, mais tandis qu'il s'éloignait en courant, le Tintin des Tapas me cria par-dessus son épaule: «Vas-y demain midi! Tu trouveras tes couilles, j'en suis sûr!»

Alors, de quoi exactement les infâmes et despotiques bureaucrates de l'Union européenne étaient-ils responsables s'ils n'interdisaient ni les *criadillas*, ni les *angulas*, ni le sang coagulé? Je communiquai avec Beate Gminder, porte-parole de la Santé et de la Protection du consommateur auprès de la Commission européenne à Bruxelles. D'une voix lasse, elle dissipa quelques mythes entourant le rôle du conseil d'administration.

«Nous sommes un organisme législatif, me dit-elle. Nous ne sommes pas responsables de la mise en application. Nous ne sommes pas la FDA. Nous n'avons aucun pouvoir de contrôle. C'est à ceux qui contrôlent l'alimentation dans nos pays membres qu'incombe la responsabilité d'inspecter les bars, les

restaurants et les marchés. La Commission délègue à l'occasion des inspecteurs de l'Office alimentaire et vétérinaire
(OAV) dans les pays membres. Mais ils ne sont pas là pour
mesurer la taille des huîtres ou humer les fromages. Ils restent
une semaine et inspectent les inspecteurs locaux, pour voir
comment collaborent les différents paliers de gouvernement.
L'OAV n'a que 120 inspecteurs ; ils pourraient difficilement
surveiller tous les abattoirs de l'UE.

– Dans ce cas, pourquoi l'Autorité européenne de sécurité
des aliments a-t-elle été fondée, si ce n'est pour assurer un
approvisionnement alimentaire sûr ?

– L'Europe avait besoin d'une autorité indépendante et
neutre composée de scientifiques et d'autres experts pour conseiller les gens sur le plan pratique. Pour leur dire qu'il fallait
éviter tel aliment, mais que le risque avec tel autre était anodin. Les politiciens ne peuvent jamais faire ça, mais un organisme indépendant formé de spécialistes le peut. »

Malgré son nom imposant, l'Autorité ne fait qu'offrir une
estimation des risques aux États membres qui, à leur tour, se
chargent de l'aspect pratique, la gestion au jour le jour. Dans le
cas d'une urgence sanitaire – disons, par exemple, une épidémie d'empoisonnement aux fruits de mer –, la commission
pourrait passer par-dessus les États membres pour sauvegarder
la santé des citoyens européens. D'après Gminder, cela ne s'est
produit qu'une fois, lorsque l'UE a ordonné à la Belgique de
retirer des étagères les volailles contaminées aux dioxines. (Le
scandale qui en a résulté, le « Chickengate », a fait tomber le
gouvernement.)

Je lui mentionnai certaines des inquiétudes exprimées par
Pedro Subijana : les pizzas cuites au four à bois pourraient être
interdites en Italie par crainte du cancer ; le *pâté de foie gras**
pourrait disparaître des menus des restaurants ; la pasteurisation pourrait détruire à tout jamais les merveilleux fromages
européens au lait cru.

« Il n'existe pas de loi contre le *foie gras**, dit-elle. C'est une
question de bien-être des animaux, et il revient à chacun des
États membres, comme la France, de décider s'il veut ou non

restreindre certaines méthodes de production pour des raisons éthiques. En ce qui concerne les fours à bois pour pizzas, c'est encore un euro-mythe. Tout ce que vous m'avez nommé est toujours produit et mangé en Europe. Les conditions dans lesquelles on fabrique le fromage au lait cru ont changé, mais il y a une excellente raison à ça : notre objectif est de voir moins de gens tomber malades à cause de la listeria et de la salmonelle. Si nous avons moins de variété dans la nourriture qui s'offre à nous, c'est en partie parce que les femmes travaillent davantage à l'extérieur, qu'il y a plus de supermarchés et que les gens achètent plus de mets préemballés. Mais la production locale, destinée à la consommation locale, n'est jamais touchée par la réglementation européenne. Les produits vendus à la ferme sont toujours exemptés. Et si un chasseur abat un orignal en Suède, cela ne nous regarde pas. Les aliments traditionnels ne constituent presque jamais un problème. Mais nous contrôlons les nouveaux aliments qui n'ont jamais été sur le marché européen auparavant. »

En effet, les fabricants d'époisses fermier que j'avais rencontrés en Bourgogne avaient mentionné qu'ils étaient automatiquement autorisés à vendre leur fromage dans un rayon de 50 kilomètres de leur ferme ; ils avaient délibérément choisi de rénover leur fabrique selon les normes européennes afin de pouvoir le vendre au-delà de cette limite, à Paris. Tout en épargnant les pratiques traditionnelles, l'UE tendait à se montrer dure envers les producteurs en dehors de ses frontières. Les règlements stipulaient que tout aliment « nouveau » qui ne faisait pas partie de l'alimentation européenne avant 1997 devait faire l'objet de tests de sûreté et de nutrition rigoureux, ce qui avait empêché l'importation de « nouveautés » telles que les baies de Saskatoon, qui sont pourtant consommées en toute sécurité dans les Prairies canadiennes depuis des générations. Le principal objectif – selon le principe de précaution – était cependant d'examiner de près les produits issus des nouvelles biotechnologies avant leur mise en marché.

« Tous les exemples donnés par les chefs ne découlent pas des règlements européens, mais de leur interprétation par les

États membres, reprit Gminder. Pour les politiciens, il est facile de blâmer Bruxelles pour les mesures impopulaires dont ils sont en réalité responsables. Nous sommes un bouc émissaire institutionnel. »

Je la croyais. Les histoires de peur publiées dans le *Wall Street Journal* et dans le *Sun* britannique m'avaient mis sur la piste des bureaucrates de Bruxelles, mais je n'avais pas réussi à trouver une preuve sur le terrain montrant que l'EFSA, ou n'importe quel autre organisme de l'UE, empêchait les consommateurs européens d'obtenir ce qu'ils voulaient ou qu'elle avait suscité un profond ressentiment chez les producteurs. Dans un discours, l'ancien patron de Gminder, David Byrne, avait rassuré ainsi les producteurs : « La Commission européenne n'a pas l'intention de créer des normes à l'échelle européenne en ce qui concerne la qualité des aliments. C'est un domaine dans lequel l'approche "taille unique" serait totalement inappropriée. L'Europe a une riche diversité de cultures, ce qui donne lieu à une grande et merveilleuse variété de nourriture. L'uniformité de la qualité annulerait cette variété au détriment de tous. » On allait continuer à trouver du sang coagulé dans les marchés madrilènes et l'époisses au lait cru dans l'arrière-pays bourguignon. Quant au fromage aux asticots sarde et aux ortolans français, ils étaient de toute façon interdits depuis longtemps dans leur propre pays. Franchement, que ce fromage pourri et ces oiseaux chanteurs en danger soient introuvables sur les tablettes des chaînes de supermarchés du Danemark jusqu'à Malte, cela ne me posait aucun problème.

En dernière analyse, l'UE ne refuse de voir sur le marché que des trucs qu'aucun consommateur sensé ne voudrait de toute façon. Les Nord-Américains n'ont jamais, eux, eu le choix : les débats entourant les aliments génétiquement modifiés et le bœuf nourri aux hormones n'ont jamais été rendus publics. Les gros joueurs de l'industrie alimentaire nord-américaine, à qui des administrations plus complices que jamais laissent *carte blanche**, sont depuis longtemps trop puissants pour leur propre bien – ou pour le nôtre.

Quand il s'agit de prohiber des aliments, les approches adoptées de part et d'autre de l'Atlantique sont diamétralement opposées. Les législateurs nord-américains interdisent l'importation ou taxent outrancièrement de purs produits traditionnels consommés en toute sécurité par les Européens depuis des générations. Les législateurs européens bannissent au contraire l'importation de tomates auxquelles on a injecté des gènes de poisson, de lait tiré de vaches nourries aux hormones et de bacon venant de cochons nourris avec des cadavres de vaches moulus – en tout cas, pas des choses que les gens réclament à grands cris.

Cela n'a pas toujours été comme ça. Jusqu'aux années 1970, les États-Unis furent vraiment à l'avant-garde pour ce qui est d'établir une législation innovatrice et stricte. La Loi sur les espèces en danger de 1966 représenta une manifestation précoce du principe de précaution, limitant le développement s'il avait le potentiel de causer un tort irréversible à une espèce menacée. Alors que, en Europe, on continuait d'utiliser le DDT et la teinture rouge numéro 2, les États-Unis les bannissaient en tant qu'agents cancérigènes potentiels pour les humains et, en 1977, ils étaient également le premier pays à interdire les chlorofluorocarbones (CFC), quand on apprit qu'ils réduisaient la couche d'ozone. Tout au long des années 1960 et 1970, une série de catastrophes sanitaires publiques – thalidomide, Love Canal, Three Mile Island – gardèrent la nécessité d'une réglementation prioritaire dans l'esprit des gens. Les choses commencèrent à changer à l'époque où Ronald Reagan fut élu au poste de président et, sous les administrations Bush qui suivirent, le système de santé publique se détériora davantage, tandis qu'on réduisait la supervision de l'industrie. Bref, les continents intervertirent leur place : l'Amérique du Nord, et particulièrement les États-Unis, devint le bras mort de la réglementation, sans normes fédérales pour les émissions de carbone, le recyclage des automobiles et de l'équipement électronique, ou les déchets radioactifs. À partir de 1985, lorsque le Conseil européen des ministres vota l'interdiction d'administrer des hormones de croissances au bétail, l'Europe devint de plus en plus

« verte » ; elle venait d'établir une liste noire de 1500 substances chimiques dans l'espoir de créer une société exempte de toxines. Entre-temps, les administrations conservatrices nord-américaines éviscérèrent les systèmes essentiels de santé publique qu'on avait mis des décennies à développer. Le premier cas de maladie de la vache folle fut découvert chez une Holstein, dans l'État de Washington, en décembre 2003, mais l'USDA persiste néanmoins à nier la nécessité de rechercher la maladie chez le bétail, même si cette mesure ne hausserait que de trois à cinq cents le prix d'une livre de bœuf.

Contre toute évidence, les officiels de la sûreté des aliments états-uniens se targuent toujours d'avoir les réserves alimentaires les plus sûres du monde. Les chiffres de l'Organisation mondiale de la santé contredisent manifestement une telle suffisance. Aux États-Unis, il y a chaque année 76 millions de cas de maladies liées à la nourriture, soit 26 cas pour 100 habitants. Au Royaume-Uni, ce sont 3,4 cas pour 100 habitants et, en France, 1,2 cas pour 100 habitants (il faut toutefois admettre que, dans un pays où il est honorable d'avoir *une crise de foie**, tous les cas ne sont peut-être pas signalés). Considérant les risques courus, j'aimerais mieux commander une assiette de fromages à Marseille ou un plat de viscères à Manchester qu'accepter une invitation à un barbecue à Minneapolis.

Ma quête carnivore fut enfin couronnée de succès. C'était l'heure du lunch à la Casa Rodriguez et, posé devant moi dans toute sa gloire carnée, il y avait le plat de *criadillas* que je convoitais depuis si longtemps. On m'avait dit que les couilles de taureau étaient souvent présentées en pâte feuilletée, comme des *empanadas*, mais ici, servies dans un bol en terre cuite, elles baignaient dans une sauce épaisse agrémentée de petits piments rouges et de lamelles d'ail rissolées. Une douzaine de boules d'une rondeur suspecte d'à peu près un pouce de diamètre nageaient dans la sauce. Après m'être lubrifié le palais avec une lampée de vin rouge acide, j'attaquai.

Ce qui prédominait au premier abord, c'était cette saveur d'étable que j'avais fini par associer à tous les abats. Après quelques autres gorgées de vin, mon palais triompha de ses réticences. La viande était tendre, presque mousseuse, pas du tout coriace. La sauce goûtait le bacon, mais, pour finir, c'était l'irrésistible mélange d'ail et de chilis qui s'imposait, transformant ces grumeaux douteux en une autre source de protéines. J'en mangeai cinq. Puis dix. J'épongeai la sauce avec mon pain et avalai le reste de mon vin.

J'étais en train de me nettoyer les dents avec un cure-dent de bois, éprouvant une authentique sensation d'accomplissement – et peut-être même de virilité accrue –, quand le propriétaire fit son apparition. Il avait des bajoues, des poches sous ses yeux bruns, un visage de clown triste. En entendant un groupe de nettoyeurs de rue exubérants en jeans déchirés et tee-shirts sans manches vociférer «¡José! ¡Más vino! ¡José! ¡Más pan!», je conclus qu'il s'appelait José.

José croisa les bras sur son veston vert et me dévisagea d'un air renfrogné.

«Nous ne servons pas beaucoup d'étrangers ici, dit-il. Comment avez-vous trouvé nos criadillas?

– ¡Excellente! Mais je ne m'attendais pas à ce qu'elles soient aussi petites. Celles que j'ai vues au marché Maravillas étaient très grosses!»

Je me servis de mes deux mains pour décrire un ovale de la taille d'un œuf d'autruche.

«C'étaient des criadillas de toro, señor. Elles sont différentes. Celles-ci sont des criadillas de cerdo.»

Autrement dit, des couilles de cochon. Pas étonnant qu'elles aient été si petites. J'eus soudain mal au cœur.

«Nous servons habituellement les autres durant la saison des corridas.» Il pointa le doigt vers un calendrier. «Nous sommes en octobre. Vous pourriez revenir en avril.»

Eh bien, voilà qui expliquait la situation. J'avais raté d'une semaine la fin de la saison. Faisant de mon mieux pour garder mon sang-froid* – hum, sangre fría –, je lui dis que c'était exactement ce que j'allais faire.

En fait, le temps était venu de partir, et j'allais jurer une fois de plus de renoncer à la viande. Non pas parce que j'engraissais ou que je ne me sentais pas en forme ; je n'avais d'ailleurs pas une seule fois souffert d'indigestion en Espagne. C'était seulement parce que, autant je crois en ma liberté abso-lue de choisir impunément mon poison, autant je veux être libre de ne pas être empoisonné contre ma volonté, et sans savoir ce que j'absorbe. Je retournais en Amérique du Nord, où je n'avais plus aucune idée du genre d'agents pathogènes pré-sents dans le steak haché vendu au supermarché, qui doit désormais être étiqueté comme s'il s'agissait d'un déchet toxi-que. En Europe, j'étais heureux de me régaler d'huîtres, de pousse-pieds, d'intestins d'agneau et d'amourettes de taureau. Mais je n'avais aucun désir de m'exposer au produit injecté aux hormones de croissance, nourri de céréales génétiquement modifiées, infesté de salmonelle et d'*E. coli* qu'est devenu le hamburger américain.

Je suis peut-être décadent, mais je ne suis pas stupide.

LE CIGARE

Les lois écrites sont comme des toiles d'araignée ; les faibles et les délicats peuvent se
prendre dans leurs filets, mais les riches et les
puissants les déchirent en morceaux.

PLUTARQUE

Cohiba Esplendido

C'est la loi

Désolé, Sigmund : un cigare n'est plus seulement un cigare. Surtout quand le spécimen en question est un Cohiba Esplendido. Debout devant la boîte à cigares dans l'une des tabagies les plus importantes de Montréal, j'examinais un assortiment de symboles phalliques plutôt pornos. Le propriétaire, dont l'arrière-grand-père avait fondé la boutique en 1907, choisit un Esplendido dans le coffret laqué et me le tendit avec un respect de précepteur. D'une longueur de sept pouces, droit comme un roseau, quadrillé de veines sous une enveloppe membraneuse rappelant une aile de chauve-souris, l'Esplendido était de texture ferme mais spongieuse – presque moite, en fait. C'était comme si quelque puissant chaman avait sculpté une matière végétale, lui avait insufflé la vie, l'avait gonflée jusqu'à la rendre tumescente et l'avait liée à un prépuce en forme d'anneau de papier.

Le propriétaire, un homme pondéré et révérencieux au nez chaussé de lunettes, portant pantalon de velours côtelé et mocassins, m'expliqua le rituel. « Coupez le bout, juste au-dessus du capuchon, me dit-il, mimant la circoncision avec son petit doigt. Tenez un briquet au butane ou une allumette en bois près de l'autre extrémité » – ici, il tourna le cigare en tordant son poignet – « jusqu'à ce que tout le tour soit brûlé, puis allumez-le. N'aspirez pas trop fort. Un cigare de cette taille devrait se consumer en une heure et demie. » Il prit un air rêveur et ajouta, sur un ton de confidence : « Oh ! C'est un très bon cigare, monsieur. »

J'esquissai un sourire narquois. Pour moi, les cigares n'étaient qu'un fameux et trop évident symbole de la puissance masculine, au même titre que les cravates pendantes, les cannes noueuses, les marlins et les panaches d'orignal montés sur des plaques vernies. Au cours d'un voyage à Cuba en 1997, j'avais pourtant fait ce qu'il fallait pour m'initier à la mystique du cigare. J'avais visité la fabrique Pártagas de La Havane, une entreprise digne des romans de Dickens où un *lector* – un lecteur professionnel – distrayait les rouleurs en déclamant une traduction du *Comte de Monte Cristo* dans un haut-parleur qui grésillait. J'étais dans un groupe avec deux touristes de Philadelphie en polo qui filmaient l'entière expérience avec leur caméra vidéo. (« On a pris l'avion de Toronto », me confia l'un des deux avec un clin d'œil.) Comme ils faisaient les pitres à côté d'une mince femme noire à son poste de travail – espérant peut-être la surprendre en train de rouler un cigare entre ses cuisses, un acte apocryphe –, ils n'entendirent pas le guide nous dire qu'en moyenne un travailleur ne gagnait que 180 pesos par mois, pas suffisamment pour acheter un seul de ces cigares que les touristes tétaient depuis le début de la visite. En sortant, j'achetai un Romeo y Julieta à la boutique de souvenirs et je le fumai sur le toit de mon hôtel. C'est vrai qu'il y avait quelque chose d'agréablement décadent à aspirer des bouffées dans le crépuscule caraïbe – Cuba est la plus grande boîte à cigares du monde – pendant que l'orchestre de salsa répétait dans le club à côté, que les chauves-souris descendaient en piqué et que les lampadaires clignotaient – c'était la troisième panne d'électricité de la soirée. Mais j'eus aussitôt mal au cœur et je me réveillai le lendemain matin avec un cendrier dans la bouche, comme si un million de cellules avaient succombé à un empoisonnement à la nicotine et se fondaient en couches transparentes de muqueuses sur ma langue. Je rapportai une boîte de Lanceros et j'essayai d'en apprécier un de temps en temps après un bon repas. L'expérience – ineffable, interminable – ressemblait toujours plus à un châtiment qu'à une récompense.

À l'époque, c'était difficile de ne pas associer les cigares à Arnold Schwarzenegger, Sylvester Stallone, Michael Douglas et autres parangons de l'autocongratulation dont la photo apparaissait sur la couverture du magazine *Cigar Aficionado* – un pavé de 500 pages. À mon avis, Horace Greeley, un homme politique états-unien du XIXe siècle, avait employé un euphémisme lorsqu'il avait défini le cigare comme «un feu à une extrémité et un fou à l'autre». Depuis que Bill Clinton avait inséré un Monte Cristo N° 2 dans les parties intimes de Monica Lewinsky, l'avait retiré et avait suavement remarqué qu'il avait bon goût, même un parfait imbécile devait reconnaître le lien entre phallus et cigare. On avait peut-être depuis longtemps oublié un détail aussi futile, mais des gens comme Karl Marx, Che Guevara et Bertold Brecht, héros de la classe ouvrière, avaient également été des amateurs de cigares. Désormais, pour décrire plus précisément le fumeur de cigares, il faudrait dire : un con accroché à une queue.

Depuis la belle époque, vers la fin des années 1990, où les Américains fumaient 350 millions de cigares par année – dont 10 millions venaient clandestinement de Cuba –, les choses ont toutefois bien changé. L'emballement point.com s'est effondré, la Californie a interdit le tabac dans les bars et les restaurants en 1998, suivie par New York en 2003. Moutons de Panurge, les fumeurs de cigares ? Que non ! Les voilà transformés en hors-la-loi, en parias, une minorité de plus en plus faible qu'on apercevait à 20 pieds de la porte des édifices publics, où ils étaient la cible des regards méprisants que leur jetaient les passants vertueux avec un tapis de yoga sous le bras.

J'ai donc contemplé avec plus de respect l'Esplendido que j'avais à la main. Pas seulement à cause du prix – 65 $. Après tout, c'était un Cohiba, le premier *habano* né après la révolution cubaine. En 1967, Fidel Castro, que la CIA avait, paraît-il, tenté d'assassiner avec un cigare explosif, restait sur ses gardes. C'est ainsi que, un jour, il demanda à un de ses gardes du corps de lui donner un cigare. Impressionné par la qualité du tabac, il fit du Cohiba sa marque personnelle, et d'Avelino Lara, le Michel-Ange des rouleurs, son fournisseur officiel. Faits à partir de feuilles ayant subi une triple fermentation et récoltées exclusivement dans le riche terreau de la région de Vuelta Abajo, les Cohiba étaient, jusqu'en 1982, offerts aux dignitaires en visite ; la marque fut ensuite commercialisée et tout le monde put en acheter. Avec la chute de l'Union soviétique, Cuba vit disparaître un acheteur automatique pour sa récolte de sucre, et les cigares devinrent sa première source de devises étrangères. Produit communiste naguère diabolisé par un embargo capitaliste, offense à toute notion de vie saine dans une société de plus en plus procédurière et obsédée par la santé, symbole élitiste dont l'acquisition indiquait le statut de l'acheteur – une personne d'influence qui se plaçait au-dessus, ou plutôt en dehors, de la loi –, le Cohiba est récemment devenu l'incarnation de l'immoralité. Objet fétiche pour les richards phallocrates qui émettent des nuages de gaz cancérigène, l'Esplendido a le pouvoir d'offenser plus d'États-Uniens que tout autre produit existant. Le cadeau idéal, me dis-je, à offrir aux citoyens délicats de la Californie, l'État fer de lance de l'interdiction de fumer dans les lieux publics, et réputé pour imposer avec véhémence sa vision de la santé.

Le propriétaire fut à peine déconcerté quand je lui parlai de mes projets de voyage. Après tout, les États-Uniens comptaient parmi ses plus gros clients et il avait l'habitude de conseiller les gens sur la façon de faire entrer ses produits clandestinement.

« Comme vous ne voulez pas voir les chiens renifleurs repérer l'odeur, vous les mettez dans un sac Ziploc. Nous vous en fournirons un. Ne vous donnez pas la peine de les déclarer. Si vous prévoyez en apporter une boîte complète, je vous suggérerais d'enlever les bandes de papier. Mais on ne va pas vous arrêter pour deux ou trois cigares. »

Je réglai mon achat – ajoutant quelques havanes de plus petit calibre pour faire bonne mesure –, et il esquissa un très léger sourire.

« Vous allez faire bien des jaloux avec ces cigares, monsieur, dit-il. Le fruit défendu, vous savez. »

Si je voulais dénicher des fumeurs à San Francisco, j'allais devoir me transformer moi-même en fumeur.

C'était un problème. J'avais été un fumeur enthousiaste et zélé pendant 10 ans, de l'adolescence jusqu'au milieu de la vingtaine. J'avais vécu à Paris quatre ans ; à cette époque, je commençais ma journée par un express au comptoir d'un bistrot et la première de nombreuses Chesterfield à 40 centimes le paquet. Je me rappelle encore les mégots que j'écrasais dans le cendrier fixé à l'accoudoir de mon siège d'avion ; en ce temps-là, quand le signal « Interdit de fumer » s'allumait, c'était plus qu'un simple ornement. Étudiant, j'avais attrapé une infection de la gorge par les streptocoques ; j'engourdissais alors ma trachée avec un produit anesthésique en aérosol afin de pouvoir aspirer et absorber ma nicotine. Puis, quelque chose avait basculé, et tout cela s'était mis à avoir l'air minable. Je ne voulais plus passer le reste de mes matins à expectorer mes poumons et à regarder le caillot brunâtre glisser vers le drain de la baignoire quand je prenais ma douche. J'avais donc arrêté de fumer à 26 ans. À part le flirt raté avec les cigares à Cuba, cela faisait des années que je n'avais rien pris d'autre qu'une petite bouffée de cigarette à l'occasion.

Je savais qu'il me faudrait travailler fort pour parvenir à fumer mon Esplendido sans tourner au gris, m'étouffer et cracher mon porto. Un soir, je m'assis avec un ami et j'allumai ma première vraie cigarette depuis 10 ans. Alex, lui-même ex-dépendant, s'était persuadé qu'il avait suffisamment de volonté pour apprécier une cigarette civilisée après le dîner. (Et peut-être, comme feu le pape Jean-Paul II, qui, au début de son règne, ne fumait que trois cigarettes par jour – une après chaque repas –, Alex avait-il acquis la maturité nécessaire pour maîtriser ses désirs. Ça restait à voir.) La cigarette préférée d'Alex était la new-yorkaise Nat Sherman, dont il gardait des paquets bruns luisants dans son congélateur-humidificateur. Il privilégiait la Nat Sherman MCD – faite de « tabac naturel, sans additifs causant la dépendance », dans un emballage rétro de style années 1930, chaque cigarette enveloppée dans un

papier filtre brun subtilement sucré, comme des cigarettes bonbons Popeye pour clientèle nantie.

Fumer, c'est comme rouler à bicyclette – on n'oublie pas les
gestes. Craquer l'allumette avec un mouvement de la main
dirigé vers soi, porter la flamme vers le bout de la cigarette,
aspirer lentement mais résolument à travers le tube bien tassé.
Alex et moi nous inclinâmes dans notre fauteuil en observant
le silence respectueux du rituel. Puis, ce cliché entre tous : tandis que je manquais de m'étouffer, l'évidence me frappa : fumer
est quelque chose de bizarre à se faire à soi-même. Comme les
scientifiques l'ont constaté, les êtres humains sont les seuls
mammifères qui remplissent de leur plein gré leurs poumons de
matière végétale en combustion. (Les seules exceptions connues
sont les singes de laboratoire qui surmontent leur aversion pour
la fumée quand elle est présentée sous forme de crack.) Après
une décennie d'abstinence, j'eus l'impression de me retrouver
à 13 ans dans la ruelle derrière la maison de mes parents, en
train de fumer ma première mentholée volée et de lutter pour
garder mes pieds à terre. Je m'aperçus que je venais de vivre
une poussée d'adrénaline au cerveau ; je parvins quand même à
garder mon sang-froid.

« Elles sont douces », dis-je à Alex, jouant au connaisseur.

Ça me revenait. Premièrement, cette rapide montée dans les
montagnes russes de la détresse corporelle. La nicotine est extrêmement toxique. Un seul cigare normal en contient assez pour
tuer deux souris, et on a besoin de bien moins de milligrammes de
nicotine que d'héroïne ou de cocaïne pour assassiner un être
humain. Écrasant mon mégot bien avant d'être parvenu au filtre,
je me rappelai la sensation de détente qui suit la stimulation.
Comme l'alcool, la nicotine est une drogue biphasique. Les premiers verres, les premières bouffées stimulent pendant que notre
corps lutte contre le poison qu'on lui administre ; mais quelques
onces ou grosses bouffées supplémentaires peuvent vraiment
déprimer le système nerveux central. Dans le calme qui suivit,
j'eus l'impression d'avoir remporté une petite victoire ; j'avais fait
un tour de manège sans agripper maladivement la barre de sécurité et j'atterrissais sur l'asphalte, euphorique, mais également un

tantinet réconforté. Un truc enfantin. La deuxième sensation familière, c'était le remords : regret d'avoir fait un pas en arrière, d'avoir, avec un jet de particules toxiques, délibérément submergé les cils de mes bronches, ces filaments qui expulsent les saletés. En soi, la nicotine n'est pas cancérigène ; c'est tout le reste, les milliers d'irritants contenus dans le goudron, qui rendent les cellules cancéreuses. Le principal danger de la nicotine, c'est qu'elle cause insidieusement la dépendance ; en tant que drogue, elle est bien plus addictive que l'alcool ou l'héroïne.

Pendant qu'Alex et moi sirotions du vin et parlions de relations, je gardais l'œil sur le paquet de MCD ouvert sur la table à café. J'étais séduit par leur élégance, par le minuscule logo argenté à peine visible sur le papier brun et, ce qui n'était pas fortuit, par la promesse d'une autre dose de nicotine.

Alex vit où je regardais quand il se pencha pour remplir mon verre. « Tu en veux une autre ?

– Je ne devrais pas », répondis-je, aussi capable de me dominer qu'un pontife.

Le pape, que Dieu le bénisse, avait eu la bonne idée.

Un geste de la main au guichet numéro 11, et je fus autorisé à franchir la ligne jaune.

« Carte d'embarquement, passeport. »

Encore une fois, je me trouvais en face d'un douanier, et encore une fois, j'avais des produits de contrebande. Cet agent était un jeune homme au teint hâlé, à la mâchoire carrée, qui avait l'air de s'ennuyer profondément. L'ennui et le pouvoir absolu forment une combinaison redoutable ; un mot de trop pouvait conduire à tout – de la fouille des bagages au toucher rectal. Même si j'étais dans un aéroport canadien, dans l'île de Montréal, j'étais techniquement entré sur le territoire des États-Unis et, en vertu de la Loi sur le commerce avec l'ennemi, transporter des produits cubains me rendait passible d'une amende de 250 000 $ dollars et d'une peine d'emprisonnement pouvant aller jusqu'à 10 ans – potentiellement dans une prison pour non-fumeurs. (De façon plus réaliste, on se contenterait sans doute de couper immédiatement mes cigares en deux et de

m'interdire l'entrée aux États-Unis pour les cinq prochaines
années.) À l'autre extrémité de la salle, une réplique de la statue
de la Liberté mesurant 12 pieds de haut, vert kryptonite et coiffée d'une couronne dorée, me contemplait d'un air accusateur.

« Où allez-vous aujourd'hui ? » me demanda l'agent.

Je répondis que je me rendais à New York et à San Francisco.

« La durée du séjour ?

— Douze jours.

— Qu'est-ce que vous faites dans la vie ? »

Je dis que j'étais écrivain.

Il réfléchit un instant. « Et prévoyez-vous faire du journalisme pendant que vous serez aux États-Unis ? »

(Il y avait quatre calepins et une enregistreuse dans le sac
que je portais à l'épaule.)

« Non », dis-je en le regardant dans les yeux. Ils étaient gris
bleu comme l'acier d'un revolver.

Il ouvrit mon passeport à la page de la photo, le fit passer
dans un lecteur. Aucune sonnerie d'alarme.

« Apportez-vous des produits du tabac aujourd'hui ?

— Trois cigares, avouai-je.

— Cubains ? »

Christ… Ce type posait les bonnes questions.

« Non, répondis-je. Dominicains. »

De toute évidence, il s'ennuyait trop – ou peut-être étais-je
moi-même trop caucasien, peut-être mes yeux étaient-ils trop
bleus – ; toujours est-il qu'il ne se donna pas la peine d'exiger
une fouille de mes bagages. Feuilletant rapidement mon passeport, il appliqua son tampon sur une page libre. Tandis que ma
valise – contenant les Cohiba dans leur Ziploc – s'éloignait sur
le tapis roulant, je jetai un coup d'œil à mon passeport.

« *U. S. Immigration*, était-il imprimé en rouge, l'encre ayant
coulé dans la marge. *Admitted*. »

Oui, mais moi, je n'admettais rien. Surtout pas d'en être
déjà à ma troisième cigarette en moins d'une demi-heure. Après
tout, le fumoir de la boutique Nat Sherman, juste en face de la

42ᵉ Rue à partir des lions aux flancs de marbre de la bibliothèque publique de New York, a été conçu pour ce genre d'exhalai-
son nonchalante. C'était en outre l'un des derniers endroits de
l'ex-métropole mondiale où l'on pouvait encore légalement
fumer à l'intérieur. J'étais allé m'enregistrer à l'hôtel, j'avais pris
le métro jusqu'à Grand Central Station, puis, après avoir franchi
les portes tournantes sous la statue d'un Indien vigilant avec
une boîte de cigares dans sa main gauche tendue (sans doute en
train d'attendre Christophe Colomb et ses marins syphiliti-
ques), j'étais entré dans l'ère révolue où fumer était socialement
acceptable. Une préposée d'origine asiatique, un mince *cigara-
tello* aux lèvres, avait sorti des échantillons de cigarettes de
tiroirs en bois : il y avait des Phantom couleur de liège, des Fan-
tasia multicolores, des Havana Oval légèrement aplaties. J'avais
choisi 10 paquets de MCD, puis, dépassant les vapeurs d'un
humidificateur grand comme une pièce, j'avais grimpé un escalier en colimaçon. Le fumoir était une salle de récréation pour
ploutocrates : les cotes de la bourse défilaient sur un écran géant
au plasma et des exemplaires du *Wall Street Journal* pendaient
sur des supports en bois. Assis sur une chaise à haut dossier en
cuir, j'avais pris une gorgée de café gratuit et allumé une MCD.

Juste un an plus tôt, le maire Michael Bloomberg avait
interdit de fumer dans les bars et les restaurants des cinq arrondissements de la ville. Les *bêtes noires** du maire précédent,
Rudolph Giuliani, avaient été les seins nus de la 42ᵉ Rue et les
sans-abri de toutes les autres rues, mais il avait toujours apprécié un bon cigare – selon la rumeur, il en gardait une réserve
dans le casier n° 66 de l'humidificateur de Nat Sherman. Le
maire actuel, un milliardaire qui avait dépensé 72 millions de
dollars pour sa propre campagne électorale, faisait partie de ces
ex-fumeurs qui ne supportent plus l'odeur du tabac. Pour combler un déficit de 6,5 milliards de dollars, il doubla les amendes
de stationnement et imposa une taxe de 1,50 $ – s'ajoutant à la
taxe d'État du même montant – sur chaque paquet de cigarettes
vendu dans la ville.

« S'il n'en tenait qu'à moi, aurait dit Bloomberg, j'augmen-
terais tellement la taxe sur les cigarettes que leur vente ne

produirait plus aucun profit. » Un paquet d'une marque ordinaire coûtait désormais en moyenne 7,50 $. En un peu moins d'un an, fumer un paquet par jour coûterait à un New-Yorkais le prix d'un billet d'avion pour faire le tour du monde.

Un Anglais d'âge moyen, décharné, les sourcils froncés, affligé de tics et fumant un mince cigare Nat Sherman, s'était assis, le dos bien droit, sur la chaise métallique à côté du faux foyer. Il conversait avec un type corpulent de Queens, caricature vivante du parvenu endimanché : complet à double boutonnage, auriculaire orné d'une bague en or tarabiscotée aux initiales illisibles, un gros Hondurien à la main.

« Les gens devraient avoir le droit de faire ce qu'ils veulent ! fulminait l'Anglais. J'arrive de Londres. Je ne pouvais pas fumer dans l'avion. Je ne pouvais pas fumer dans l'aéroport. Je ne pouvais même pas fumer dans le taxi. Et là, je sors du club Harvard, où je vais depuis 20 ans. Avant, il y avait un énorme bar à l'entrée, où on pouvait fumer le cigare. Il n'est plus là. Et, cette fois, on m'a informé que je ne serais pas autorisé à fumer du tout sur les lieux. Apparemment, le magasin Nat Sherman est l'un des seuls endroits de la ville où il est permis de fumer à l'intérieur.

— Ouais, qu'est-ce qu'on va faire ? se lamenta le type de Queens en soufflant des volutes de fumée en direction des indices boursiers sur l'écran au plasma. Si vous voulez mon avis, c'est tout simplement stupide. Dans mon quartier, ils mettent les chaises à la porte des bars et la moitié des clients se retrouvent en train de fumer dehors. Ils ont leur verre à la main, ils laissent leurs mégots sur le trottoir. Et les voisins se plaignent. On ne fait qu'échanger un problème contre un autre.

— C'est plus que ça, renchérit l'Anglais en rajustant sa cravate rayée. C'est une question de *civilité*. À Londres, il ne nous viendrait jamais à l'esprit de demander à un adulte d'éteindre sa cigarette dans un débit de boissons conçu pour d'autres adultes. »

L'urbanité du Vieux Monde laissait Queens de marbre. « D'après ce qu'on m'a dit, on ne peut même plus fumer dans les pubs en Irlande. Ouais, répéta-t-il, qu'est-ce qu'on va faire ? »

J'allumai une autre cigarette et demandai à Queens s'il croyait que l'interdiction de fumer rendrait le maire impopulaire.

« L'interdiction de fumer, c'est surtout pour ramasser des taxes. Le gouvernement mange à tous les râteliers. Il rafle 46 % du prix de chaque cigare que je fume, tout en se donnant un air de bonté parce qu'il prend supposément soin de la santé publique. Bloomberg sera défait parce que la situation économique ne s'est pas redressée comme elle l'aurait dû. Le chômage est en hausse. Les taxes aussi. Et personne ne l'aime… En tout cas, bienvenue à New York, les gars ! »

Il se leva, balaya avec désinvolture la cendre de sa manche et les étrangers de sa conscience. « C'est plus comme c'était. »

*
* *

J'essayai d'expliquer la situation à Guillaume et Alexandra, les amis français avec qui je partageais une chambre d'hôtel. C'était un couple de Parisiens dans la vingtaine qui venaient aux États-Unis pour la première fois. Selon les normes américaines, ils étaient des fumeurs compulsifs : ils fumaient avant le café, ils fumaient entre les différents services aux repas et ils fumaient au lit. Guillaume avait adopté les Du Maurier canadiennes, tandis qu'Alexandra avait troqué ses gauloises contre mes Nat Sherman, pillant allègrement ma réserve.

J'étais convaincu que nous trouverions des endroits où nous pourrions fumer à l'intérieur. D'après les premiers rapports, l'interdiction suscitait à la fois résistance et ingéniosité : un restaurant de l'Upper East Side laissait une limousine de 20 places garée en permanence devant sa porte pour que ses clients puissent fumer confortablement. Un chef italien avait ajouté à sa carte des mets tels que des gnocchis au tabac English Empire et un filet mignon mariné dans le Golden Virginia. Un boui-boui latino avait commencé à vendre des Nicotini à 12 $, un cocktail fait de tabac infusé dans de la vodka, qu'il définissait comme l'équivalent du patch. Et dans un bar d'East Village appelé Guernica, un videur avait été mortellement poignardé au cours d'une querelle avec deux clients qui refusaient d'éteindre leur clope.

Notre mission n'intimidait absolument pas Alexandra. En chemin vers East Village, elle s'approcha vivement de deux hippies et demanda d'une voix essoufflée : « Vous savez où je peux trouver un bar fumeur ? » Au cas où son accent leur causerait des difficultés, elle brandit la MCD qu'elle avait commencé à fumer.

Ils échangèrent des regards perplexes.

« Je pense qu'il y a un endroit au Village, répondit la femme. Mais il était toujours très tard quand j'ai vu des gens fumer là. Moi, désormais, je fume à la maison. »

L'histoire se répéta tout au long de la 3ᵉ Avenue. Les gens se souvenaient d'avoir vu des fumeurs quelque part, mais ils ne savaient plus le nom du bar. Finalement, à St. Mark's Place, nous réussîmes à griller quelques cigarettes à la terrasse d'un pub irlandais où la plupart des clients ressemblaient à des flics ou des pompiers après leur quart de travail. Un restaurant japonais axé sur le thème yakuza avait bien un fumoir à l'arrière, mais il fallait abandonner notre saké et nous isoler dans une cour bétonnée remplie de bancs instables et de ventilateurs. Au Knitting Factory, après un processus laborieux – vérification de notre âge et application d'une étampe sur notre main –, nous fûmes autorisés à ressortir et à nous placer derrière une corde qui laissait aux fumeurs un pied de trottoir avant la rigole. Et les fumeurs bannis répétaient partout le même mantra : « Ah ! Qu'est-ce qu'on va faire ? » Mantra qui semblait avoir remplacé *Excelsior* comme devise de l'État.

Les non-fumeurs avaient un nouveau slogan, eux aussi. Quand Alexandra aborda un homme assis avec un ami à la terrasse d'un bistrot français de West Village et lui demanda ingénument l'adresse d'un *smoke-easy*, elle reçut la réponse que nous avions déjà entendue une douzaine de fois auparavant.

« Vous ne pouvez plus fumer à New York, lui dit-il avec arrogance. C'est la loi ! »

C'est la loi ? L'argument ne tenait pas vraiment la route. Heureusement, l'ami du type, un gros rouquin, se montra un peu plus sympa. « Vous pourriez tenter votre chance au White Horse Tavern. C'est le bar où Dylan Thomas s'est soûlé à mort. Ils ont une terrasse extérieure. »

Un vent d'optimisme souffla sur nous. Un lieu où l'on avait servi à un Gallois 19 whiskys d'affilée permettrait sûrement à un trio d'étrangers de griller une sèche à sa porte. Nous nous dirigeâmes vers la rue Hudson, repérâmes l'enseigne au néon style Vieille Angleterre et prîmes place à une table séparée du trottoir par une clôture en fer forgé qui montait à la hauteur de la taille. Guillaume découvrit qu'avec une fesse sur la clôture et le pied gauche sur le trottoir il pouvait attraper sa bouteille de Sam Adams, fumer sa Du Maurier et continuer à bavarder avec nous.

Mais pas pour longtemps. Un videur costaud, portant des lunettes de soleil et un blouson de cuir, avait vu Guillaume tendre la main vers sa bouteille.

« Excusez-moi, monsieur, rugit-il. Si vous voulez fumer, vous devez être *en dehors* de notre propriété. Et la clôture sur laquelle vous êtes assis *est* notre propriété. Je vous suggère donc d'éteindre votre cigarette ou de régler votre addition et de vous en aller immédiatement. » Il croisa les bras et laissa les verres réfléchissants de ses lunettes faire leur travail. Guillaume écrasa son mégot. Plus tard, quand la foule à la porte fut moins dense, le videur sembla regretter sa sévérité. Il revint vers nous, se pencha au-dessus de la balustrade et nous parla en mâchouillant un cure-dent.

« Écoutez, on vient juste d'ouvrir notre terrasse pour le printemps. Vous devez comprendre qu'à partir de maintenant, et ce, jusqu'à l'Halloween, je vais traiter avec des gens comme vous tous les soirs. Il faut que je repère ceux qui n'ont pas l'âge légal. Il faut que je surveille les boissons. Vous voyez cet hurluberlu à la table, là-bas ? Il essaie d'apporter son verre sur le trottoir pour pouvoir fumer. Je dois le surveiller. Après trois contraventions, c'est plus qu'une amende à payer. On est obligé de fermer. Ce n'est plus une blague. Il y avait un bar au bout de la rue. Tout le monde savait que le type laissait fumer les clients à la fin de la soirée. Eh bien, vous savez quoi ? Il n'y a plus de bar. On lui a retiré son permis. »

Bien. À présent, nous connaissions la réponse classique. « Bloomberg, hein ? dis-je. Qu'est-ce qu'on va faire ? »

Alexandra, qui ne se laissait pas facilement décourager, fit une dernière tentative pour trouver un *smoke-easy*. Elle aborda une belle femme dans la soixantaine, impeccablement vêtue d'un pantalon noir bien taillé, arborant un sourire fatigué et une longue et mince cigarette. Elle paraissait aussi élégamment intelligente que Mary McCarthy, aussi songeusement sardonique que Dorothy Parker.

« Un bar fumeur ? dit-elle en poussant un petit hennissement rauque. Seigneur, vous n'êtes pas venus dans la bonne ville. D'après vous, pourquoi suis-je assise sur ce banc ? D'ailleurs, d'où venez-vous ?... Paris ? Mon Dieu, je projette depuis 20 ans d'aller m'installer en Europe. Le moment est peut-être venu de le faire », conclut-elle en regardant mélancoliquement sa cigarette.

Tandis que nous nous éloignions, nous l'entendîmes marmonner : « C'est la première fois que je dis ça, mais j'ai honte de New York. »

Alexandra secoua la tête. « *Mon Dieu**, c'est plutôt triste quand on en est réduit à s'excuser pour sa propre ville. »

*

* *

Lorsque les chroniqueurs, surtout les Britanniques, des fumeurs à la chaîne, se mettent à fulminer contre l'interdiction qui menace d'engloutir le monde industrialisé, les « nazis californiens de la santé » sont montrés du doigt comme les instigateurs de l'équivalent moderne de l'incendie du Reichstag. Ce n'est pas entièrement faux : en Californie, les extrémistes de l'antitabagisme peuvent aller passablement loin. Dès 1977, la ville de Berkeley votait une ordonnance « d'air pur à l'intérieur », et la Californie lançait, en 1998, l'interdiction de fumer dans les bars et les restaurants de l'ensemble de l'État. Non satisfaits d'avoir éliminé la fumée dans les endroits clos, les Californiens se tournèrent alors vers le plein air : en 2003, les cigarettes furent d'abord prohibées sur la plage de Solana ; ce fut ensuite le tour de Santa Monica et de sa célèbre jetée et, pour finir, toutes les plages de Los Angeles connurent le même sort, ce qui créa une bande de 13 milles de côte sans fumée (malgré les efficaces machines retirant du sable des détritus comme les cannettes de Coke, les tessons de bouteille et les mégots de cigarette). En 2005, les cigarettes furent bannies des parcs et des espaces ouverts à San Francisco, y compris le Golden Gate Park et l'Union Square. À Davis, une ville universitaire au nord-est de San Francisco, la stupidité a atteint le summum : les fumeurs n'ont plus le droit de rester immobiles sur les trottoirs. Semblables à des requins aux aguets, ils doivent désormais fumer en bougeant continuellement ou risquer l'asphyxie quand les contraventions leur bloquent les branchies.

À New York, je fis mes adieux à Guillaume et Alexandra et montai à bord d'un avion en partance pour l'ouest. Pendant une correspondance à Chicago, je m'aperçus que, pour un fumeur, voyager dans le monde est devenu plutôt fastidieux. Je dus passer une douzaine de barrières avant d'arriver à un escalier roulant qui me conduisit en bas, derrière les vérificateurs de bagages à main. Là, je fumai ma Nat Sherman – non addictive – achetée dans la 5ᵉ Avenue. La vue qui s'offrait à moi consistait en un stationnement à multiples niveaux, éclairé au néon, derrière des files de taxis et de navettes. Mon vice assouvi, je repassai par la sécurité, fis la queue 20 minutes et dus enlever mes chaussures. Tout cela n'avait rien de particulièrement glamoureux.

Mon amie Maud, qui était venue me chercher à l'aéroport de San Francisco, fut stupéfaite en me voyant allumer une cigarette dès que j'eus franchi les portes coulissantes.

« Tu sais, je ne fume plus », m'annonça-t-elle tandis que nous rangions ma valise dans le coffre de sa voiture.

Incroyable ! Maud paraissait la dernière personne à se laisser influencer par l'obsession ambiante : santé, santé, santé !

Elle était française, elle ne mâchait pas ses mots et elle travaillait dans l'industrie de la publicité. Nous nous étions rencontrés au cours d'une expédition de trekking au Népal et je la revoyais, même à 10 000 pieds au-dessus du niveau de la mer, en train de s'allumer une cigarette dès que la première lueur de l'aube apparaissait derrière les sommets de l'Annapurna.

« Non… j'ai juste… comment dit-on ça… un poumon flottant. Je le regrette beaucoup, mais, tu comprends, je ne fumerai pas avec toi pendant ce voyage. »

C'était sensé. Mais son mari, John, m'avait informé par courriel qu'il appréciait encore une clope à l'occasion – ou une sèche, ou encore une *groid* comme il disait dans son slang Minneapolis-côte ouest –, et il m'avait promis de faire avec moi le tour des *smoke-easies* de la ville. Contrairement à New York, encore sous le choc de la mesure de répression, San Francisco avait eu plusieurs années pour s'adapter à la prohibition. C'était la première métropole des temps modernes à avoir interdit de fumer à l'intérieur, mais il était arrivé quelque chose de drôle. Les gens avaient continué de boire et de fumer, à l'intérieur, en même temps. Dans certains bars, à certains moments, il était tout simplement entendu qu'on pouvait allumer une cigarette et que le propriétaire ne réagirait pas. Les noms de ces bars étaient transmis de bouche à oreille, et quand l'un d'eux avait reçu trop d'amendes, un autre prenait sa place. Malgré l'ambiance saine de la côte ouest, cela avait un certain sens : c'était de la zone du Bay Area que venaient la grande majorité des participants à l'infâme festival Burning Man. La crémation d'un mannequin géant marquait le point culminant de l'événement et chaque année, en septembre, le ciel du désert du Nevada était envahi de fumée. Des boutiques hippies du quartier Haight jusqu'aux préparatifs – qui duraient toute l'année – de l'immolation annuelle, cette ville fétichisait la fumée.

« Écoute, patron, me dit John en rentrant du travail. Sans même réfléchir, je peux te nommer une douzaine des bars où tu peux fumer, dans un rayon de 10 rues autour d'ici. L'interdiction de fumer est devenue une sorte de blague. T'as envie de fumer ? On y va ! »

John et Maud habitaient dans le quartier victorien de Noe Valley ; de là, nous nous rendîmes dans un bar de la 22e Rue, dans la Mission. Dehors, il y avait un palmier solitaire, un pot en bois rempli de mégots, et le contour au néon d'un verre de martini scintillait sur la façade. Des stores vénitiens empêchaient le passant de regarder à l'intérieur. Nous entrâmes. L'éclairage était tamisé, le mobilier, Art déco, et l'ensemble, aussi douillet qu'une étude de notaire en banlieue. Il y avait une nappe et une bougie sur chaque table. Sur la chaîne stéréo, Dusty Springfield chantait une rengaine sur le fils d'un prédicateur. Une demi-douzaine de clients. Parmi eux, deux gars à l'extrémité du bar, en Birkenstock et chemise à carreaux, enveloppés dans un nuage illicite. J'allumai une MCD.

« Dites-moi, demandai-je à la serveuse-barmaid qui venait de nous apporter nos Guinness, qu'est-ce que je fais avec la cendre ? »

Elle enleva silencieusement la chandelle de sa soucoupe au centre de la table et la déposa à côté. Nous avions un cendrier.

« Tu sais quoi ? dit John en secouant sa cigarette. J'aime bien en griller une de temps en temps, mais j'aime aussi l'interdiction de fumer. Je n'ai que deux jeans, et je déteste sentir la fumée quand je rentre chez moi. À présent, j'ai le choix. Si j'ai vraiment envie d'une clope, je peux aller dans un bar fumeur. Mais je peux aussi aller dans un bar non fumeur et oublier la lessive. »

J'avais déjà entendu des fumeurs invétérés tenir des propos semblables : ils admettaient ne pas vouloir que quelqu'un fume près d'eux pendant qu'ils mangeaient. Mais ils ajoutaient toujours que l'interdiction totale était une mesure trop extrême. Il devrait y avoir des endroits où les adultes peuvent se rendre quand ils ont envie de griller une cigarette tout en prenant un verre.

Le lendemain matin, je pris le BART (Bay Area Rapid Transit) – ce train futuriste construit dans les années 1970 – au-dessous d'East Bay pour émerger à l'arrière d'Oakland.

Près de 30 ans plus tôt, le Berkeley radical, lieu de naissance du mouvement pour la liberté d'expression, avait été la
première municipalité à interdire le tabac sur les lieux de travail. Sur le campus, des écriteaux apposés à chaque porte indi-
quaient qu'il était INTERDIT DE FUMER À MOINS DE 20 PIEDS DE
L'ÉDIFICE. Lorsque, pour annoncer l'heure du lunch, un concert
de carillons résonna dans le campanile sur le toit pointu au
milieu du campus, les étudiants affluèrent de partout. Je vis
apparaître des casques de vélo, des frisbees, des guitares, des
muffins, des bâtonnets de carottes et des germes de luzerne dans
des contenants de plastique, mais pas de cigarettes. À la
bibliothèque Doe Memorial – dans *mon* université, les fumeurs
se rassemblaient toujours en dehors de la bibliothèque principale –, j'aperçus un groupe d'étudiants sur une place brique-
tée ; le tiers d'entre eux étaient d'origine asiatique, ils étaient
presque tous pieds nus. Une femme au teint basané, aux cheveux blonds frisés et portant une veste en laine polaire leva
les bras au-dessus de sa tête en psalmodiant : « Ouvrez les yeux
et inhalez en rassemblant le chi. » Je finis par déceler l'odeur
du tabac et je remontai la piste. C'était une rouleuse qui sor-
tait d'une barbe broussailleuse. Je filai le rebelle : il entra
directement dans la bibliothèque des études de premier cycle.
J'allais lui demander du feu quand je le vis fouiller dans une
poubelle.

Évidemment. J'avais déjà remarqué cette tendance : en
Californie, les fumeurs les plus réfractaires, les plus voyants,
étaient les sans-abri. Dans le monde développé, la pauvreté est
fortement liée à la dépendance au tabac. Moins on a d'argent,
plus on fume. À New York, la cote de popularité du maire
Bloomberg était particulièrement faible auprès de Noirs et des
Latinos – à la fois ses citoyens les plus pauvres et ceux qui sont
le plus susceptibles de fumer.

Les fumeurs de Berkeley ne semblaient pas se montrer
avant l'après-midi. Je marchai sous un treillis de platanes aux
branches dénudées en direction de la bibliothèque Moffat, où
une demi-douzaine de personnes de tout âge grillaient leurs
clopes. L'une d'elles était exceptionnellement jolie. Ses che-

veux tressés, teints en bleu, encadraient un visage ovale au teint café au lait. Un anneau placé verticalement perçait sa lèvre inférieure. Elle portait un pantalon cargo et elle était assise, jambes croisées, sur un banc circulaire directement sous un balcon (sur lequel les mots INTERDIT DE FUMER SOUS LE SUR-PLOMB étaient écrits).

Pendant mes 10 années d'abstinence, j'avais oublié ce fait : fumer permet de briser tout de suite la glace. On commence par « Tu as une cigarette ? » « Tu as du feu ? » Avec un peu d'imagination, l'entrée en matière peut se poursuivre en vraie conversation, en tournée des bars ou même marquer le début d'une belle relation. Pendant la guerre froide, on recommandait aux espions d'apporter des cigarettes − et de s'exercer à s'en servir −, même quand ils n'étaient pas eux-mêmes fumeurs. Les cigarettes étaient idéales pour établir le contact avec des étrangers. Récemment, les barmans de Dublin et de New York ont mentionné un nouveau phénomène né avec la prohibition. Une jolie fille laisse son verre sur le comptoir pour aller fumer sur le trottoir ; trois types la suivent. Soudain libérés de l'atmosphère étal de viande, les buveurs peuvent simplement demander une cigarette ou offrir du feu, et la conversation qui s'ensuit semble plus naturelle que prédatrice. Pour les analystes des tendances, c'est la renaissance du *smirting*, le flirt en fumant. (Et, en Amérique du Nord, il vaut mieux faire ça qu'essayer de draguer avec de l'époisses !)

Eh bien, j'étais célibataire et, du moins pour le moment, je fumais. Je pris place à côté de la ravissante étudiante, je sortis mes MCD, en allumai une et déposai avec désinvolture mon paquet à côté d'elle.

Elle me lança un coup d'œil. « Des Nat Sherman ? Je n'en ai pas vu depuis que j'ai quitté New York. Elles sont tellement *booooonnes* ! » Elle écrasa son American Spirit à moitié fumée et accepta une MCD de mon paquet ouvert. « J'ai fumé pendant 10 ans, puis j'ai arrêté pendant cinq ans. J'ai recommencé depuis quelques mois. Le stress des études, j'imagine. »

Elle s'appelait Tamara et elle terminait un doctorat en génie électrique.

« J'ai recommencé à fumer à l'université. Pendant les examens de fin d'année, le café ne me faisait pas d'effet, mais pour une raison ou pour une autre, fumer me gardait éveillée. Et puis, on dirait aussi que ça me détend. Quand on y pense, lorsqu'on exhale profondément, aucun de nos muscles ne peut être tendu. Alors, pendant cinq ou six minutes, on fait un petit exercice de relaxation.

– Oublions le taï chi, dis-je. Vive le yoga nicotine !

– Nous devrions donner un cours ! »

Elle éclata de rire en expirant un long jet de fumée qui s'éleva en spirale. C'est alors qu'une jeune Asiatique avec un minuscule sac à dos débeula sur la plate-forme en titubant sur ses sabots en caoutchouc à semelle compensée. Traversant le nuage de Tamara, elle plissa le visage d'un air dégoûté et agita avec éloquence une main devant son visage.

Tamara secoua la tête. « C'est fréquent par ici. Habituellement, ce sont des gens plus âgés. Des baby-boomers, des gens avec des enfants se dirigent droit vers nous et nous disent : "C'est mauvais pour vous, vous savez." On ne fait *pas* ça dans l'Est. Surtout à New York. Là-bas, on ne cherche pas à imposer son opinion aux autres, parce qu'on ne sait pas à qui on a affaire. Ça pourrait être explosif. »

Les choses avaient changé depuis l'interdiction du maire Bloomberg, lui dis-je.

« Je ne crois pas à ces statistiques sur les gens qui arrêtent de fumer. Je pense qu'on fume de plus en plus à New York. Après le 11 septembre, tous les gens de ma connaissance qui avaient arrêté ont recommencé… Tu sais, continua-t-elle, il y a beaucoup de pharisaïsme en Californie. Mais, parfois, les gens veulent juste se montrer amicaux. Ils disent : "Pourquoi une jolie fille comme toi fume-t-elle ? Tu ne sais pas que ta peau va rider plus vite ?" »

Je la regardai longuement dans les yeux, aspirai une longue bouffée de ma cigarette et lui dis : « Ce n'est pas encore arrivé. »

Elle accepta le compliment, sourit, exhala la fumée, regarda au loin.

Merde, c'était facile de draguer en fumant. Peut-être même addictif.

« Tu n'as pas pris son numéro, patron ? dit John d'un ton traînant. C'est nul. »

Je bus une gorgée de bière et ravalai une remarque sur le professionnalisme. Nous étions vendredi soir, et John et Maud allaient me faire faire la tournée des *smoke-easies* qu'ils m'avaient promise. Nous commençâmes par un endroit près de Guerrero, au bout de la 16e Rue, après la *crêperie** Ty-Couz, un restaurant exceptionnel. John me présenta ses amis, des survivants du boom – et de l'effondrement – point-com ; la plupart d'entre eux étaient des fidèles du festival Burning Man. Moss cessait graduellement de fumer. *Très* graduellement. Il fumait un dernier paquet de chacune des marques qu'il pouvait trouver et relatait son expérience sur son site Web, *www.greasepig.com*.

« Ouais, on dirait qu'il y a pas mal de marques dans le monde, dit-il en gloussant. Les Chunghwa, par exemple. Pas fameuses. La meilleure chose à leur sujet, c'est qu'elles sont chinoises. »

Soudain, une apparition sortie des années 1940 se matérialisa : une *cigarette girl* avec une toque sur la tête, une jupe évasée et une veste de majorette de style Sargeant Pepper.

« C'est une *Peachy Puff*, m'expliqua John en me voyant écarquiller les yeux. Elles font la tournée des bars. »

« Salut, je m'appelle Christie, dit-elle en s'approchant rapidement de notre table. Vous voulez des cigarettes, des Milk Duds, des bonbons à la menthe ? » Faisant papillonner ses longs cils, elle indiqua du regard le plateau qu'elle portait à la taille. J'achetai un paquet de Camel, transgressant par le fait même un autre interdit. En vertu d'une ancienne loi rarement appliquée, les non-résidents n'avaient pas le droit d'acheter du tabac en Californie ; les détaillants étaient censés demander à leurs clients de leur montrer une carte d'identité de l'État.

« Et maintenant, demandai-je à John, puis-je en allumer une à l'intérieur ?

– Non, vaut mieux pas. Allons derrière. »

Nous longeâmes la table de billard – 50 ¢ la partie –, et sortîmes dans la cour. Le misérable no man's land en béton qui servait auparavant à entreposer les poubelles était devenu la partie la plus bondée de l'établissement, le repaire des fumeurs. Je m'assis sur une marche en béton à côté d'une blonde platine aux yeux cerclés de khôl qui aspirait de rapides bouffées d'une Camel Light. Je finis par apprendre qu'elle était la propriétaire.

« Pas facile de faire marcher un bar dans cette ville, dis-je.

– Mmm. Je suis de l'État de Washington – là-bas, on peut encore fumer dans la plupart des établissements. Les propriétaires de bars doivent suivre un cours pour apprendre toutes les lois et leurs obligations légales. Mais ici, en Californie, où on a encore plus de règlements, il n'y a pas de cours. Je n'ai pas le temps de tout contrôler, surtout quand il y a foule, comme ce soir. Quelqu'un s'allume une cigarette dans un coin… On ne peut pas avoir l'œil partout ! »

À l'intérieur, Maud la non-fumeuse semblait un tantinet vexée d'avoir été abandonnée – même quelques instants. Elle était restée toute seule à une table fantôme, entourée de pintes de bière, chacune couverte d'un sous-verre pour que les serveuses ne viennent pas les enlever. John donna à Maud un baiser de réconciliation. Elle soupira. « C'est ce qui me manque le plus depuis que j'ai arrêté de fumer. Le club sélect, le lien entre les gens. J'avais envie d'aller avec vous juste pour ça. C'est comme s'il se passait quelque chose dont j'étais exclue. »

Maud nous annonça que c'était assez pour elle, mais John et moi voulions poursuivre la tournée. Dans un bar du Financial District, à proximité du tunnel de la rue Stockton, je demandai au responsable si nous pouvions fumer.

« Si vous ne m'en parlez pas, je ne vous vois pas », répondit-il.

Voilà, en quelques termes laconiques, le résumé de l'entière situation : plus précisément, c'était le *gedogen* néerlandais, qu'on peut traduire sommairement par « détourner un œil aveugle ». Aux Pays-Bas, le concept est sujet à controverse.

Pour les uns, c'est une simple question de tolérance, une philo-sophie du «vivre et laisser vivre». Pour les autres, c'est un symptôme d'indifférence généralisée aux problèmes des autres. (J'imagine que vous ne voyez pas les choses de la même façon si vous êtes un touriste qui fume de la marijuana dans un *coffee shop* d'Amsterdam en s'émerveillant de l'ouverture d'esprit des citoyens ou si vous êtes une fillette juive qui tente de survivre au génocide terrée dans un grenier.)

Dans la rue Hayes, une artère bourgeoise, entre les vitrines du magasin True Sake et du Zenzi's, un centre de formation en cosmétologie, je m'approchai d'une façade sombre avec John. En plus de l'écriteau «Interdit de fumer» de l'Office de la santé environnementale de San Francisco sous les logos de bière fluorescents, il y en avait un avec deux couteaux croisés, sur lequel le message suivant avait été écrit à la main: «Laissez cette porte fermée si vous savez ce qui est bon pour vous.» Nous comprîmes bientôt l'utilité de cet avertissement: l'en-droit était un repaire de fumeurs.

«Fantastique! m'exclamai-je avec un léger manque de sin-cérité quand la barmaid me tendit ma pinte de bière. Ici, on peut boire et fumer!

– Ouais, garde ça pour toi, répondit-elle du coin de la bou-che. Sers-toi du sous-verre comme cendrier.»

Au bar Amber, juste au nord du Market, il n'y avait même pas de prétexte à la clandestinité. Une voiture de police était stationnée dans la rue, et les agents collaient une contraven-tion à une auto garée en double, tandis que, se moquant des règlements, quelques clients installés sur les tabourets du bar – et très visibles de la rue – fumaient allègrement. Je deman-dai au barman, qui n'avait pas beaucoup plus que l'âge légal de boire, s'ils avaient payé les policiers.

«Nous sommes un bar exploité par le propriétaire, m'expliqua-t-il. Techniquement, ça veut dire que, si on n'a pas d'employés, on peut autoriser nos clients à fumer.»

Il semblait jeune pour posséder son propre bar.

«Oh! Je ne suis pas le seul propriétaire. Nous sommes qua-torze.»

Je ne pus m'empêcher de rire. Comme pour les amateurs de lait cru qui possédaient collectivement une vache, ou les acheteurs de ces gâteaux aux raisins qui se transformaient magiquement en vin pendant la Prohibition, c'était un autre exemple réconfortant de l'ingéniosité utilisée pour contourner les interdits.

John me dit qu'il nous restait encore un endroit à visiter. Au fin fond de la Mission, il y avait un bar irlandais et, à une heure et demie du matin, c'était aussi exubérant que dans un pub du comté de Cork envahi par des romanichels.

« C'est un bar de l'IRA, me dit John en poussant la porte. Ils se fichent comme de l'an quarante des lois américaines sur le tabagisme. »

Nous entrâmes dans une longue salle bleue de fumée. À tout hasard, j'offris une Nat Sherman au barman, qui portait un chandail du Manchester United.

« C'est quoi, ça ? demanda-t-il avec son gros accent de Belfast. De l'héroïne ?

– Non, dis-je. C'est une cigarette.

– Alors, tout va bien, répondit-il en riant. J'ai les miennes. »

Après avoir passé deux jours à faire la tournée des bars, j'avais compilé une liste d'au moins 15 endroits pour fumeurs, du Financial District jusqu'au Castro. Je continuai tout seul mes inspections. Certaines tavernes s'étaient adaptées en créant des fumoirs : sections fermées dotées d'un chauffage d'appoint et de portes coulissantes – de style portes de garage – qui donnaient directement sur la rue. Vu la clémence du temps à San Francisco, on pouvait donc fumer dehors à longueur d'année. Aux heures d'affluence, ces pièces accueillaient inévitablement plus de buveurs que le bar lui-même, et la drague battait son plein.

Je communiquai finalement avec le ministère de la Santé publique pour essayer de savoir ce qu'il pensait de tout ça. Thomas Rivard, inspecteur cadre en santé environnementale, me donna rendez-vous à un café de la rue Mission, où l'on servait des jus de carotte et des muffins aux bananes. C'était un homme d'âge moyen d'apparence jeune, grand et soigné, aux yeux bleus, vêtu d'une chemise bleue impeccablement repassée. Ses longs doigts et ses cheveux légèrement grisonnants ne portaient aucune trace de nicotine.

« Oh ! bien sûr ! dit Rivard. Nous savons que certains bars autorisent encore leurs clients à fumer. Nous avons 25 inspecteurs, et chacun contrôle son propre district. Des 1100 bars de la ville, il y en a probablement entre 30 et 60 où les gens fument, sans compter la dizaine d'endroits exploités par le propriétaire. Habituellement, ce sont des établissements plus petits, des bars de quartier. »

La première version de la loi antitabac, qui s'appliquait aux restaurants et autres lieux de travail, était entrée en vigueur en 1995.

« Quand la législature de l'État a adopté la loi, j'ai eu l'impression qu'on n'avait jamais vraiment pensé à la façon dont elle concernait les bars ; elle était conçue pour tous les lieux de travail. Mais comme les barmans et les serveuses de cocktails sont eux aussi des employés, les bars ont donc été inclus. On a essayé de proposer une norme de ventilation pour les bars » – impliquant l'installation de systèmes de purification d'air dernier cri, très chers –, « mais quand il s'agit d'une substance cancérigène pour les humains, c'est difficile de déterminer ce qui est une quantité acceptable. »

Rivard était entré en fonction – responsable de la mise en application – lorsque la loi s'appliquant aux bars avait été mise en vigueur, en 1998, le jour du Nouvel An.

« Pour commencer, nous avons commis l'erreur de recourir à la police ; nous visitions les bars et donnions des contraventions aux clients, 73 $ d'amende par infraction. Et la loi était peu respectée – au début, environ 50 % des bars permettaient aux gens de fumer. On nous surnommait les "fascistes du tabac". Dans un bar d'Haight-Ashbury, un client m'a dit : "Si la police n'était pas là, je t'assommerais avec cette queue de billard. Nous ne faisions que créer de la sympathie pour les fumeurs qui recevaient les contraventions. »

En fin de compte, le ministère de la Santé préféra se concentrer sur les tenanciers. Comme un propriétaire de taverne pouvait facilement faire passer une amende de 500 $ (le montant imposé pour une troisième offense) dans ses coûts d'exploitation, le ministère décida de poursuivre les récidivistes en vertu de la Loi sur les pratiques commerciales déloyales, faisant valoir que certains établissements retiraient un avantage en autorisant leurs clients à fumer. Selon Rivard, le stratagème réussit.

« Certains ont dû payer jusqu'à 10 000 $, et le juge émettait une injonction interdisant de fumer sous toute forme. Se faire repincer équivalait à se rendre coupable d'outrage au tribunal. »

Je mentionnai le modèle de tolérance zéro de New York et le ressentiment que cette attitude semblait engendrer.

« À un moment, montrer trop de zèle en faisant appliquer une loi peut en effet entraîner un résultat non compatible avec le bien de la société. À San Francisco, nous savons qu'à certains endroits les gens peuvent fumer en fin de soirée. Ça ne veut pas dire que nous sommes d'accord, mais il faut considérer les autres problèmes. Veut-on voir des gens ivres sur les trottoirs en train de fumer au milieu de la nuit dans un quartier résidentiel ? Ou, si le bar se trouve dans un quartier dangereux, veut-on obliger les gens à aller fumer dans la rue ? Le taux de respect de la loi est désormais de 80 à 90 %, et cela nous suffit. En fin de compte, la majorité des bars sont des endroits sympathiques où aller prendre un verre. »

J'avais une dernière question à poser à Rivard. La première fois que j'avais appelé le ministère de la Santé, le message enregistré disait : « Si vous téléphonez pour demander une carte d'identité pour le cannabis, appuyez sur le 3. » On m'avait dit qu'avec un simple mot d'approbation d'un médecin (pour des problèmes allant de l'alcoolisme à la constipation), on pouvait obtenir à bon prix et en toute légalité de la marijuana aux nombreux dispensaires médicaux de cannabis de la ville. C'était une combine directement issue de la Prohibition, quand les médecins rédigeaient des ordonnances de whisky à des fins médicales. Mais était-on autorisé à la fumer sur les lieux ?

Rivard gloussa. « Dans ces dispensaires, on peut fumer de la marijuana, mais pas du tabac. Je suis né à San Francisco et, je vous le dis, c'est difficile de faire appliquer la loi dans cette ville. Nous sommes intransigeants avec le tabac, tolérants avec la marijuana. Pas simple d'expliquer ce genre de chose aux étrangers. »

Un type plutôt sympa, me dis-je quand Rivard me quitta pour aller faire sa tournée d'inspections de l'après-midi. Pourtant, tout au long de notre entretien, j'avais dû résister à l'envie de prendre une cigarette, de l'allumer et de lui souffler un nuage de fumée au visage. Je ramassai mon calepin, me dirigeai vers le fond du café et demandai s'il y avait un endroit où je pouvais fumer. Le proprio m'indiqua une porte latérale. Une terrasse extérieure s'étirait le long de la façade.

Il y avait un cendrier sur chaque table.

Au Sherlock's Haven, marchand de tabac raffiné et bastion des amateurs de cigares, situé à l'ombre de l'Embarcadero Center, Marty Pulvers postillonnait, un gros Arturo Fuente Rothschild Maduro à la main. Je fumais un de mes Cohiba, plus petit, et je parvenais à ne pas avoir mal au cœur. Les clients réguliers, dont un homme aux cheveux gris en fauteuil roulant et une femme plus âgée d'origine asiatique, fumaient tous avec plaisir des cigares dominicains à côté de la boîte à cigares en regardant mon authentique havane avec – aimais-je penser – une convoitise bien camouflée. En un peu plus d'une semaine, j'étais devenu un vrai fumeur ; je grillais désormais en moyenne 15 cigarettes par jour et j'étais capable d'apprécier le goût d'un cigare de bonne qualité sans éprouver de malaise.

Emphatique, agressif, Marty n'était manifestement pas de la côte ouest. Davantage du genre Lower East Side, du genre à rendre la monnaie de la pièce. À la porte de la boutique, un écriteau peint à la main se lisait ainsi : PAR ÉGARD POUR LA SENSIBILITÉ DE NOTRE CLIENTÈLE, VEUILLEZ VOUS ABSTENIR D'ENTRER AVEC DES ALIMENTS NAUSÉABONDS COMME DES HAMBURGERS ET DES FRITES. Je lui demandai s'il avait vraiment eu des problèmes avec le fast-food.

« Ouais ! Ces machins sont putrides ! fulmina-t-il d'une voix de tuyau de cheminée révélant un fumeur invétéré. Si on se préoccupait réellement de la santé des gens qui ne choisissent pas volontairement d'être dans un endroit non fumeur, alors pourquoi n'y a-t-il pas de loi contre ceux qui emmènent des enfants de trois ans dans des restos de fast-food et leur enfournent cette merde dans le gosier ? Cette prohibition du tabac – et quand le prix et les taxes sont au-delà des moyens des gens et qu'on n'a plus le droit d'en jouir nulle part, on ne peut pas appeler ça autrement qu'une prohibition – n'a rien à voir avec la santé. C'est juste un truc de moralité, comme lorsque les puritains ont imposé la prohibition de l'alcool dans les années 1920. Si on laisse le gouvernement décider de ce qui est sain, jusqu'où ça va aller ? Il faut certainement informer les gens, mais ils vont finir par tout interdire, y compris le fast-food. »

Je reconnaissais cet argument libertaire. Il se fondait sur une méfiance à l'égard du gouvernement, et ceux qui l'invoquaient aimaient souligner que, sous prétexte de se préoccuper de la santé du peuple, Adolf Hitler avait été le premier à interdire à l'ensemble de la société de fumer en public – lui qui, en plus d'être un tueur et un végétarien, ne fumait pas. Pour un grand nombre de libres penseurs, fumer était un droit individuel inaliénable ; qu'on donne un pouce à un gouvernement autoritaire, et il interdira le chewing-gum et les armes semi-automatiques. On n'aura même plus le droit de siffler en public. Il y avait toutefois des degrés. La plupart des administrations se contentaient de limiter les lieux où les gens étaient autorisés à fumer. Le seul pays ayant imposé une prohibition digne de ce nom était le petit royaume himalayen du Bhoutan, lequel, en 2003, a réellement interdit la vente du tabac sous toutes ses formes.

Marty secoua distraitement sa cendre sur un classeur tout en cherchant la fiche de renseignements appropriée. (« Hé ! doc, comment ça va ?... Bien, merci », dit-il en saluant un homme avec une mallette qui inspectait les pots de tabac à pipe.) « Oh ! ouais, parce que le fait est que nous *pouvons* assurer un air propre à l'intérieur si nous décidons de le faire! On pourrait donner aux tenanciers de bars et aux restaurateurs la possibilité d'installer un purificateur d'air qui répond à tel genre de norme! Mais le gouvernement a décidé d'imposer la loi, unilatéralement, sans même établir de normes. Chaque jour, à l'heure de pointe, il y a des embouteillages et des autobus au diesel qui font tourner leur moteur devant ma porte. Dans un bar bien aéré, l'air peut être plus pur que celui qu'on respire dehors!

– N'y aurait-il pas également un peu d'hypocrisie derrière tout ça? suggérai-je. Beaucoup de politiciens en vue aiment fumer, je veux dire. Et pas n'importe quels cigares. Des cubains, comme celui que je fume. »

Marty me gratifia d'un sourire entendu. Quand on parlait de l'objet fétiche des ploutocrates, tout le monde savait qu'il y avait deux poids, deux mesures. Avant que John F. Kennedy n'ait décrété l'embargo commercial sur Cuba, en 1962, il avait demandé à son attaché de presse de lui constituer une réserve de 1200 Petit Upmann, ses havanes préférés. Le maire Bloomberg a refusé d'émettre un commentaire quand, à un dîner au St. Regis, certains des gros bonnets de New York ont sorti un cigare, violant délibérément la loi qu'il avait lui-même fait adopter. (Comme l'écrivit le populiste *New York Post*: on peut « fumer en public » avec le maire nounou quand on est un de ses copains « gazillionnaires ».) Le magazine *Cigar Aficionado* a répété une rumeur selon laquelle le comédien réalisateur Rob Reiner avait fait accepter une proposition visant à hausser les taxes sur le tabac en Californie pour financer les écoles publiques. « Ça ne me touchera pas, avait-il ajouté. Je fume des cubains. » Et le gouverneur actuel de la Californie, Arnold Schwarzenegger, a fait la manchette quand il a fait installer une terrasse pour fumeurs dans le capitole de Sacramento. Apparemment, cette terrasse était exemptée de la disposition de la loi stipulant qu'il fallait se trouver à 20 pieds de l'entrée d'un édifice public pour fumer, parce que, aux termes de la loi il s'agissait de pieds linéaires horizontaux, non de pieds verticaux – et la terrasse se trouvait à l'étage.

« Ouais, dit Marty, d'après ce que je comprends, c'est même légal pour les membres du Congrès de rapporter des cigares cubains quand ils font leurs voyages "éducatifs" à La Havane.

– Non ! s'écria sa collègue d'origine asiatique en faisant une mimique outragée.

– Ouais, répliqua Marty. Ça t'en bouche un coin, non ? »

Dans un autre magasin de cigares, le plus ancien de San Francisco, le propriétaire m'avait donné sa carte et il m'avait offert de me montrer quelques Monte Cristo, un grand cru de 1972.

Voyant que tout cela allait être rapporté, Marty préféra adopter l'attitude la plus sûre : nier. « C'est simple, je ne touche pas aux cubains. Les gens n'arrêtent pas de me dire : "Allez, vendez-moi vos havanes. Je sais que vous en avez !" Mais je n'en ai pas ! Je n'ai pas envie de perdre le sommeil par peur de me faire prendre. »

Mais Jacky, un client régulier d'East Bay – tête rasée et clou en forme de diamant dans l'oreille gauche –, n'avait rien à perdre à parler de Cuba. « C'est vrai, je suis allé à La Havane où j'ai acheté pour 15 000 $ de cigares. Au retour, on a pris un vol pour le Canada. Une fois ici, les profits de la vente des cigares ont payé tout mon voyage – et plus encore. Je dois dire que les États-Unis sont loin derrière le reste du monde pour ce qui est de Cuba. Peut-être qu'à la mort de Fidel Castro on va en finir avec ce stupide embargo. »

Je quittai le Sherlock's Haven, laissant les cigares dormir dans leur coffret en érable. Une citation me revint alors à l'esprit et j'eus l'impression d'entendre une voix avec l'accent monotone du Midwest. « L'hypocrisie est le plus grand luxe », disait-elle comme en se pourléchant diaboliquement.

C'était la voix de William S. Burroughs, ce grand connaisseur du dégoût, et, quand il avait prononcé cette phrase, un sourire espiègle avait submergé ses rides. Lorsqu'il s'agit des choses rares, chères, défendues, l'élite a toujours montré un grand plaisir à proclamer une norme dont elle s'exempte en privé. La plus grande hypocrisie, c'est bien sûr celle du gouvernement qui met les citoyens en garde contre le tabac tout en empochant l'argent des taxes ; aux États-Unis, par exemple, les cigarettes génèrent plus de revenus pour les administrations locales et fédérales que tout autre produit sur le marché. Si la plus grande partie – ou même seulement une petite partie – de cet argent servait à traiter les dépendances de toutes sortes, les gouvernements seraient peut-être dans une meilleure position, moralement parlant. Mais taxer si lourdement le tabac semble plus cupide qu'autre chose ; après tout, si l'on se fie à un calcul strictement utilitaire, le tabac représente une excellente affaire pour les coffres du gouvernement. Le tabagisme cause peu de problèmes de santé à la main-d'œuvre pendant ses années productives, après quoi il la tue purement et simplement avant qu'elle puisse récolter sa sécurité sociale et ses rentes. Mais les classes dirigeantes exploitent la double norme depuis au moins 1604, quand Jacques Ier écrivit son interminable tartine, *A Counterblaste to Tobacco*, déclarant que cette « herbe noire comme le Styx » était une « nouveauté sale ».

Plutôt que de bannir tout de suite l'usage du tabac, il préféra, de façon plus pragmatique, hausser les taxes de 4000 %, s'assurant ainsi une source de revenus qui n'a depuis jamais cessé d'alimenter le Trésor.

Les États-Unis vivent-ils simplement un nouveau paroxysme dans leur guerre contre le tabac ? Car ce n'est pas la première fois que, décrit comme l'incarnation du mal, ce produit est réprimé en Amérique. La vente de l'« herbe du diable » fut bannie dans l'État de Washington en 1893 et, au début du dernier siècle, la campagne menée par Lucy Gaston – une institutrice célibataire qui fit vertueusement valoir que la consommation de ce poison conduisait à la délinquance et aux inévitables contorsions du « visage cigarette » –, fut couronnée de succès : la vente du tabac fut interdite au Tennessee, au Dakota du Nord et en Iowa.

Dans *De la cigarette*, une incomparable analyse de la sémiotique du tabagisme, l'auteur Richard Klein montre que le tabac est régulièrement, cycliquement, diabolisé lorsqu'une volonté d'être en bonne santé envahit l'Amérique. Mais dès que survient une crise – guerre mondiale, dépression économique –, on se remet à fumer. Pour Klein, la cigarette, qui à la fois provoque et apaise l'anxiété, est également une réification de l'omniprésente angoisse de la mort. Elle permet à une personne de tenir un agent mortifère entre ses doigts tachés, de le regarder se consumer jusqu'au bout, puis de rejeter le mégot – un *memento mori*, un petit éclat de mort – à travers la grille d'un égout. En temps de crise, quand le fatalisme submerge l'atmosphère et que les réconforts se font rares, fumer devient une façon socialement acceptable de narguer la Faucheuse. Les clous de cercueil font alors partie des rations des soldats, ils sont distribués dans les prisons, ils sont omniprésents dans les *films noirs**, accessoires des rebelles malchanceux, d'Humphrey Bogart à James Dean.

Pour ma part, je n'aurais jamais pu *ignorer* que la cigarette était néfaste. En 1966, l'année de ma naissance, le chef du Service de la santé publique des États-Unis força les fabricants de cigarettes à écrire les premiers messages sur les paquets pour avertir les consommateurs des dangers du tabac. (Dans plusieurs pays, dont le Canada, ces avertissements s'étalent désormais sur la moitié du paquet avec des illustrations de gencives se désintégrant et de bronches noircies. En Europe et à Singapour, le message est clair et net : FUMER TUE. Dans le monde développé, le Japon est l'un des rares pays ayant effectué un retour en arrière ; le gouvernement a le monopole de l'industrie et, au ministère de la Santé seulement, on trouve huit machines distributrices de cigarettes. À Tokyo, les avertissements sur les paquets sont timides et courtois : « Comme fumer peut nuire à votre santé, nous dit-on, veuillez prendre garde à ne pas abuser. ») Franchement, je n'avais pas besoin qu'on me dise que fumer était mauvais : je me suis senti malade, empoisonné, la première fois que j'ai aspiré une bouffée de cette mentholée à l'âge de 13 ans. C'était toutefois un empoisonnement émoustillant, l'un de ceux qui donne envie d'aller y voir de plus près ; en m'appliquant, j'ai réussi à vaincre mon dégoût initial. J'ai l'impression que, plus que la marijuana, c'est la cigarette qui peut conduire à la consommation des drogues dures : lorsque, très jeune, on ose tenter cette expérience illicite, on ouvre la porte à tout le reste, qu'il s'agisse de se soûler à la tequila ou de s'injecter du *crystal meth* (méthamphétamine) dans une veine.

Il y a peut-être quelque chose dans cette idée que nous sommes simplement en train de vivre un autre de ces cycles de « vie saine » frôlant l'hystérie que l'histoire a connus. Mais, cette fois, l'interdiction de fumer dans les lieux publics a vu le jour en Californie – et elle a ensuite été adoptée par quatre autres États américains, trois provinces canadiennes, la Norvège, Malte, l'Italie, la Suède et l'Irlande – et menace de devenir une norme du monde développé. En 2007, l'Écosse, l'Australie et l'Angleterre auront mis la même interdiction en vigueur. (Aux quatre coins du monde, les fumeurs ont failli s'étouffer lorsque Cuba, où la moitié des adultes fument, a décrété en 2005 qu'on ne pouvait plus fumer dans les endroits publics.) On justifie le bien-fondé de ces restrictions en affirmant que, utilisée telle qu'elle est conçue, la cigarette tuera le quart des consommateurs. Qui plus est, le tabac est une substance – l'une des rares dont il est question dans ce livre – qui peut, par la fumée secondaire, affecter directement non seulement le corps du consommateur, mais aussi celui de son voisin. Vu le nombre croissant de preuves des dangers de la fumée secondaire, John Stuart Mill, ce philosophe du XIXᵉ siècle devenu le chouchou des libertaires en défendant la souveraineté de l'individu, aurait probablement admis volontiers que la société a le droit de limiter l'usage du tabac justement pour « éviter de nuire à autrui ».

Et pendant ce temps-là, les fabricants de cigarettes n'ont pas besoin d'attendre la prochaine guerre ou dépression économique mondiale pour prospérer : leur marché continue de se développer dans les Philippines, où les trois quarts de la population masculine adulte fument, et en Chine, où presque les deux tiers des hommes sont fumeurs. Aujourd'hui, 75 % des fumeurs du monde vivent dans les pays en voie de développement.

L'habitude de fumer les feuilles du plant de tabac, un comportement bizarre et compulsif qui distingue à la fois les modernes des anciens et les humains des autres animaux, dépend dans une large mesure du contexte social. Lorsqu'il devient vraiment ardu de conserver une habitude – quand, par exemple, un seul paquet de clopes vous coûte une heure de salaire ou quand vous devez marcher une heure dans un aéroport pour fumer votre Camel –, certains adeptes choisiront alors d'arrêter à l'aide d'antidépresseurs, d'hypnothérapie, de patchs ou de gommes à la nicotine. Quand on fume moins autour de vous, vous êtes moins exposé à la tentation – et les jeunes adolescents qui, légalement du moins, n'ont pas l'âge d'acheter du tabac, seront moins susceptibles d'adopter une habitude dont le corps et l'esprit semblent avoir plus de peine à se débarrasser quand on l'a prise très tôt. Appelez ça pression exercée par les pairs ou loi du marché : quand un bien qui est agréable et qui crée une dépendance est bon marché tout en étant socialement acceptable, il est habituellement largement utilisé.

D'autre part, la restructuration sociale agressive tend à exploser au visage de ses instigateurs, comme un ridicule cigare de vaudeville. Lorsqu'on augmente démesurément les taxes, la contrebande – entre États, provinces et pays – s'installe, et les bootleggers empochent des millions. (On estime que le tiers des 5,5 billions de cigarettes consommées chaque année dans le monde sont des produits de contrebande. En Australie, le tabac de contrebande – appelé *chop-chop* – venu d'Asie est vendu au dépanneur et, dans l'ouest du Canada, on achète dans la rue, sans payer de taxes, des cigarettes de marque Native, Seneca ou Omaha. Pendant la majorité des années 1990, Philip Morris a expédié des cigarettes hors taxes à des endroits comme Gibraltar, Chypre et Malte en sachant fort bien qu'elles seraient ensuite passées en contrebande dans les pays de l'Union européenne et revendues au marché noir.) Depuis que le maire Bloomberg a interdit de fumer à New York, un trafic régulier s'est établi, traversant la rivière Hudson pour enfumer les bars d'Hoboken, au New Jersey, où les restrictions ne s'appliquent pas. Dans les arrondissements, des bars de quartier offrent des soucoupes à leur clientèle en guise de cendriers. Une équipe d'étudiants au doctorat de l'École de journalisme de Columbia a découvert que, depuis la hausse des taxes sur les produits du tabac, la contrebande bat son plein dans les quartiers de Harlem, du Bronx et de Queens ; les trafiquants de crack se sont mis à vendre des cigarettes dans la rue, ce qui est moins risqué, cigarettes achetées dans les réserves amérindiennes ou dans les États avoisinants où les taxes sont moins exorbitantes. (Selon le rapport, on estime que, après seulement un an, les contrebandiers ont fait perdre à la ville 400 millions de dollars de revenus de taxes.) On a assisté à une guerre de statistiques, le bureau du maire affirmant que, grâce à son programme remarquable – vigilance dans la mise en application de la loi, augmentation des taxes et programmes éducatifs antitabac –, plus de 100 000 citoyens avaient arrêté de fumer en une seule année et que 10 600 nouveaux emplois dans l'industrie de la restauration avaient été créés. La New York Nightlife Association affirmait exactement le contraire : 17 % d'emplois de serveur et 11 % d'emplois de barman avaient été perdus.

À San Francisco, j'eus une conversation qui sembla résumer les dangers découlant d'une restructuration sociale trop agressive. Je demandai du feu à Lance, qui fumait une Camel Light devant la buanderette Delaney's, dans Lower Haight, pendant que sa lessive séchait. Originaire de Kansas City, où il était encore permis de fumer, il en avait marre de l'ambiance de San Francisco.

« Personne n'a besoin de me dire que fumer va me tuer, dit-il. Je l'entends chaque jour aux actualités, je le lis sur les panneaux publicitaires ; je suis continuellement bombardé d'exhortations, même par mes collègues de travail. Et ça me donne juste envie de fumer davantage ! »

Je lui parlai de la contre-volonté, un terme de psychologie désignant la rébellion contre le contrôle des adultes, une réaction autodestructrice contre la vision parentale du bien de l'enfant.

« C'est exactement ça, la contre-volonté ! répondit Lance. Et c'est une impulsion qui persiste à l'âge adulte, ce qui rend le problème très difficile à résoudre. » Lance avait déjà essayé d'arrêter, avec les patchs, mais cela n'avait pas marché et son médecin ne lui avait donné que peu de conseils et d'appui. « Ils investissent du temps et de l'argent dans des campagnes anti-tabac, mais quand on est fumeur, c'est comme si on incarnait le mal – on est cet enfant égaré et on ne peut pas rentrer à la maison avant d'avoir renoncé au tabac. »

C'est vrai : malgré tous les discours moralisateurs que j'ai entendus sur l'aide apportée à ceux qui veulent arrêter, j'ai remarqué que 48 Nicorette – la dose pour deux jours – peuvent coûter jusqu'à 44 $ dans les pharmacies locales.

Lance travaillait comme adjoint administratif dans une firme juridique spécialisée dans l'obtention de permis pour les bars et les restaurants. Plutôt que d'assommer toute la ville avec le bâton de la prohibition, fit-il valoir, pourquoi ne pas agiter un genre de carotte ?

« Ils pourraient offrir un avantage fiscal aux bars qui choisissent de devenir non fumeurs. Si l'avantage est suffisamment important, le bar sera connu comme non fumeur, et les gens qui veulent ce genre d'environnement le fréquenteront. Il faut quand même avoir un peu le choix ! »

C'était la suggestion de politique publique la plus sensée que j'avais entendue jusque-là. Les municipalités contrôlent traditionnellement le nombre des établissements qui servent de l'alcool en émettant un nombre limité de permis. Pourquoi ne pas faire la même chose avec les bars fumeurs ? Lance aspira une dernière bouffée de sa Camel et jeta le mégot d'un air dégoûté. « Ils prétendent qu'en augmentant les taxes, les gens vont cesser d'acheter des cigarettes. Je me souviens de l'époque où ça me coûtait un dollar le paquet. Actuellement, ça m'en coûte cinq. Et je ne cesserai d'en acheter que lorsque j'aurai moi-même décidé d'arrêter, peu importe le prix qu'on va me les vendre. »

La quintessence de la contre-volonté. J'éprouvais le même sentiment que Lance : dans le contexte de la prohibition californienne, fumer devenait irrésistible. Chaque fois qu'on allumait une sèche, on franchissait une ligne invisible, on rejoignait un club privé qui faisait fi de la « bonne santé » régnante. Et ce n'était pas un effet du hasard si, en prenant ses distances par rapport à l'oppressante majorité vivant sainement, on rencontrait les types les plus sympas, les filles les plus intéressantes – comme Moss, Tamara, Lance. Pour moi, la culture *smoke-easy* de San Francisco ressemblait à celle des speakeasys de Chicago pendant l'ère de la Prohibition : une société parallèle fondée sur le mépris du puritanisme, le tabac tueur ayant remplacé le gin maison à titre de substance honnie. Après seulement quelques années, San Francisco, où avait débuté l'interdiction de fumer des temps modernes, avait développé une attitude mature face à la prohibition. Déjà, les citoyens, les propriétaires de bars et les restaurateurs avaient trouvé une douzaine de façons ingénieuses de contourner les lois absurdement restrictives que les agents gouvernementaux avaient abandonné tout espoir de pleinement faire appliquer. À New York, à Oslo, à Rome et à Dublin, on en était encore aux premiers balbutiements et l'opposition s'affairait à s'organiser. Qu'on leur laisse quelques années, pensai-je, et ces villes auront autant de *smoke-easies* que San Francisco.

Je m'amusais bien à draguer avec mes Nat Sherman et j'avais un peu l'impression d'être un hors-la-loi. Mais je fumais à présent depuis deux semaines, et j'étais rendu à un paquet par jour. Je remarquai que mes dents jaunissaient, que mon visage devenait bouffi et légèrement grisâtre. Une bande de métal semblait s'être installée de façon permanente dans ma poitrine. Pis encore, dès que je me tirais du lit, je pensais à ma première cigarette. Je devais faire un effort de volonté pour attendre au moins d'avoir pris mon petit-déjeuner avant de la fumer.

La nicotine m'avait repris dans ses serres.

C'était la raison pour laquelle j'avais d'abord cessé de fumer. J'avais pris conscience que les seuls plaisirs complets étaient les plaisirs volontaires. Quand une envie infernale nous volait notre liberté de choisir, quand on était obligé, par un besoin à la fois physique et psychologique, de succomber à une euphorie prévisible, on ressentait alors plus de soulagement que de joie. J'avais espéré que, après 10 ans d'abstinence, je serais capable de m'auto-restreindre, comme le pape, que j'aurais atteint la maturité de mon ami Alex, qui fumait parfois une cigarette après le dîner. Mais la nicotine comble manifestement un besoin différent en moi, et la pente qui menait du simple badinage à la dépendance était aussi irréversible, et vertigineuse, qu'un tour de gondole dans les Alpes. Je commençais à craindre que flirter avec ses propres démons, c'était agir avec l'orgueil démesuré d'un dandy faustien : il ne manquait que la fin d'une liaison, une mort dans la famille ou une chute dans la dépression pour que le flirt devienne le début d'une relation vraiment désagréable.

Il me restait encore mon Esplendido. J'avais envisagé de le fumer à l'Occidental Cigar Bar, exploité par le propriétaire, mais je préférai épargner la convoitise des habitués et fumer un cigare moins voyant, quoique tout aussi cubain, un Larrañaga de plus petit calibre. (Un architecte assis sur le tabouret à côté de moi avait commenté : « Cuba a commencé à la fin des années 1990 à produire des cigares pour alimenter le marché international. À mon avis, la qualité a diminué. » Ma foi, pensai-je, il pouvait bien parler ! Il fumait un dominicain appelé Flor de Cuba, une moche imitation du havane.) Je finis par griller mon Esplendido sur l'autel de la drague, à l'Odeon, un bar au cœur de la Mission. Le barman, Flash, un cyclone avec une barbiche grisonnante et un blouson de cuir de motard, me concocta un whisky sour géant. Quoiqu'il se vantât joyeusement d'avoir été surnommé « l'homme le plus méchant de l'Amérique » par Pat Robinson pour avoir contribué à corrompre la jeunesse états-unienne au festival Burning Man – et en racontant des anecdotes sur la livraison de cigarettes de contrebande à des personnes âgées en Arizona (« J'te dis, j'me sentais comme le bonhomme qui donne des cartouches de cigarettes dans la rue ! ») –, il était luimême non fumeur.

« Tu dois fumer ça dehors, me dit-il en voyant mon cigare. On a eu assez de problèmes comme ça avec la police. »

Je bavardais avec Linda, une massothérapeute. Je lui confiai que j'avais un cigare cubain dans ma poche.

« C'est vrai ? s'écria-t-elle. Je n'en ai jamais fumé. J'aimerais bien essayer. »

Nous sortîmes dans la rue Mission. Je me rappelais avoir lu que Freud attribuait le goût de fumer à l'impossibilité de surmonter, enfant, l'obsession de l'érotisme oral, un mal avec lequel le même Freud avait apparemment vécu en paix, puisqu'il fumait, paraît-il, jusqu'à 30 cigares par jour. Linda et moi fumions ensemble. Après environ 15 minutes, notre cigare n'ayant pas beaucoup diminué, nous avons convenu que tout ça ressemblait un peu à une corvée.

Une voiture de police s'arrêta devant nous. Un projecteur monté sur le toit scruta la foule, s'attardant sur le cigare que j'avais à la bouche. Merde, pensai-je. Pris en flagrant délit avec un cubain.

Mais ma contrebande enflammée n'intéressait pas le policier ; il nous dépassa en marchant à grands pas et vérifia si la porte était bien verrouillée. Il était deux heures du matin, l'heure de fermeture, et San Francisco fermait pour la nuit. Dans l'une des villes où l'interdiction de fumer avait débuté, la prohibition avait de toute évidence atteint sa maturité : l'accommodement.

J'écrasai le mégot de mon Esplendido à 75 $ et je dis à Linda : « Tu sais de quoi j'ai réellement envie ? Une cigarette.

— Mmm, répondit-elle, tandis que nous poursuivions notre badinage amoureux en marchant dans la rue Mission. On a envie de sentir cette fumée dans nos poumons, pas dans notre bouche. »

Elle m'alluma une Nat Sherman.

J'étais définitivement accroché.

LE DIGESTIF

Absinthe : Poison extra-violent : un verre et
vous êtes mort. Les journalistes en boivent
pendant qu'ils écrivent leurs articles. Mar-
quera sûrement la fin de l'armée française. A
tué plus de soldats que les Bédouins.

GUSTAVE FLAUBERT,
Dictionnaire des idées reçues

Absinthe suisse

Un verre et vous êtes mort

J'ai eu envie de boire de l'absinthe dès que j'ai vu son nom imprimé.

La première fois, c'était sans doute dans un de ces livres de mémoires d'expatriés que je dévorais dans mon adolescence. Était-ce une allusion, déjà nostalgique, à la vie avant la guerre dans l'une des confessions parisiennes d'Henry Miller ? Une anecdote sur la fée verte dans un tome du journal d'Anaïs Nin ? Probablement ni l'un ni l'autre. Lorsque la génération perdue est arrivée à Paris et qu'elle s'est mise à boire sérieusement, l'idylle des *poètes maudits** et des décadents de la *Belle Époque** avait déjà été ravagée par le gaz moutarde et les psychoses traumatiques, et l'absinthe était interdite en France depuis presque 10 ans. En 1920, Ernest Hemingway, un homme plein de ressources, découvrit que l'absinthe était encore disponible en Espagne. « Un verre de cet alcool, dit le narrateur de *Pour qui sonne le glas*, a remplacé les journaux du soir, toutes les soirées d'antan dans les cafés, tous les marronniers qui seraient en fleur ce mois-ci. » Mais une laconique entrée dans son journal décrivait avec plus d'éloquence d'anciennes débauches dans les auberges de jeunesse : « Complètement parti sur l'absinthe hier soir et fait des trucs avec un couteau. Grand succès au lancer du couteau par en dessous. Directement dans le piano. »

L'absinthe symbolisait alors les rêves éveillés, les excès, une ère révolue de vie de bohème et de clandestinité. À l'occasion d'un voyage en Europe, dans les années 1990, j'en bus mon premier verre au Marsella, un bar sympathiquement délabré du Barrio Chino de Barcelone. Un rituel élaboré précéda la consommation. Un carré de sucre trempé dans l'absinthe fut déposé sur une fourchette à trois dents; on le fit flamber jusqu'à ce que l'alcool soit évaporé, puis on le laissa tomber, ramolli et caramélisé, dans le liquide à l'aspect huileux. Après l'ajout d'eau froide, mon verre à brandy se transforma en un creuset où se produisit une irrésistible alchimie, le liquide se brouillant, devenant opaque et d'un vert opalescent. Le sucre brûlé réveillant l'arrière-goût végétal, la saveur était à la fois douce et amère, complexe et viciée, évoquant les dérèglements révolus d'une aristocratie en voie d'extinction. Je me félicitai de ma diligence: j'avais trouvé mon absinthe, un rêve d'adolescent était réalisé.

Examinant les lieux avec plus d'attention, je m'aperçus que le bar était bondé de hippies dans la vingtaine; la plupart d'entre eux vociféraient plus fort que la musique, et le gaillard morose qui les servait parlait avec un accent australien. Toute la scène était un ersatz du genre qu'on retrouve à Prague, à Amsterdam, à Reykjavik ou dans n'importe quelle ville européenne à la mode cette année-là pour les expatriés. Heureusement, je fus rapidement assez soûl pour ne pas me montrer trop tatillon pour ce qui était de l'authenticité.

Quand j'écrivis un article sur cette expérience, le rédacteur en chef me posa la question incontournable: « Es-tu sûr d'avoir bu de l'absinthe authentique? Je veux dire, comme celle qui a déboussolé complètement Oscar Wilde? » Je me lançai dans une défense véhémente de mon ivresse. J'avais bu cinq verres d'absinthe et l'expérience n'avait aucunement ressemblé à ce qu'on éprouve avec de la bière – hébétude, ballonnements, estomac barbouillé –, ou avec le bourbon – un coup de masse. Je m'étais senti à la fois calme et éveillé, un esprit alerte observant un corps engourdi avec un détachement amusé. Même la gueule de bois avait été exceptionnelle: j'avais dormi jusqu'à midi, puis je m'étais rendu à la plage en métro et là, j'étais resté vautré au soleil à exsuder mes toxines, jusqu'à ce que les chacals cessent de me mordiller le ventre et que les larves finissent de creuser leur tunnel dans mon cerveau.

« De l'absinthe authentique... absolument », affirmai-je avec une autorité toute journalistique. L'article fut publié et, par la suite, inclus dans une anthologie. Avec les droits d'auteur à la clé, j'étais devenu, même dans une faible mesure, un possesseur du mythe.

Cela se passait en 1997. Pendant les quelques années qui suivirent, j'observai avec le regard torve de l'initié se développer un irrépressible engouement pour l'absinthe. Le groupe Green Bohemia, formé de musiciens et d'auteurs du magazine britannique *The Idler*, se mit à importer une marque tchèque appelée Hill's en Angleterre, pays où cette boisson n'avait jamais été assez populaire pour être interdite. (J'en essayai une bouteille à Vienne. Ça ressemblait à du Windex, goûtait le Listerine et faisait le même effet que le rhum agricole.) Dans le French Quarter et le West End, l'absinthe était présentée comme le cocktail du nouveau millénaire. Dans le film *Sorti de l'enfer*, Johnny Depp incarnait un détective opiomane et amateur d'absinthe verte qui pourchassait Jack l'éventreur. En Amérique du Nord, on commençait à voir certaines marques – l'Absente, la Versinthe, et la Hill's que j'avais trouvée en Autriche – sur les étagères des magasins d'alcool. Je riais sous cape en les voyant lancées à grand renfort de publicité : la Hill's et les autres marques importées n'avaient rien à voir avec l'absinthe que j'avais bue en Espagne, et encore moins avec la boisson préférée des *boulevardiers** et des *flâneurs** du XIXe siècle. Privée de ses herbes essentielles, la version moderne n'était qu'une gnôle à forte teneur en alcool vendue dans une bouteille tarabiscotée : une concoction branchée au prix exorbitant, faite sur mesure pour un éphémère marché avide de nouveauté.

N'empêche que je commençai à m'interroger. Mon expérience à Barcelone avait-elle eu quelque chose d'authentique ? Je fis des recherches dans Internet. Je découvris que, au cours des dernières années, de l'Uruguay à la Nouvelle-Zélande en passant par La Nouvelle-Orléans et Manchester, le milieu underground à tendance gothique s'était partout pris de passion pour l'absinthe. Sur le site *louchedlounge.com*, des fabricants de *hogsmack* – de *Hausgemacht*, un mot allemand signifiant « de fabrication domestique » – échangeaient des tuyaux, mais même les partisans les plus enthousiastes ne parlaient pas d'hallucinations ni de rêves éveillés. À lire leurs échanges, qui dégénéraient souvent en confidences pornographiques, on se serait cru dans un centre de loisirs bondé de jeunes ados surexcités parce qu'ils viennent de fumer leur premier joint d'herbe cultivée à la maison, et incapables de dire s'ils se sont oui ou non sentis planer. En même temps, la médiocre absinthe espagnole – 16€ à la boutique hors taxes de l'aéroport de Madrid – se vendait 75 $ la bouteille sur eBay.

L'authenticité de l'absinthe semble dépendre de la présence d'une seule herbe : l'armoise. Son ingrédient actif, la thuyone, entre également dans la composition de la chartreuse, de l'onguent décongestionnant Vicks VapoRub, du vermouth et de l'Absorbine Jr. Selon certains chercheurs, à forte dose, c'est un hallucinogène ; des études médicales effectuées dans les années 1970 montrent qu'elle agit sur les récepteurs cannabinoïdes du cerveau – ainsi, les décadents *fin de siècle** s'éclataient peut-être simplement sur un machin branché du genre THC. Je téléchargeai un article de la revue *Current Drug Discovery* et j'appris alors que plusieurs types d'absinthe avaient été soumis à des analyses de chromatographie par le gaz. D'après l'auteur, les produits qu'on faisait passer pour authentiques à Prague et à Barcelone ne contenaient pratiquement pas de thuyone. Étonnamment, même une bouteille d'absinthe Pernod certifiée des années 1900 ne contenait que des traces de la substance. Selon le même article, les niveaux les plus élevés furent retrouvés dans une bouteille d'absinthe – une marque nommée La Bleue – de fabrication domestique achetée dans une petite vallée suisse. D'autres sites Web la décrivaient comme le « Saint-Graal » de l'absinthe, et ajoutaient, à propos de sa disponibilité : « Vendue au noir – Bonne chance ! »

Miracle ! J'avais localisé l'authenticité – une qualité dont, selon mon expérience, la principale caractéristique est de se trouver toujours ailleurs.

Le voyage allait devoir débuter en France. Autrefois l'apéritif national du pays, l'absinthe connaissait soudain une renaissance, ce qui modifiait le statut qu'elle avait quelques années auparavant. À la fin des années 1990, chaque fois que j'interrogeais un barman ou un marchand de vin à propos de l'absinthe, j'obtenais la même réaction instinctive, la même réponse donnée sur un ton irrité : « L'absinthe ? *Non, non, non. C'est la boisson qui rend fou* !* » – ce slogan utilisé par les adeptes de la tempérance au cours de la campagne antialcoolique des années 1890. Dans la mémoire collective des Français, l'absinthe transforma Paul Verlaine, poète génial du Parnasse, en un clochard du Quartier latin, envoya Henri de Toulouse-Lautrec au sanatorium et incita Vincent Van Gogh à se trancher une oreille – un charmant cadeau à offrir à sa belle.

Plus âgé et plus tremblant, déjà délesté d'un lobe, Van Gogh termina son existence à Auvers-sur-Oise, un village riverain qui fait désormais partie de la banlieue nord de Paris. Je garai ma voiture de location dans une allée qu'il empruntait, avec son chevalet, pour aller peindre dans les prés, et je me dirigeai vers un modeste édifice en pierres des champs de couleur beige, orné de volets verts. Fixée à la façade de l'étage supérieur, une cuiller géante en forme de tour Eiffel m'annonça que j'avais trouvé le Musée de l'absinthe.

Après avoir examiné les pièces exposées – verres fuselés dont le pied arborait des protubérances en forme de graines, truelles métalliques d'aspect aussi sinistre que des instruments gynécologiques en usage à l'époque victorienne –, je me présentai à la conservatrice, Marie-Claude Delahaye, l'experte française en histoire de l'absinthe. Vêtue d'une élégante robe estivale, le cou orné d'un collier de perles mettant en valeur ses cheveux cuivrés, Delahaye ne correspondait aucunement à l'image que je me faisais d'une universitaire versée dans la débauche. Elle était menue, précise, pédante et intensément possédée par son obsession.

« Un jour, au marché aux puces de Clignancourt, je suis tombée sur cette curieuse cuiller trouée, me raconta-t-elle. Le marchand m'a expliqué qu'on s'en servait pour boire de l'"absinthe", un alcool qui avait été interdit parce qu'il rendait les gens fous. Deux mots ont particulièrement éveillé mon intérêt : "interdit" et "fou". »

Sa trouvaille allait devenir la clé de voûte de la collection du musée et, en 1983, Delahaye publia un ouvrage sur l'histoire sociale de l'absinthe.

« Je fus la première à recommencer à parler de l'absinthe. Grâce à ma recherche, aux liens que j'ai établis entre les milieux artistiques et politique, les gens disent aujourd'hui que l'absinthe est mythique. » Professeure de biologie cellulaire au niveau universitaire, Delahaye a fait une recherche exhaustive. En 1805, Henri-Louis Pernod, qui avait hérité de son père la recette d'un extrait d'armoise, fonda une distillerie à Pontarlier, une ville du Jura français. Ses représentants firent connaître le nouvel apéritif dans toute la France, mais celui-ci fut surtout apprécié dans les villes méridionales comme Marseille. En 1830, les premiers bataillons d'Afrique partirent à la conquête de l'Algérie ; dans les cales de leurs bateaux, il y avait des tonneaux d'absinthe : les médecins militaires espéraient, avec cet alcool fort, purifier l'eau locale et conjurer la malaria. Les officiers y prirent goût et rapportèrent cette habitude dans la capitale. Voyant les militaires moustachus, conquérants de l'Afrique, en boire dans les cafés, la *bourgeoisie** parisienne se mit à son tour à commander la liqueur vert émeraude.

Vers 1860, l'absinthe était devenue le symbole par excellence de la langueur sophistiquée, et *l'heure verte** – heure de l'absinthe – se prolongeait de 5 à 7. Le rituel compte pour beaucoup dans l'attrait exercé par cet alcool. Des fontaines à absinthe à la structure arachnéenne ornaient les tables rondes aux terrasses des *grands boulevards**. Le buveur tournait un robinet, et de l'eau fraîche s'écoulait d'un des quatre becs du réservoir en verre de la partie supérieure. Au rythme d'une goutte par seconde, l'eau tombait sur un carré de sucre posé sur la cuiller percée et filigranée (habituellement plus spatulée que concave) en équilibre sur un petit verre fuselé. À mesure que les gouttes d'eau sucrée touchaient l'absinthe – un alcool incolore à 140 degrés – au fond du verre, les huiles essentielles de la plante, solubles dans l'alcool, mais non dans l'eau, devenaient opaques, et des volutes opalescents ou vert émeraude se déployaient dans le liquide. Graduellement, la proportion idéale – cinq parties d'eau pour une partie d'absinthe – était atteinte et la préparation devenait complètement opaque ou *louche** – un terme qui qualifie également une personne au passé trouble. Derrière les exhalaisons d'anis, de fenouil, d'hysope et de mélisse, on détecte l'odeur âcre – émoustillante et maléfique – de l'armoise, évoquant celle d'un champignon vénéneux dissimulé dans les buissons d'une pinède.

Selon Delahaye, ce fut un effet de mode. « Pour la première fois, les femmes, qui, jusque-là, ne consommaient pas beaucoup d'alcool, se sont vraiment mises à boire en public. C'était aussi la première fois que les gens goûtaient la saveur des plantes fraîches dans un apéritif, la première fois qu'ils ajoutaient de l'eau froide à leur boisson. Tout le rituel – cuillers, fontaines, verres allongés – correspondait à un siècle de nouvelles technologies, de créativité nouvelle. » Dans les années 1870, alors que le phylloxéra ravageait les vignes du pays, le prix du vin monta en flèche, et l'absinthe, à seulement trois sous le verre, devint la boisson officielle de la bohème. Toulouse-Lautrec mélangeait la sienne avec du cognac pour en concocter un cocktail qu'il camouflait dans sa canne ; il l'appelait *tremblement de terre**. Edmond de Goncourt, *boulevardier** et mémorialiste, aimait ajouter de la teinture d'opium à la sienne. Le plus extravagant de ces aficionados fut sans contredit Alfred Jarry, auteur d'*Ubu roi* et père de la pataphysique, la science des solutions imaginaires. Authentique esthète, Jarry se teignit un jour le visage et les mains en vert et se vanta de commencer la journée avec un verre d'absinthe non diluée et de la finir avec un autre arrosé de vinaigre et d'une seule goutte d'encre. (Pour ceux qui cherchent une morale à cette histoire, Jarry mourut à 34 ans de tuberculose aggravée par l'alcoolisme.)

Si les artistes sans emploi pouvaient se permettre l'absinthe, les travailleurs le pouvaient également, surtout que, après
l'infestation des vignes par le phylloxéra, le vin était désormais
au-dessus de leurs moyens. Les buveurs sérieux demandaient
des doubles et réduisaient graduellement la quantité d'eau
ajoutée ; à la fin, comme Jarry, ils buvaient la redoutable *purée**
presque pure, de l'absinthe à 140 degrés par volume. S'ils
avaient bu de l'absinthe comme celle de Pernod, qui distillait
son alcool à partir de raisins, les conséquences auraient été
moins graves. Mais l'absinthe populaire était également un
produit bas de gamme, fait d'alcool industriel de betterave ou
de mélasse, que les distillateurs – il y avait près de 1000 marques différentes dans les années 1890 – dénaturaient en ajoutant des substances toxiques comme l'acide cuprique (pour
donner la couleur verte) et le chlorure d'antimoine (pour favoriser la *louche**). Les pires absinthes étaient distillées à partir de
méthanol (le même alcool de bois, mortel, qu'on utilise de nos
jours pour fortifier la gnôle de contrebande en Norvège). Les
médecins diagnostiquèrent une nouvelle maladie, l'*absinthisme**,
caractérisée par des hallucinations, des tremblements et des
crises d'épilepsie.

D'un point de vue moderne, leur méthodologie peut paraître un tantinet bancale. Dans une expérience célèbre, un
cochon d'Inde auquel on avait injecté d'un seul coup l'équivalent de sept litres d'absinthe fut pris de convulsions et succomba. (Mais dans une autre expérience, placée devant la possibilité de vivre dans un aquarium rempli d'eau distillée, un
autre, d'eau salée et un troisième auquel on avait ajouté de
l'absinthe, une grenouille choisit la version alcoolisée. Une
question d'affinité naturelle avec la couleur verte, peut-être.)
L'estomac vide, deux empiristes intrépides ingérèrent un
gramme d'huile d'armoise – l'équivalent de 200 doses d'absinthe pure – sans conséquences désastreuses. N'empêche que les
groupes en faveur de la tempérance qualifiaient l'absinthe
d'« épilepsie en bouteille ». La France décrite par Émile Zola
dans son roman *L'assommoir* était indiscutablement aux prises
avec un énorme problème social : l'alcoolisme. À Paris seule-

ment, il y avait 33 000 bars et débits de boisson (cinq fois plus qu'à Londres ou qu'à Chicago), mais seulement 17 000 boulangeries. En 1914, la consommation annuelle grimpa à un sommet époustouflant : 30 litres d'alcool pur par adulte (en comparaison, les Irlandais, champions du monde actuels, semblent relativement sobres avec leurs 14,2 litres par année). Mais la condamnation de l'absinthe fut sommaire et injuste : c'étaient les conditions sociales qu'on aurait dû mettre en cause – l'abrutissant travail en usine, les logis surpeuplés et insalubres, l'absence d'activités de loisir organisées et abordables –, conditions qui entraînaient les gens vers les cafés et les estaminets.

Les Belges furent les premiers Européens à interdire l'absinthe, en 1906. Un crime horrible scella son cas en Suisse : après avoir bu deux verres d'absinthe, un journalier tua sa femme, puis abattit leurs deux filles, encore des bébés. (Le fait qu'il avait ingurgité une *crème de menthe**, un cognac et cinq litres de vin maison avant de commencer à boire de l'absinthe fut ignoré par les autorités locales, probablement parce que le crime avait été commis dans le Vaud, une région viticole.) Bien qu'à peine consommé ailleurs qu'à la Jean Lafitte's Old Absinthe House de La Nouvelle-Orléans, cet alcool fut, en 1912, banni par le ministère de l'Agriculture des États-Unis, où il est encore illégal.

En France, les groupes de tempérance, appuyés par l'industrie du vin – laquelle, au tournant du siècle, souffrait de surproduction et ne parvenait pas à écouler son produit –, firent de l'absinthe le bouc émissaire responsable de tous les problèmes de l'alcoolisme. Lorsque l'absinthe fit des incursions dans le sud, les unions agricoles locales votèrent pour qu'on l'élimine. (Bien que l'absinthe n'ait jamais représenté plus de 3 % de l'alcool consommé en France comparativement aux 72 % représentés par le vin, à cause de la surproduction, les viticulteurs cherchaient désespérément un moyen de développer leurs marchés intérieurs.) En 1907, le plus important de ces groupes, l'Union centrale des syndicats, qui représentait 1200 syndicats, exigea l'interdiction de l'absinthe. Scandant le slogan *Tous pour le vin, contre l'absinthe**, 4000 personnes se réunirent à Paris et manifestèrent contre la Fée verte. Le public réagit avec indifférence et le gouvernement résista ; les taxes imposées sur l'absinthe rapportaient à ce dernier 45 millions de francs par année et il répugnait à perdre cette source de revenus. Il fallut attendre encore sept ans pour que l'interdiction entre en vigueur. Le 14 août 1914, lorsque les premières affiches mettant l'absinthe hors la loi furent placardées aux façades des préfectures parisiennes, la prohibition semblait presque superflue. Deux semaines plus tôt, la classe ouvrière avait dû affronter un tueur bien plus efficace : la France était entrée dans la Première Guerre mondiale. Contrairement à la Scandinavie et aux États-Unis, la France avait évité le désastre de la totale prohibition de l'alcool – et l'invraisemblable projet d'interdire le vin – en sacrifiant une seule boisson, l'absinthe, rendue coupable de tous les péchés de l'alcool.

« L'absinthe ne vous rend pas fou », insista Delahaye en vendant des billets d'entrée à un groupe de visiteurs du troisième âge, coiffés de chapeaux de paille. « J'ai étudié l'équivalent de 40 années de revues médicales, et aucune revue sérieuse n'a jamais mentionné d'"effets hallucinatoires". C'est vrai, la plante elle-même, l'armoise, n'est pas complètement innocente. On sait qu'elle a provoqué des crises d'épilepsie. Mais c'étaient des cas extrêmes, et il s'agissait de très gros buveurs. » Elle me dit avoir été choquée en apprenant que Green Bohemia faisait passer la marque tchèque Hill's pour le produit authentique aux *ravers* et aux jeunes Londoniens. « Une tactique commerciale ! Cet horrible vert fluorescent ! J'ai essayé d'en boire, ça ne *louche** même pas quand on ajoute de l'eau ! » Delahaye avait concocté une version moins alcoolisée, La Fée Verte, qu'elle vendait à la boutique de souvenirs de son musée.

Elle vendait aussi de nombreux autres articles liés à l'absinthe. « Si vous le voyez ici, c'est parce que c'est à vendre », rappelat-elle à un autre troupeau d'excursionnistes. En plus des six ouvrages qu'elle avait signés, Delahaye vendait avec diligence cartes postales, cuillers à absinthe et reproductions d'affiches. Avant de partir, je lui demandai si, en tant que connaisseuse, elle avait remarqué que l'absinthe l'affectait différemment des autres alcools.

« Je n'en ai jamais bu assez à la fois pour éprouver le moindre effet. Sauf, peut-être, un peu de chaleur derrière les oreilles, répondit-elle avec un rire juvénile. Je possède quelques bouteilles du XIXe siècle, mais il n'est pas question de les ouvrir – ce sont des objets de collection. Pourtant, une fois, un type m'a apporté une bouteille de Jules Pernod millésimé, et il en restait encore un peu au fond. Nous y avons goûté. C'était très aromatique, la couleur était très belle, et il y avait un très fort arrière-goût de plante. Je ne peux pas dire que j'ai vraiment aimé ça – le goût de l'anis était trop prononcé. Le plaisir était surtout intellectuel. »

Delahaye avait une définition très précise de l'authenti-cité : la seule véritable absinthe devait être de haute qualité, fabriquée selon une ancienne recette. C'était, après tout, un symbole du passé glorieux de la France, d'une ère d'élégance et de ferveur créatrice. À titre de marchande et de conservatrice, elle cultivait l'intérêt qu'elle-même portait au mythe. Si elle acceptait une marque bon marché, de qualité inférieure, elle trahirait l'apéritif raffiné des boulevards. Et si elle avouait être intéressée par l'ivresse que procure l'absinthe, eh bien, ce ne serait que du sensationnalisme vulgaire, une recherche de sen-sations fortes – pas mieux qu'un routard qui fume un joint dans un *coffee shop* d'Amsterdam.

*
* *

Après l'asphalte impeccable de l'Autoroute du soleil, qui con-duit vers le sud-est de Paris en passant par la Bourgogne, la route bordée de pins et de mélèzes se rétrécit et serpente dans le Jura – une région qui, maintenant que les campagnes se dé-peuplent, est désormais plus boisée qu'elle ne l'était au XIXe siè-cle. Selon mon guide Michelin, en plus d'être un centre inter-national de fabrication de pipes et de jouets en bois, le Jura est le lieu de naissance d'un certain Charles Sauria, inventeur de l'allumette en bois.

Ce qui me frappait comme étranger, c'était que le Jura – la région la plus froide de la France – fût également le berceau français de l'absinthe et du Pernod, des boissons que l'on associe davantage à l'apéro sous le chaud soleil de l'après-midi qu'aux *eaux-de-vie** alpines. En 1905, la seule ville de Pontarlier abritait 25 distilleries d'absinthe produisant 10 millions de litres par année, et un tiers de ses citoyens y gagnaient leur vie. Aujourd'hui, l'ancienne fabrique Pernod est la propriété d'une multinationale suisse et on y produit des millions de petits-déjeuners instantanés Carnation.

Ce jour de juin, une vague de chaleur sévissait dans la région et je me dis qu'aller siroter une absinthe à une terrasse de la rue principale de Pontarlier, au milieu des boutiques, serait une façon civilisée de terminer ce long trajet en voiture. Je vis des fontaines à absinthe dans les vitrines des magasins, des cuillers trouées et des verres anciens chez les antiquaires. À la Brasserie de la Poste, je demandai une absinthe à un serveur – chemise blanche et large cravate noire – qui me répondit sèchement : « Nous n'en avons pas. »

J'avais oublié. À proprement parler, l'absinthe est toujours illégale dans la plupart des pays européens. Ce qui explique l'euphémisme de la nomenclature : on l'importe sous le nom d'Absinth de la République Tchèque, on la commande sous le nom d'Absenta en Espagne et on la vend en France sous des noms comme Oxygénée ou Absente. Je changeai de tactique et demandai une François Guy. Le serveur me montra une bouteille dont l'étiquette portait les mots *Spiritueux aux extraits de plantes d'absinthe** et je hochai la tête en signe d'assentiment. Sans sucre, la version de Pontarlier se révélait une boisson amère pouvant – selon la loi européenne – contenir plus de trois fois plus de thuyone que les autres marques. À la terrasse, on m'apporta un alcool transparent, jaunâtre, dans un verre haut, accompagné de toute la panoplie requise : une cuiller à absinthe, un verre Perrier rempli de glaçons et une bouteille d'eau.

À ma gauche, une paire d'aspirants cyclistes du Tour de France, aux cuisses et aux mollets de la même couleur que le rosé dont ils partageaient une bouteille, mangeaient un *steak-frites**. À ma droite, le serveur se pencha pour poser un bol de plastique rempli d'eau devant un terrier pantelant aux pieds d'une dame élégante. Je développai un carré de sucre, l'imbibai d'eau et regardai le liquide au-dessous devenir *louche**, d'un blanc nacré. La saveur était légèrement amère, très herbeuse, avec une menace âcre tapie derrière l'anis. J'étais content; j'avais l'impression de goûter à quelque chose d'authentique et, l'espace d'un instant, je me complus dans l'aura de ce caprice longtemps interdit. Un petit détail troubla pourtant mon idylle anachronique : en lisant l'étiquette, je remarquai que la François Guy ne contenait que 45 % d'alcool – un taux très inférieur à celui de ses vénérables ancêtres.

Le lendemain matin, François Guy en personne défendit son produit.

« Mon arrière-grand-père, Armand Guy, a commencé à fabriquer de l'absinthe en 1890, déclara-t-il. Et je fabrique aujourd'hui de l'absinthe exactement comme il faisait la sienne. »

Guy a grandi dans cette distillerie – un groupe de maisons au toit pointu en bardeaux et à la façade blanche dans une rue résidentielle tranquille –, et nous nous trouvions dans son bureau, un lieu quelque peu intimidant quand on sait que le mur dans mon dos était couvert du plancher au plafond d'épées, de carabines et de heaumes étincelants. Guy – cheveux très ras, six pieds en mocassins, avant-bras puissants et menton en galoche – dégageait ce genre de confiance en soi qui doit venir de l'appartenance à une dynastie dans ce qui était naguère l'unique industrie de la ville.

Il rejetait l'absinthe tchèque : « *Attention**! Poison. De la merde à l'état pur. Elle ne contient pas un seul gramme d'armoise ou d'anis. On pourrait aussi bien la mettre dans notre réservoir à essence. »

Il ridiculisa les lois de l'Union européenne sur la teneur en thuyone : « C'est complètement hypocrite. On ne peut l'appeler "absinthe" que si elle contient au moins 35 milligrammes de thuyone par litre. Mais si on l'appelle "absinthe", c'est illégal. »

Et il balaya du revers de la main les accusations de toxicité portées au XIXᵉ siècle : une conspiration fomentée par des médecins et des marchands de vin. « Il faudrait en boire six litres par jour avant de commencer à éprouver des problèmes avec la thuyone. Le problème, ce n'était pas l'armoise, c'était le pourcentage d'alcool. Les gens buvaient 60 millilitres d'absinthe à la fois, à 68 % d'alcool ! Et ils faisaient ça après le travail, l'estomac vide ! Cela équivalait à prendre six apéritifs modernes dans un seul verre. Rien d'étonnant à ce que ces artistes aient complètement perdu la boule. »

Et tout en déclarant que la thuyone était inoffensive et que l'alcool était l'ingrédient nocif – c'était pourquoi sa marque n'en contenait qu'un modeste taux de 45 % par volume –, il fit valoir que son produit contenait plus de thuyone que tout autre sur le marché. « Nous en avons actuellement 33 milligrammes par litre. Plus que cela, et nous aurions des problèmes. »

Il me fit faire une rapide visite des lieux. Dans un coin, des poches de nylon remplies d'anis espagnol s'empilaient jusqu'au plafond. Des employés en bleus de travail scellaient des caisses de cerises conservées dans de l'alcool. Nous arrivâmes au cœur de la distillerie : un alambic de cuivre relié à une unité de réfrigération par un tuyau en col de cygne.

« Nous remplissons d'alcool, d'armoise et d'anis et d'autres herbes un bac au centre de l'alambic, nous faisons chauffer le tout et laissons macérer toute la nuit, m'expliqua Guy. Ensuite, nous faisons bouillir la concoction, les huiles essentielles s'évaporent et vont dans le tuyau avec l'alcool avant de passer par des anneaux de condensateur refroidis à l'eau. » Du fond du condensateur cylindrique, un liquide clair s'écoula par un tuyau dans un tonneau en chêne : de l'absinthe pure hautement alcoolisée. « J'en ai déjà distillé 2000 litres ce matin. La plupart des fabricants espagnols ne se donnent même pas la peine de distiller. Ils fabriquent ce que nous appelons de l'*absinthe-bâton**. » Autrement dit, de l'absinthe remuée à l'aide d'un bâton. « Ils ajoutent à l'alcool de l'extrait d'armoise déjà préparé, et ils remuent. C'est pourquoi le goût de leur absinthe est si amer, et la migraine du lendemain matin est due à l'acidité et aux impuretés. »

Au sommet d'une volée de marches, Guy ouvrit une porte donnant sur une cour ensoleillée. J'aperçus un jardin où poussaient des centaines de plants d'armoise. C'était la première fois que je voyais cette plante. Malgré toute la mythologie qui l'entoure, cette herbe, pas plus haute que la taille, ne paie vraiment pas de mine.

« Frottez une des feuilles », insista Guy. Gris verdâtre au sommet, blanchâtre au-dessous, la feuille aux lobules tarabiscotés était soyeuse entre mon index et mon pouce. « Maintenant, sentez votre pouce. » Mes pores exhalèrent une odeur médicinale, celle du champignon vénéneux caché dans la pinède. Je posai le bout de ma langue sur la feuille et fis la grimace : c'était aussi amer que du cérumen. « Ce n'est qu'un jardin de démonstration, dit Guy. J'ai 55 000 plants dans un champ à proximité. Nous avons des chèvres qui mangent la mauvaise herbe ; elles ne touchent pas à l'armoise, c'est trop amer. »

C'était par son jardin que Guy affirmait l'authenticité de son produit. En cultivant sa propre armoise – un fait bien en évidence sur chacune des étiquettes –, il espérait faire de l'absinthe de Pontarlier un véritable produit du *terroir** jurassien et revendiquer aux sauvages ibériques et aux cosaques des Balkans une boisson qui, pour lui, était la quintessence de la France. Je lui demandai s'il prévoyait demander une *appellation d'origine contrôlée** (AOC), cette désignation que les fromagers bourguignons avaient obtenue pour l'époisses.

« Strictement parlant, il ne serait pas possible d'obtenir une AOC, parce que certains ingrédients – l'anis, en particulier – ne poussent pas sous ce climat. Il y a un an et demi, nous avons demandé une *appellation d'origine réglementée** (AOR), ce qui représente une garantie de qualité. C'est comme une carte professionnelle, une cravate autour de chaque bouteille. »

Et cela permettrait aussi de reléguer les absinthes étrangères – les marques espagnoles et tchèques méprisées par Guy – au second rang. La seule absinthe authentique serait celle du Jura français, fabriquée selon des recettes ancestrales à base d'armoise cultivée à Pontarlier. Toutes les autres seraient des imitatrices, comme une vulgaire *méthode champenoise** polonaise comparée à un véritable Dom Pérignon.

Nous nous retrouvâmes dans un coin de la distillerie, où un jeune couple, qui faisait partie d'un groupe de joyeux touristes venus par autocar, profitait d'une dégustation de fin d'avant-midi. Perchée sur un tonneau de chêne renversé, leur fillette – un bébé – faisait tomber un morceau de sucre d'une cuiller dans un verre d'absinthe. J'étais étonné de ne pas la voir chanceler sous l'effet des exhalations. François Guy ouvrit fièrement une bouteille de son apéritif éponyme et me montra comment, quand on y ajoutait de l'eau, il passait d'un jaune transparent à un blanc laiteux. Tout en le complimentant pour le *louche** et le goût de son produit, je lui avouai que ma mission consistait à trouver une bouteille de La Bleue. Ce qui m'amena à poser la question que je gardais en réserve : l'absinthe n'avait-elle pas d'abord été fabriquée en Suisse ? Et si c'était le cas, comment pouvait-on espérer la revendiquer pour la France ?

« Écoutez, me répondit-il énergiquement, l'absinthe qui fut connue dans le monde entier ne venait pas de Suisse. Elle venait de Pontarlier. » Il alla à son bureau et revint avec un ouvrage publié par la distillerie Pernod en 1896. « Malgré le nom d'*absinthe suisse** qu'on lui donne souvent, lut-il à voix haute, cette liqueur célèbre est d'origine française. À la fin du siècle dernier, un médecin français, le Dr Ordinaire, exilé en Suisse… et qui ne méprisait pas les panacées, en utilisa une en particulier, l'élixir d'armoise, composé de plantes aromatiques et dont il était le seul à posséder le secret. » Guy referma le livre d'un air satisfait. « Même si on l'a d'abord fabriquée en Suisse, l'inventeur lui-même était français. » Ce qui ne l'empêcha pas de tendre la main vers une rangée de bouteilles de son propre *spiritueux** derrière lui et d'en prendre une sans étiquette contenant un liquide incolore. « J'ai acheté ça en Suisse. Regardez, quand on ajoute de l'eau, elle devient bleue. L'absinthe française, la vraie, devient verte ou opale. » Il avait raison : quand je tins le verre dans la lumière, je vis que l'absinthe était d'un bleu captivant.

Je ne pus non plus m'empêcher de constater que Guy gardait une bouteille d'absinthe suisse sur l'étagère du haut.

Par nature, une créature mythique qui se respecte disparaît avant qu'on puisse l'attraper. Les farfadets, les lutins et les fées se laissent joyeusement pourchasser, puis ils s'évaporent dans la nature, laissant celui qui les convoitait avec l'écho d'un rire, seul au milieu de la pinède où la nuit tombe et où il risque d'être débusqué et abattu par des ogres plus méchants. Dans le Jura, l'être fabuleux régnant est la *vouivre**, un serpent à tête de séductrice qui hante les torrents isolés. Selon la légende, la *vouivre** apparaît dans un nuage de brume et, avec un anneau serti de pierres précieuses, elle attire les randonneurs confiants sur la berge. Elle leur suce ensuite le sang jusqu'à la mort dans les eaux glacées. Créature née de la terreur éprouvée dans les forêts celtiques, la *vouivre** n'a rien d'une sauterelle douée de la parole dans une fable pastorale, et elle n'illustre aucune morale claire : elle incarne plutôt les peurs profondément enracinées, les désirs inavoués et la sagesse qu'il ne faut jamais oublier.

Les rivières du Jura sont aussi évanescentes que la *vouivre**. Elles apparaissent de façon spectaculaire dans des cavernes de montagnes embrumées, forment des méandres complexes dans d'étroites vallées, disparaissent brusquement dans le karst, pour émerger de nouveau des douzaines de kilomètres plus loin sous des noms souvent complètement différents. Le Doubs – du latin *dubius*, ou « hésitant » –, qui traverse le centre de Pontarlier, est l'une de ces rivières. En 1901, l'usine Pernod fut frappée par la foudre, et l'éclair tomba dans l'entrepôt du sous-sol, mettant le feu à un tonneau d'absinthe. Craignant que l'alcool ne transforme l'endroit en un enfer, un employé dégourdi ouvrit les cuves et vida un million de litres d'absinthe Pernod de la meilleure qualité dans le Doubs. Tandis que l'usine flambait, la rivière prit une teinte distinctement opaline et, entre leurs tours au tuyau d'arrosage, les pompiers remplirent leurs casques de cette Fée verte pré-mélangée. Deux jours et demi plus tard, un géologue suivit le courant sur plusieurs kilomètres et découvrit que ce qu'on avait longtemps cru être une autre rivière exhalait des relents anisés : la rivière Loue n'était donc qu'une résurgence du Doubs.

Si les eaux du Jura se faufilent dans les grottes et franchissent aisément les frontières, ce n'est pas aussi simple pour les humains. Roulant vers l'est à partir de Pontarlier, je tombai soudain sur un poste frontalier suisse ; là, un douanier à l'air renfrogné, au regard bleu perçant, me fit signe de me ranger sur le côté de la route et me demanda mon passeport. Un berger allemand tenu en laisse s'approcha et renifla les pneus de ma bagnole. Le garde me fit vider mon coffre arrière et porter mes bagages dans une pièce exiguë où un collègue plus jeune le regarda tapoter les jambes de mon pantalon et passer en expert ses doigts sur les coutures de mon sac à dos. Puis, dans un autre sac, il trouva une bouteille d'absinthe et une cuiller, cadeau de François Guy.

« Ah ! » Un léger sourire éclaira son visage. « Vous faites la route de l'absinthe ! » La tension se relâcha. « Ça va. Vous pouvez refermer vos sacs. » Dehors, j'attendis qu'une femme costaude avec des outils à sa ceinture finisse de revisser les panneaux des portes de ma voiture.

« Bienvenue en Suisse, marmonnai-je au douanier, un peu sèchement.

— Vous devez comprendre, se justifia-t-il. Vous êtes un jeune homme, en voiture de location, avec des plaques d'immatriculation parisiennes. Nous avons beaucoup de trafic de drogue par ici. »

Tiens, en Suisse, l'absinthe française était manifestement trop anodine pour que qui que ce soit eût l'idée de la qualifier de drogue.

De retour sur l'autoroute, je compris que j'avais quitté l'Europe. La Suisse n'a jamais officiellement rejoint les rangs de l'Union ; elle a sa propre Constitution, ses propres lois, sa propre monnaie, ses propres excentricités. Je n'avais pas parcouru plus d'un demi-kilomètre que j'avais déjà aperçu ma première créature mythique : un gnome aux joues roses.

C'était un nain de jardin, planté à l'extérieur d'une station-service, flanqué d'une Blanche-Neige version Walt Disney.

J'aboutis enfin au lieu de naissance de La Bleue – un alcool artisanal, l'équivalent suisse de l'Appalachienne ou du Trøndelag norvégien. Je me trouvais au Val-de-Travers, ainsi baptisé parce que le fond de la vallée était creusé de l'est à l'ouest plutôt que du nord au sud, selon la norme alpine, par le cours excentrique de la rivière Areuse. Les Traversins francophones appellent les Suisses allemands *Neinsagers*, « ceux qui disent non ». En 1992, leurs compatriotes refusèrent de se joindre à l'Europe – ce qui était peut-être leur droit. Il y a un siècle, cependant, ils dirent non à l'absinthe et les Traversins ne le leur pardonnèrent jamais. Sur le site Web de la vallée, l'article 7 de la Constitution de la République autonome du Val-de-Travers reconnaît à la fois le droit de râler et le droit de distiller.

Si je m'étais trouvé sur cette route un siècle plus tôt, tout le fond de la vallée aurait été couvert d'armoise gris bleu. Cette plante avait toujours poussé à l'état sauvage dans les champs en haut de la vallée, et comme plusieurs substances riches et enivrantes – les pavots qui fournissent l'opium, le chocolat au lait, le LSD, le gruyère –, son potentiel fut d'abord exploité par les Suisses industrieux et inventifs. Malgré les fausses preuves de l'origine gauloise de l'absinthe que m'avait montrées François Guy, des études plus sérieuses indiquent qu'en premier lieu elle fut probablement produite dans l'alambic d'une certaine Henriette Henriod, du village de Couvet, au milieu du XVIIIe siècle. Le Dr Ordinaire, un Français, portait bien son nom : il n'inventa rien de plus extraordinaire qu'un tonique à base de chicorée – un extrait d'ersatz de café.

La première recette écrite de l'absinthe – probablement achetée à Mme Henriod – remonte à 1794 ; elle fut trouvée dans les livres de comptes du Suisse Abram-Louis Perrenod, lequel changea son nom pour celui de Pernod quand il fonda sa première distillerie à Couvet. (L'usine Pernod de Pontarlier fut établie 10 ans plus tard pour répondre à la demande française et éviter les droits de douane.) Pendant plus d'un siècle, le Val-de-Travers dut sa prospérité à la culture, à la récolte et au séchage de l'armoise, et à la distillation d'une des meilleures absinthes du monde. En 1910, au moment de la prohibition, le gouvernement suisse ordonna le déracinement des plants d'armoise, et des industries plus terre à terre – fermes laitières et horlogeries – prirent la relève. Le liquide bleu entra dans la clandestinité – tel un autre cours d'eau jurassien disparaissant dans le karst – et ne bouillonna plus que dans des alambics dissimulés dans des granges, des placards à balais et des greniers. Pendant 250 ans, cet endroit a été le seul sur terre où l'on fabriquait de l'absinthe de façon continue.

On m'avait dit que si l'on parlait un peu français et qu'on n'avait pas l'air d'un flic, il n'était pas trop ardu de trouver une bouteille de La Bleue dans le canton. Après un repas de perche de lac frite, je pris la direction des collines au nord du village de Couvet. Une demi-douzaine de voitures étaient garées à l'extérieur d'un modeste restaurant au toit brun qui faisait dos au lac. La salle à manger était déserte, mais un groupe de fermiers au visage rosi par le soleil, assis à une table d'angle, me regardèrent m'approcher du comptoir et aborder la femme élancée aux cheveux noirs qui se trouvait derrière.

« *Une petite bleue** ? » demandai-je.

Le silence tomba. Après m'avoir examiné de haut en bas – l'air de remarquer mes cheveux longs et mon accent étranger –, la barmaid prit sa décision. Elle disparut dans un cagibi derrière le bar et revint avec une bouteille d'un litre, sans étiquette. Elle me versa une mesure d'alcool dans un verre Duralex. Je pris place à la table à côté des fermiers, qui m'observèrent tandis que je versais l'eau fraîche d'un pichet en céramique jaune dans le liquide et que je le regardais devenir *louche*. Je vis l'aura bleuâtre révélatrice se former sur le pourtour, garantissant que j'étais sur le point de déguster l'absinthe la plus authentique et la plus mortelle du monde.

Je portai le verre à mes lèvres ; la saveur était légèrement sucrée, fortement anisée, mais l'ensemble dégageait également un arôme de fleurs fraîchement coupées que je n'avais jamais décelé auparavant. Tout en feuilletant un catalogue, les fermiers parlaient de tracteurs et suivaient distraitement un terne match de football retransmis de Neuchâtel. Ils me fixèrent lorsque je demandai un autre verre à la barmaid.

Le vieux bonhomme assis à côté de moi fit un hochement de tête approbateur. « C'est préférable pour votre équilibre d'en prendre deux. Après tout, vous avez deux jambes.

– Malheureusement, répondis-je, j'ai aussi quatre roues. Ce soir, je dois faire attention.

– Avec l'absinthe, on conduit mieux ! » vociféra un autre cultivateur, et tout le monde éclata de rire.

Je demandai à mon voisin s'il était difficile de mettre la main sur une bouteille dans la région.

« Vous la voulez maintenant ? demanda-t-il à voix basse. Je peux vous en trouver une ce soir même. »

Mais je refusai son offre. Avant de commencer à remplir mon coffre de bouteilles, je prévoyais magasiner un peu aux alentours. Je fis mes adieux à la salle, et ils me regardèrent partir, un peu déçus, je crois, de ne pas me voir trébucher sur le seuil de la porte.

Pour retourner à mon hôtel, je roulai lentement sur la route qui serpentait, solitaire et hantée. D'épais nuages de brouillard étaient descendus sur les sombres prairies de montagne ; pénétrant dans un banc de brume, j'eus l'impression d'entrer tout droit dans un verre d'absinthe louche. Des spectres bordaient la route. Mais je ne croisai aucune *vouivre**; seulement des vaches endormies, couchées pour la nuit.

Le lendemain après-midi, j'avais rendez-vous à la distillerie Blackmint, à Môtiers. Yves Kübler, un jeune homme râblé, descendant de la famille de distillateurs fabriquant la seule forme légale d'absinthe au Val-de-Travers, me rencontra dans le jardin. Comme François Guy, il était à la fois distrait et explosif ; on aurait dit que les distillateurs avaient l'esprit congénitalement préoccupé par la possible éruption de leur alambic.

La Suisse avait été un des premiers pays à supprimer l'absinthe, et ses lois agricoles interdisaient toujours la vente de tout produit ainsi identifié. La limite légale maximale de thuyone dans une boisson était de 10 milligrammes par litre.

Pour le moment, Kübler était obligé de vendre son produit sous le nom d'*extrait d'absinthe**. Il s'agissait essentiellement d'une version commerciale de La Bleue clandestine. Je lui fis remarquer que l'absinthe légale française contenait trois fois plus de thuyone que la sienne. Kübler me répondit en promulguant sa propre définition de l'authenticité.

« L'absinthe de François Guy n'est pas de l'absinthe ! Il n'utilise que de l'armoise, du fenouil et de l'anis, alors qu'une vraie absinthe contient au moins sept ingrédients différents. C'est prouvé historiquement. Dans la mienne, je mets neuf plantes ! » Il me versa un verre d'une bouteille d'un demi-litre ; je distinguai en effet un bouquet végétal complexe, mais c'était moins capiteux que la Bleue que j'avais bue la veille au soir. Kübler avait tenté de revendiquer l'absinthe comme propriété intellectuelle du Val-de-Travers et avait soumis une demande d'IGP – *indication géographique protégée** –, l'équivalent suisse de l'AOR.

« Notre dossier historique est solide comme le roc. La famille Pernod était suisse ; la première distillerie se trouvait à Couvet. Mon arrière-grand-père a fondé la distillerie en 1863. Nous allons appeler notre absinthe Fée Verte Val-de-Travers, Véritable Absinthe. »

Kübler se cala dans son fauteuil, satisfait. Non seulement la version française était-elle inauthentique, mais la légendaire Bleue ne présentait rien de particulièrement intéressant. Il était convaincu que, dégoûtées de s'être fait piquer le nom de « gruyère » par les Français quelques siècles auparavant, les autorités suisses voteraient l'abrogation de la loi et permettraient que l'absinthe devienne un produit du *terroir** suisse. Le dernier obstacle à la vente de son *extrait** sous le nom d'« absinthe » tomberait, et l'authenticité lui reviendrait exclusivement.

« Kübler ? s'exclama Pierre-André Delachaux en faisant une grimace. Ce qu'il fait n'est pas de l'absinthe. L'absinthe, c'est *ceci*. » Il indiqua d'un geste de la main une antique bouteille d'eau de Javel sur laquelle une tête de mort était embossée. Assis à une table de pique-nique dans sa cour, nous sirotions un gobelet d'absinthe. Grand, yeux bleus et barbe blonde, un front légèrement dégarni où la sueur perlait dans la touffeur de cette fin d'après-midi, Delachaux se redressa, souleva un pichet en terre cuite au-dessus de sa tête et laissa un long jet d'eau s'écouler d'un bec étroit sculpté en forme de petite tête de sanglier. C'était là, m'expliqua-t-il, l'authentique méthode traversine de servir l'absinthe, conçue pour assurer une oxygénation adéquate du breuvage.

Professeur de français et d'histoire dans un lycée, Delachaux avait mauvaise réputation dans le canton. Député socialiste au début des années 1980, il avait servi à l'ancien président français François Mitterrand un soufflé glacé à l'absinthe lors d'un dîner dans l'un des plus grands hôtels de Neuchâtel. Un chef d'État en représentation officielle avait consommé une substance interdite; ce fut un tollé général. Delachaux survécut au scandale (lorsque Mitterrand le revit, il lui demanda avec esprit: « Et cette histoire d'absinthe... liquidée ? »), mais cela fit de lui le champion public de la tradition traversine. Il dirigeait le musée local de la ville de Môtiers, dans lequel une salle était consacrée à l'absinthe, et il était l'auteur de plusieurs monographies sur le sujet. Quand je lui mentionnai toutes les personnes revendiquant l'authenticité que j'avais rencontrées, Delachaux réagit de façon caustique.

Sur François Guy: « C'est de l'absinthe de mascarade. Comme si vous décidiez de vous pavaner coiffé d'un haut-de-forme, avec une canne et une cape. Les Français aiment ça, le folklore. Ils essaient de recréer d'anciennes recettes alors que nous avons ici une tradition ininterrompue remontant à 200 ans. Et nos goûts ont évolué ; notre absinthe a changé avec le temps. C'est pourquoi nous n'utilisons plus le carré de sucre ; au fil des ans, nous avons ajouté le sucre au mélange. »

Sur Kübler qui affirmait fabriquer la seule marque authentique : « Ce type raconte ce qui convient à ses besoins. Parfois, il dit que son machin est la vraie absinthe d'autrefois ; mais quand les autorités l'interrogent, il répond que ce n'est pas de l'absinthe du tout, juste une liqueur inoffensive. J'appelle ça de l'absinthe décaféinée. »

Delachaux m'apprit qu'il était opposé à la légalisation. « Si l'absinthe est légalisée, deux ou trois marques – probablement Pernod en France, peut-être Kübler ici – domineront le marché. Actuellement, il y a de 60 à 80 distilleries clandestines au Val-de-Travers et elles ont toutes leurs propres recettes distinctes. Ici, chacun a son absinthe favorite. Qu'on la légalise et tout cela disparaîtra graduellement. Nous nous retrouverons alors avec un standard unique – le coca-cola de l'absinthe. » C'était là un argument irrésistible, bien que familier : comme les champions du *slow food* et les fabricants d'époisses, il défendait la biodiversité gastronomique contre une monoculture mondialisée.

Mais ce que Delachaux appréciait réellement dans son absinthe, c'était sa clandestinité, un trait mêlé à l'histoire et au caractère du Val-de-Travers. « Nous sommes des *résistants**, dit-il, et notre résistance s'exprime sous une forme importante : l'absinthe. Quand l'absinthe fut interdite, ce canton ne faisait partie de la Suisse que depuis 60 ans. Et voilà que tout à coup, ces Suisses allemands, qui continuent à nous perturber politiquement, se pointent, intentent un procès arrangé contre l'absinthe et interdisent notre boisson ! Mine de rien, l'absinthe est donc entrée dans la clandestinité – et c'est cette résistance qui m'intéresse. Pour les gens d'ici, l'absinthe correspond au plaisir de la transgression, au plaisir d'offrir. J'aurais honte – et je ne suis pas le seul dans mon cas – de servir à un visiteur un verre de Kübler légale. »

N'était-il pas un peu élitiste ? lui suggérai-je. Avant la prohibition, l'absinthe était une boisson populaire, bon marché et très répandue – comme la bière et les sodas aujourd'hui.

« Peut-être y a-t-il un côté élitiste dans cette attitude, admit-il. Mais pas économiquement. L'absinthe clandestine est ici moins chère que les marques vendues par Guy et Kübler. Je vous concède toutefois que j'aimerais qu'elle reste un peu mystérieuse. Je crois qu'il faut mériter son absinthe. »

J'avais apparemment mérité la mienne, parce que Delachaux m'en versa un autre verre. « Franchement, dit-il en fronçant les sourcils, je suis un peu déçu qu'ils vous aient servi votre absinthe à ce bar, hier soir. Ils auraient dû refuser. Vous seriez alors parti, toujours intrigué, et le mythe serait resté intact. » J'adhérai à son point de vue. Après tout, j'étais un touriste et, à ce titre, un agent de la culture globalisée, peut-être venu pour saper la légende locale.

Le mythe, finalement, devenait un peu flou dans mon esprit – la Bleue de Delachaux me montait à la tête et je commençais à perdre ma maîtrise du subjonctif. Je demandai à mon hôte si la Bleue l'affectait différemment du gin ou de la vodka.

Baissant la voix, Delachaux répondit : « Personne ne vous le dira, mais l'effet de l'absinthe n'a rien en commun avec celui que les autres boissons nous procurent. Et, croyez-moi, j'en bois depuis très longtemps. Après trois whiskys, je me sens stupide. Après trois absinthes, je me sens plus intelligent. Ce n'est pas par hasard que tant d'artistes se soient intéressés à l'absinthe. Sans changer les gens en génies, elle a peut-être contribué à stimuler le génie qu'ils avaient déjà. »

Delachaux disparut dans sa maison à la recherche d'un traité qu'il avait écrit, me laissant seul avec la bouteille. Je découvris que je me sentais sinon plus intelligent, du moins plus réceptif à la beauté de cet après-midi d'été pastoral. À l'ombre d'un arbre au feuillage touffu, je contemplai les pâturages parsemés de fleurs sauvages, pâturages que le soleil peignait d'un jaune fluorescent, d'un vert absinthe, et, plus loin, le château perché sur l'une des montagnes qui se dressait du fond de la vallée vers la frontière française.

Le panorama me fit penser à une citation : « Si, pendant que vous vous reposez par un après-midi d'été, vous suivez du regard une chaîne de montagnes à l'horizon ou une branche qui projette son ombre sur vous, vous expérimentez l'aura de ces montagnes, de cette branche. » C'était dans ces mots que Walter Benjamin – un autre intellectuel mystique gauchiste, collectionneur avec une prédilection pour l'unique, le rare, le difficile à obtenir – avait expliqué le concept d'aura, qu'il définit par la suite comme « le phénomène unique de la distance, quelque proche que puisse être un objet ». À ce moment, je baignais dans l'aura de l'authenticité, celle d'une absinthe fabriquée selon une tradition séculaire, plutôt qu'une contrefaçon moderne créée pour le circuit des boîtes de nuit. Et bien que l'objet recherché fût à la portée de la main – et ses molécules voyageaient à l'instant précis dans mon système sanguin, s'attachant à mes neurones –, je percevais quand même le phénomène de la distance ; il n'y avait aucun moyen de savoir si je vivais l'effet recherché par les poètes du XIXᵉ siècle. L'aura de l'absinthe restait insaisissable.

Quand Delachaux revint, je comprenais davantage l'irritation qu'il ressentait envers ceux qui ne voulaient que collectionner, commercialiser et posséder le mythe né dans sa vallée. Il avait raison : il y a un plaisir pur dans le geste d'offrir, et les vendeurs de cuillers ou d'élixirs profitant de l'engouement actuel passaient à côté, rataient l'essence de l'attrait. L'idée du danger et de la transgression est au cœur du mythe ; et l'attrait du Val-de-Travers réside dans sa culture de résistance sous-jacente. Mots de passe dans des bars clandestins, euphémismes dissimulés, clins d'œil adressés au-dessus du comptoir : la communauté se retrouve dans la clandestinité.

Répétant le rituel et levant haut le pichet d'eau, Delachaux me versa un dernier verre de Bleue – ou *un lait de Jura** ou *un thé de Boveresse** ou *une couètche** (l'absinthe suisse a autant de surnoms qu'un jeune Californien). C'était délicieux, le complimentai-je, la meilleure absinthe de toutes celles que j'avais goûtées jusque-là, plus fleurie, plus complexe que celles que j'avais bues au bar.

Il accepta le compliment d'un hochement de tête. Mais, bien entendu, il ne me dit pas où je pouvais en acheter une bouteille.

Même si j'avais apprécié l'hospitalité – et la Bleue – de Delachaux, l'expérience n'avait pas été tout à fait satisfaisante. Si son absinthe était authentique, le contexte de la dégustation ne l'était pas. Organisée d'avance par téléphone, celle-ci avait paru quelque peu officielle, une initiation accordée de mauvaise grâce à un rite que l'historien avait marqué comme son domaine intellectuel.

Mais j'étais résolu : je ne m'arrêterais pas avant d'avoir réussi à me procurer une bouteille. Je passai un après-midi à rouler nonchalamment sur des petits chemins de terre tandis que des chiens de berger couraient après les pneus de ma voiture. À une ferme laitière, je trouvai le propriétaire sur le seuil de sa fromagerie.

« De l'absinthe ? dit-il. J'en ai bien quelques bouteilles, mais je les garde pour moi. Ma femme s'en sert pour glacer ses soufflés. Mais si vous avez envie de gruyère, je peux vous en vendre autant que vous voulez. »

Après avoir essuyé deux rebuffades semblables, je m'arrêtai chez un antiquaire. Là, tout en farfouillant parmi les vieux couteaux d'armée suisse et les vases de cristal, je m'attardai devant une panoplie d'accessoires utilisés pour le service de l'absinthe.

« L'absinthe vous intéresse ? me demanda la propriétaire, une femme mince aux cheveux cuivrés vêtue d'une robe à pois diaphane.

— En fait, ce ne sont pas les vieilles cuillers qui m'intéressent, répondis-je. J'aimerais vraiment me procurer une bouteille. »

Elle jeta un coup d'œil dehors, puis : « Suivez-moi », dit-elle.

Elle me précéda dans l'arrière-boutique, sortit une bouteille entamée du tiroir inférieur de son bureau et me versa un gobelet auquel elle ajouta de l'eau d'une cafetière en verre. « Ça vous plaît ? » demanda-t-elle. En effet : son absinthe était aussi douce que celle de Delachaux, un tantinet moins sucrée. « Je peux vous en vendre une bouteille, si vous voulez... Les inspecteurs de la *Régie des alcools** » – la version locale des douaniers dans les Appalaches – « savent parfaitement que nous fabriquons de l'absinthe ici, poursuivit-elle. Les alambics se trouvent dans des édifices abandonnés, dans la forêt ; personne ne vous dira jamais où le leur est caché. Les distillateurs achètent l'alcool directement à la *Régie** ; moi, je vais dans une pharmacie où j'achète plusieurs litres d'alcool pur. » Une bonne nouvelle pour les consommateurs : contrairement aux Norvégiens, dont le *hjemmebrent* était fait artisanalement d'alcool et de pommes de terre, les Suisses pouvaient s'assurer d'obtenir l'alcool le plus pur, fabriqué par le gouvernement.)

« Et quand on connaît le pharmacien, on peut même lui demander des paquets d'herbes à absinthe pré-mélangées. "Donnez-moi un numéro trois, avec de l'hysope et de la mélisse", par exemple. Au Val-de-Travers seulement, il se consomme autant d'alcool pur que dans tout le reste de la Suisse. Il faut bien que cet alcool aille quelque part. C'est un peu comme un jeu. » Après m'avoir indiqué où se trouvait le guichet automatique (« Juste à côté du poste de police »), elle me vendit ma première bouteille – 50 francs (44 $ US) – et emballa avec compétence la bouteille sans étiquette dans du papier journal.

Un peu plus loin, dans un tournant de la route, je m'arrêtai dans un restaurant – où il n'y avait qu'un buveur solitaire – et je refis le rituel désormais familier.

« *Une absinthe?* demandai-je. La serveuse tendit la main vers une bouteille de Kübler au-dessus du bar, mais je protestai. « Non, une vraie. *Une petite bleue**.

– Kübler, marmonna-t-elle, personne ne veut boire de la Kübler. »

Elle se pencha et prit une bouteille sous le comptoir. Sur l'étiquette photocopiée, une vache meuglait au-dessus du slogan *Le lait, un produit naturel de chez nous**.

Et l'on m'offrit un autre litre d'absinthe. Celui-ci ne coûtait que 42 francs (37 $ US).

« Ma grand-tante était célèbre dans le canton, me dit la barmaid. Elle vendait de l'absinthe dans sa cuisine, au bout de la rue. » Delachaux avait fait allusion à ce personnage légendaire : enfant, il allait chez la scandaleuse Berthe Zurbuchen, dite La Malotte, où son père aimait écluser un verre dans la cuisine. La Malotte fabriqua sa propre absinthe pendant 80 ans, et quand un commissaire trop zélé s'attaqua aux distillateurs clandestins dans les années 1960, elle fut la victime d'un procès exemplaire. Après le prononcé de la sentence – une amende de 3000 francs (2645 $ US) –, elle demanda au juge : « Dois-je vous payer maintenant ou quand vous passerez à la maison chercher votre bouteille hebdomadaire ? »

La barmaid n'avait pas oublié sa grand-tante. « Le procès n'a pas arrêté La Malotte de fabriquer de l'absinthe, raconta-t-elle, encore admirative. En fait, elle a peint sa maison en vert, comme la Fée verte. » Et sa clientèle – comptant plusieurs gendarmes locaux – a continué de lui apporter des bouteilles d'alcool auquel La Malotte mélangeait les herbes requises dans son alambic. Elle servait ensuite aux visiteurs le produit fini dans sa cuisine. « C'est illégal de distiller de l'absinthe, c'est illégal d'en transporter, mais ce n'est pas illégal d'en boire ! Comme ça, elle ne risquait rien ! »

Je me souvins de la morale d'une vieille fable française dans laquelle une sauterelle prudente camouflée dans l'herbe verte regardait des écoliers attraper un papillon trop voyant dans leur filet : *Pour vivre heureux, vivons cachés**.

*

*   *

Mais oublions les fables : c'était le mythe qui m'intéressait. Et le 14 juin, jour où débutait traditionnellement la récolte de l'armoise, représentait ma dernière chance. C'était le festival annuel de l'absinthe à Boveresse, une localité de 350 habitants. La principale attraction touristique de l'endroit était le hangar à séchage, une grange en bois de trois étages où l'on entreposait naguère les gerbes d'armoise ; là, cette armoise se desséchait avant d'être expédiée aux distilleries. La rue principale du village était bordée d'échoppes proposant tee-shirts, cuillers à absinthe rouillées, piles d'étiquettes réimprimées et bocaux d'herbes nécessaires à la fabrication de l'absinthe. Sous un chapiteau dressé derrière l'hôtel de ville, un orchestre jouait *Johnnie B. Goode* et *Barbara Ann* tandis que les villageois dansaient le rock'n'roll sans trop de souplesse. Un rhum aromatisé à l'armoise appelé Le Décollage me procura une légère ivresse, mais l'unique boisson apparentée à l'absinthe vendue sur les lieux était celle de Kübler. J'allai me promener à l'étage supérieur de l'hôtel de ville, un court de basket-ball transformé en bazar pour collectionneurs d'absinthe. Marie-Claude Delahaye était assise à une table, trop occupée à dédicacer ses livres pour remarquer ma présence. Un autre marchand essayait de vendre une antique fontaine pour 2150 francs. La plupart des vendeurs venaient de France. Parmi tous ces objets vendus à des prix exorbitants, il était impossible de trouver une goutte de Bleue authentique.

Je retournai vers le stand principal. À un employé qui portait un brin d'armoise tout juste cueilli dans la poche de sa chemise, je murmurai que je n'avais pas fait tout ce chemin depuis le Canada pour boire de la Kübler.

Un homme mince – tignasse ébouriffée, épaules voûtées et regard de chien battu – avait perçu la frustration dans ma voix. Il vint vers moi. « Vous cherchez une bouteille de vraie absinthe ? » demanda-t-il à voix basse. (Quand on parle du diable, dit-on, il apparaît parfois.)

Je fis signe que oui et nous nous serrâmes la main. Il s'appelait Charlot, me dit-il en m'invitant à le suivre. Chemin faisant, il chuchota quelques mots à Serge, un type aux épaules larges et à la voix de stentor. Nous fûmes rejoints par un moustachu vêtu d'un maillot de corps rouge vin. C'était Marcel, un des Français vendeurs de pacotille. Après avoir longé un terrain vague où poussaient des plants d'armoise rabougris, nous entrâmes dans une maison à pignons dont le vestibule était orné de deux chats sculptés. À une table en mélamine, une bouteille fut débouchée, de l'absinthe fut versée, le silence s'installa. Chuchotements, mots de passe, révérence : j'étais au cœur du rituel.

De l'eau glacée s'écoula dans le liquide. Le bouquet fleuri déclencha un concert d'exclamations, on sirota de petites gorgées. « Ah ! *magnifique**, dit Serge. Pas trop anisé, pas trop sucré. Quelle est ta recette ?

– J'ai expérimenté plusieurs mélanges, répondit évasivement Charlot. Celle-ci est ma préférée. Il y a à peu près 54 % d'alcool par volume. L'une des herbes que j'utilise est l'hysope.

« – Et où se cache ton alambic ? lança Marcel avec jovialité.

– Ça, je ne le révélerai jamais, répondit gravement Charlot. Quoi qu'il en soit, ce n'est pas ici, c'est dans un village des environs. »

Nous apprîmes que Charlot était pharmacien – pas un mauvais métier à exercer le jour pour un bouilleur de cru –, et qu'il devait penser à sa situation.

Les anecdotes jaillirent au fur et à mesure que se remplissaient les verres. Serge, amateur d'obscurs objets de collection liés à l'absinthe, parla avec ironie des gardes-frontières helvétiques. « Une fois, je suis allé visiter la distillerie de François Guy à Pontarlier, mais c'était fermé ce jour-là. À mon retour à Berne, j'ai dit au douanier suisse que j'avais essayé d'acheter de l'absinthe française. Il m'a répondu : « Pourquoi aller acheter cette merde en France quand nous avons ici les meilleurs fabricants clandestins d'absinthe au monde ? »

Je demandai si je courais un risque en traversant la frontière avec quelques bouteilles de Bleue. « Ma foi, répondit Marcel, ils pourraient te coller une amende et confisquer ta voiture. Fais comme moi. Transvase ta Bleue dans une bouteille de vin et enfonce à demi le bouchon, comme si tu revenais d'un pique-nique. Ils ne vérifient jamais. »

J'avais bu la moitié d'un verre quand je répétai la question barbare, réductrice. À part l'exquis bouquet, à part le sublime mélange d'herbes, existait-il une différence entre six verres de Bleue et une demi-douzaine de verres de… vodka, disons ?

« *Oui* !* » répondirent-ils en chœur.

« Après six verres, crois-moi, tu te sens euphorique, ajouta Marcel. Si tu avais le cafard, c'est fini. Je suis diabétique, et j'ai l'impression que ça guérit mon diabète. »

Serge était si impressionné par la Bleue de Charlot qu'il en acheta 12 bouteilles. Marcel en acheta lui aussi quelques-unes, puis il se leva. « Je dois retourner vendre mes verres et mes fontaines antiques, s'excusa-t-il. Si je ne rapporte pas assez d'argent, pas de *boum-boum* avec ma femme cette nuit. » Il exécuta quelques mouvements pelviens pour illustrer le *boum-boum*, comme s'il sodomisait un animal de la ferme. J'achetai à mon tour une bouteille. Charlot l'enveloppa dans du papier journal, me donna un sac de supermarché et me demanda 40 francs (35 $ US seulement).

À présent, le célèbre dicton d'Oscar Wilde commençait à prendre un sens. «Après le premier verre, on voit les choses comme on voudrait qu'elles soient, avait-il écrit. Après le deuxième, on voit les choses comme elles ne le sont pas.» Après trois verres, je retournai à la rue principale, bondée maintenant de villageois joyeusement pompettes qui célébraient libéralement leur boisson chérie. Mais je commis l'erreur de me verser un petit verre de l'absinthe de Charlot sous une table de pique-nique dans la tente des fêtes, et la conclusion du dicton de Wilde me revint à l'esprit : «Pour finir, on voit les choses comme elles le sont vraiment, et il n'y a rien de plus horrible au monde.»

Jetant un regard circulaire, je vis des vendeurs, en majorité français, qui s'efforçaient tous de donner à leurs produits l'aura d'un mythe; et c'était vraiment une vision d'horreur. Le prix des objets de collection grimpait d'une année à l'autre en même temps qu'augmentait la rapacité, et le mythe se changeait en folklore. La *vouivre** mythique semblait s'être métamorphosée en lapin sauteur, aussi anodine qu'un personnage de Disney qu'on prend comme nain de jardin.

Il n'y avait rien d'autre à faire que continuer de boire. Le soir tomba, des nuages menaçants, venant du sud, firent leur apparition dans le ciel et les grondements du tonnerre rivalisèrent avec le bruit des cymbales d'une fanfare qui défilait dans la rue principale en décrivant de petits ovales. Je me retrouvai à tituber au milieu de la rue, les yeux fixés sur une pleine lune se levant derrière le sommet arrondi des montagnes, une lune que la brume rendait louche, aussi jaune que du Pernod. Me voyant vaciller, le père de Charlot m'adressa un clin d'œil en passant. «C'était de la bonne gnôle, *non**?»

À partir de ce moment-là, je ne suis plus trop certain – malgré toutes ses qualités stimulantes, l'absinthe peut nous bousiller la mémoire –, mais j'étais apparemment encore assez cohérent pour me faire un nouvel ami. Je me rappelle avoir été

invité à l'appartement de Nicolas, qui habitait en face de la
Maison des Chats. Il avait à peu près mon âge – 35 ans –, il
était modeste et portait des lunettes, et il avait très envie de
causer avec quelqu'un qui avait traversé l'océan pour goûter à
son apéro favori. Nous nous assîmes sur le balcon minuscule à
l'arrière de l'immeuble et il me versa un verre après l'autre.
« C'est la même sorte que l'absinthe que le baron de Rothschild – du moins, l'un des barons – lui avait envoyée à Genève »,
m'annonça-t-il avec fierté.

Et je me rappelle que Nicolas m'a parlé, honnêtement, de
la vie quotidienne au Val-de-Travers. « C'est l'un des cantons
les plus pauvres de la Suisse. Depuis que le quartz a tué notre
tradition d'horlogerie, toutes nos industries ont disparu. Il est
impossible de garder les jeunes ici. »

À un moment, il prit sa guitare et chanta une ode à l'absinthe de sa composition, ses pieds chaussés de sandales battant la
mesure sous la table de la cuisine.

Pour autant que je me rappelle, Nicolas n'essaya pas de me
vendre une cuiller antique, un tee-shirt ou sa marque d'absinthe
préférée. Il espérait vaguement que je pourrais le mettre en contact avec des poètes et des chanteurs montréalais ; je pourrais
peut-être convaincre quelqu'un de produire avec lui un CD sur
l'absinthe pour le festival de l'année suivante. Ce soir-là, à Boveresse, j'eus l'impression d'avoir atteint le cœur de la clandestinité : un coup d'œil à la rue principale sous la pleine lune, une
invitation chaleureuse, un mépris commun de l'autorité et le
rituel qui nous lie les uns aux autres, celui de l'eau froide brouillant
un liquide sacré. Cela me rappelait quand j'avais acheté du *hjemmebrent* à Oslo, quand j'avais partagé du fromage odoriférant
dans un bar new-yorkais, quand j'avais échangé des adresses de
smoke-easies à San Francisco. Dans leur forme la plus pure, les
rituels de la clandestinité, nés de la résistance aux prohibitions
oppressives, peuvent favoriser le contact et la camaraderie.

Dommage qu'ils soient si souvent axés sur des substances
enivrantes aptes à créer la dépendance, substances pouvant
nous rendre malades, nous laisser seuls, avec la tête qui tourne.
Ou, dans mon cas, luttant contre la nausée et quittant Nicolas

sur des adieux escamotés. Je rentrai à mon hôtel en titubant dans la rue principale, et le trajet me parut très long. Aucune hallucination, aucun transport poétique, aucune transfiguration de la nuit étoilée en tourbillons à la Vincent Van Gogh. Juste une brève prise de bec avec la mascotte du festival – une femme déguisée en fée verte, coiffée d'un chapeau pointu et arborant une baguette magique, qui louvoyait à travers la foule. Ensuite, les conséquences familières de l'hébétude : un ricochet au ralenti dans un escalier digne du docteur Caligari, un lit qui tournait comme dans le film *Le poison* et des cauchemars dans lesquels des serpents d'eau aux yeux bleus me grignotaient le foie.

Le lendemain, les échos des rires de lutins s'étaient estompés et, sur mon chemin, il ne resta plus que les ogres de la gueule de bois.

La prohibition de l'absinthe montrait clairement ce qu'était l'interdiction sélective, où une substance agissait comme un paratonnerre dans l'orage législatif, empêchant de ce fait le désastre de la prohibition totale. Servant de bouc émissaire pour tous les problèmes liés à l'alcoolisme, *la fée verte** était interdite sur la foi d'accusations trompeuses issues des machinations de viticulteurs français plus qu'heureux de sacrifier un puissant rival sur le marché des boissons si cela signifiait que leurs raisins sacrés resteraient intouchés. Il était néanmoins tout aussi fascinant de constater que, depuis son interdiction, l'absinthe faisait l'objet d'une fétichisation hyperactive, qu'elle était devenue mythique – un phénomène presque entièrement engendré par la prohibition. Si, plutôt que l'absinthe, on avait interdit le gin ou le vermouth depuis l'époque de la loi Volstead, les gens paieraient des fortunes pour se procurer d'anciennes coupes coniques et ils citeraient avec vénération les phrases de Dorothy Parker ou de Dashiell Hammett vantant les qualités narcotiques du légendaire martini.

Au cours des neuf décennies écoulées depuis la mise au ban de l'absinthe, les psychopharmacologistes ont synthétisé des amphétamines capables de faire tournoyer vos neurones, des hallucinogènes qui vous laissent l'esprit en état d'ébullition, ou de l'ecstasy tellement forte que vous prenez la techno pour la musique classique du millénaire. En dernière analyse, il est peut-être peu sage d'accorder trop de crédit aux déclarations enflammées des débauchés instables, pauvres et sous-alimentés du xixᵉ siècle. Pour Baudelaire, l'absinthe était un rafraîchissement anodin, mais il considérait la gelée de haschisch comme le raccourci le plus sublime vers les paradis artificiels. Moi, je venais d'avoir 19 ans quand je me lassai de fumer du hasch sur des lames de couteau chauffées.

Dans certaines versions de l'histoire de la *vouivre**, le serpent séducteur attire ses victimes dans l'eau avec un diadème qui se révèle être une branche. Mais même quand la parure est absolument authentique, originale, chimiquement pure, son aura nous tient à distance. Comme toujours, l'authenticité se révèle le plus obstinément élusif de tous les mythes.

Après ma visite au Val-de-Travers, la Chambre des représentants de la Suisse vota, par une impressionnante majorité, la levée de l'interdiction et, le 1ᵉʳ mars 2005, l'absinthe devint officiellement légale en Suisse. Yves Kübler annonça son projet de chercher à obtenir une IGP, une indication géographique protégée, pour faire de l'absinthe traversine la seule autorisée à en porter le nom. En entendant cela, Pierre-André Delachaux déclara que plutôt que de boire de l'absinthe légale, « décaféinée », il allait se mettre au whisky. Certains craignirent de voir la culture de distillation clandestine, cette tradition séculaire, disparaître à jamais maintenant que les bouilleurs avaient opté pour la légalité.

J'étais encore plus content d'avoir fait des provisions avant de partir. Je franchis les frontières suisse et française ; les douaniers se contentèrent de jeter un coup d'œil à mon passeport ; mes trois bouteilles étaient cachées dans un sac de plastique transparent rempli de chaussettes et de sous-vêtements fétides. Je ne savais pas exactement ce que contenaient ces bouteilles. Elles avaient beau être transparentes, je pouvais seulement affirmer sans risque de me tromper que ce n'était pas de l'eau, « ce terrible poison, comme disait Alfred Jarry, tellement corrosif que, parmi toutes les substances, c'est lui qu'on a choisi pour laver et récurer, et qu'une seule goutte ajoutée à un liquide limpide comme l'absinthe suffit à le troubler ». Peut-être ne contenaient-elles qu'une eau-de-vie à haute teneur en alcool à laquelle s'ajoutaient quelques plantes aromatiques des montagnes. Ou peut-être étaient-elles si chargées de thuyone que j'allais me réveiller dans un asile, les mains tremblantes, le visage peint en vert. À moins de les soumettre à une analyse chromatographique au gaz, il n'y avait aucun moyen de le savoir.

La vérité, pourtant, c'est que je n'ai pas le tempérament d'un collectionneur ; en fin de compte, je préfère boire mon absinthe que la posséder. Je rangeai soigneusement les bouteilles dans ma valise. Je les servirais à mon pique-nique du diable – un cadeau à mes amis qui, eux aussi, sont amateurs de transgression, de rituel et de mythe.

Le dessert

Aussi anodine qu'une chose puisse être, si
la loi l'interdit, la plupart des gens croiront
qu'elle est mauvaise.

W. Somerset Maugham

Chocolat mousseux

La drogue innocentée

Chaque époque choisit ses poisons. Ce qu'une société finit par stigmatiser en révèle souvent plus sur ses phobies et ses préjugés que sur la malfaisance inhérente à la substance en question.

L'absinthe fut interdite en Europe avec l'aide de l'industrie viticole française ; celle-ci essayait de cacher le fait que, tout autant que la fée verte, le vin de mauvaise qualité contribuait à la vague d'alcoolisme engendré par la pauvreté. En Angleterre, les classes dominantes condamnèrent le gin quand il fut trop ouvertement consommé par les pauvres. La décision de bannir l'alcool à l'époque de la Prohibition aux États-Unis vint des industriels paternalistes qui se prétendaient motivés par le bien-être de leurs ouvriers ; l'interdiction fut par la suite rendue possible grâce à une habile manipulation des préjugés populaires contre les brasseurs allemands et les viticulteurs catholiques. Pour justifier les interdits contemporains – fromages étrangers au lait cru, cigares cubains, gomme à mâcher –, on invoque la santé publique, la rectitude politique ou l'hygiène morale. Nous trouvons peut-être comique ce qui, à d'autres époques, méritait d'être banni, n'empêche que les slogans utilisés pour légitimer les prohibitions passées nous semblent également bien familiers. Tapie derrière trop d'interdictions, on retrouve une élite qui, agitant la sonnette d'alarme et se servant de boucs émissaires, abuse arbitrairement de son pouvoir. Telle est l'histoire de l'énergique, bien que, en fin de compte, infructueuse, campagne menée pour bannir une substance considérée aujourd'hui comme inoffensive : la caféine, principal ingrédient actif du thé, du café et du chocolat.

Je me rendis à Bayonne, une petite ville dans le sud-ouest de la France, parce que j'avais entendu dire que les chocolatiers avaient autrefois été chassés du centre de la ville. Les choses avaient manifestement changé depuis le XVIIIe siècle : de nos jours, le petit centre-ville comptait 11 *chocolatiers** et, à 17 heures, l'odeur de la cannelle, de la vanille et du cacao grillé remplissait l'air d'effluves irrésistibles. À une boutique appelée Pariès, je goûtai aux *kanougas*, des caramels au chocolat enveloppés dans du papier métallique, créés pour flatter le palais des grands-ducs russes qui séjournèrent dans la ville en 1905. À Puyodebat, j'essayai les *pralinés**, les *ganaches** et les tablettes de chocolat assaisonnées de *piment d'Espelette** moulu, celui-là même qui recouvre les jambons crus de Bayonne, et je photographiai la ziggourat aérodynamique exposée dans la vitrine : une fontaine ronde en forme de pyramide à plusieurs étages sur lesquels du chocolat liquide s'écoulait constamment. À la boutique Andrieu, j'interrogeai les employées en tablier vert qui, armées de truelles métalliques, remuaient sans relâche des coulées de chocolat liquide pour qu'il refroidisse et puisse être brisé en morceaux ; les clients en formeraient ensuite des bouquets comestibles, emballés dans du cellophane. Je commençais à craindre de me faire arrêter par les gendarmes locaux, sinon pour vagabondage, du moins pour espionnage industriel.

Comme j'entrais pour la troisième fois chez Cazenave, la femme aux cheveux gris frisés derrière la caisse enregistreuse leva les yeux et me dit d'un ton acerbe : « Vous devez maintenant connaître nos prix, *non**? »

C'était vrai : j'étais devenu un client régulier. La boutique du plus ancien *chocolatier** de cette ville basque à proximité de la frontière espagnole avait été fondée en 1854 et on y servait toujours la meilleure tasse de chocolat chaud du pays. Les fèves de cacao importées du Venezuela, du Costa Rica et de Trinidad étaient rôties dans un laboratoire avant d'être pulvérisées à l'aide d'un appareil monstrueux, datant du XIXe siècle, fait de bois, de bronze et de silex. Mélangé avec de la vanille et de la cannelle venues des îles tropicales et du lait encore apporté de fermes avoisinantes dans des seaux métalliques, le liquide était fouetté dans une casserole sur une plaque de la cuisinière à l'aide d'un *moussoir** cannelé – un genre de centrifugeuse manuelle à long manche –, puis versé dans une tasse en porcelaine de Limoges ornée de roses minuscules. Le *chocolat mousseux**, spécialité de la maison, fut servi à des personnalités comme le roi du Maroc, Roland Barthes et Yehudi Menuhin. Les toreros avaient coutume de s'arrêter pour en avaler une tasse en vitesse après la corrida, les joueurs en envoyaient chercher entre les tours de roulette au casino de Biarritz, à proximité, et les Espagnols nantis arrivaient dans des bateaux ayant remonté la côte depuis Bilbao.

Une serveuse en jupe de satin noir et tablier de dentelle blanche (toutes les employées étaient des femmes d'âge mûr et elles se mouvaient comme dans un rêve avec des mines de satisfaction béate) m'apporta un plateau argenté supportant une carafe d'eau, un bol de crème Chantilly et un petit pot rempli du chocolat restant. (Je pensai à ces restos au bord de la route où, naguère, mes parents m'amenaient boire un milkshake : là aussi, on nous donnait le lait qui restait dans le grand verre métallique.) Au Cazenave, la pièce de résistance était le *mousseux**, servi dans une tasse ronde, en porcelaine blanche. Coiffé d'un bonnet de mousse beige, c'était un ménisque de toutes petites bulles tellement pressées qu'elles ne pouvaient que s'effondrer quand ma cuiller argentée remuait la crème fouettée. Une gorgée après l'autre, le lait chaud et onctueux, le sucre et le cacao fondaient sur ma langue et s'écoulaient en un filet moelleux dans ma gorge pour finalement s'installer, comme un chat comblé, dans mon estomac.

Nulle part ailleurs que dans une chocolaterie le penchant du chroniqueur gastronomique pour l'imagerie sexuelle sublimée ne s'exprime-t-il de façon plus coquine. « Le chocolat, se plaît-il à ronronner, caprice inavouable, ma dépendance, *mon doux péché**, *my sweet sin*. » Fichez. Moi. La. Paix. Qu'il ose la métaphore manifestement scatologique et dise ca-ca-o. D'abord apprécié par les Aztèques qui le mélangeaient à des piments chilis et au sang sacrificiel de vierges immolées, il est encore concocté à partir de fèves cueillies par des esclaves mis en apprentissage en Côte-d'Ivoire. Au Cazenave, je laissais mon esprit vagabonder ; je pensais au marquis de Sade, qui griffonnait volontiers le trait d'union entre le *caca* et le *o* d'un trait épais d'encre brune. Incarcéré après avoir, à l'occasion d'une fête, assaisonné d'aphrodisiaque des pastilles au chocolat et profité des faveurs de sa belle-sœur au cours de l'orgie qui s'ensuivit, il réclama un gâteau. « Qu'il soit au chocolat, précisat-il, aussi noir à l'intérieur que le cul du diable est noir à cause de la fumée. Et que le glaçage soit identique. » Personnellement, j'aurais été ravi de voir l'aristocrate syphilitique sauter sur une table couverte d'une nappe en dentelle et faire claquer son fouet devant des vieilles filles effarouchées.

Dans le faible éclairage diffusé par un puits de lumière en vitrail portant l'adresse parisienne d'un artisan depuis longtemps mort et enterré, j'épiai les bonnes *bourgeoises** de Bayonne. À l'*heure du goûter** – 17 heures –, la salle, avec ses appliques à gaz désuètes et ses nappes de dentelle sous une plaque de verre, était toujours bondée. Je pris place à côté d'un trio d'élégantes en tailleur Chanel et Burberry. La plus volubile des trois me fit l'éloge du chocolat.

« *Oh ! oui, chocolat !* Ça vous remonte le moral ! Ça vous remet en forme ! » roucoula-t-elle en redressant sa colonne vertébrale avec un tressautement expressif de son postérieur. « C'est une drogue, je suppose, mais une drogue dont il ne faut pas abuser tous les jours. Sinon, avec la crème Chantilly, on risque de perdre sa silhouette. » Elle gonfla ses joues fardées, mimant l'obésité. La démonstration était peu convaincante.

Marie-Joseph, une des serveuses, était une femme élancée avec juste quelques fils argentés dans ses cheveux de jais. Je lui demandai si elle avait des clients réguliers.

« Bien sûr. Je travaille ici depuis 25 ans et nous avons nos *habitués**, qui ne ratent jamais leur chocolat. J'ai vu leurs enfants, puis leurs petits-enfants, grandir ici. »

Les considérait-elle comme de véritables dépendants?

«Oui! Moi aussi, je suis dépendante. À force de grignoter tout le temps, on devient accro. J'ai besoin de ma ration quotidienne de chocolat noir aromatisé de zeste d'orange. Nous fermons pendant trois semaines, l'été, et c'est terrible! J'ai l'impression de vivre tous les symptômes du sevrage!»

Dépendance. Accro. Sevrage. Les mots employés pour décrire l'habitude du chocolat n'étaient peut-être pas de simples hyperboles. Le chocolat contient 1200 substances chimiques, dont le tryptophane, un acide aminé essentiel impliqué dans la production de la sérotonine, qui régularise l'humeur, et trois N-acylethanolamines qui, en grandes quantités, peuvent mimer l'action de la marijuana en se liant aux récepteurs cannabinoïdes du cerveau. Le chocolat commercial, comme celui dont on fabrique les tablettes Mars et Snickers, est tellement traité qu'il ne lui reste plus rien – sauf le sucre et le gras – qui puisse nous remonter le moral; mais le cacao de haute qualité, celui qu'on nous sert au Cazenave, par exemple, est riche en stimulants puissants appelés méthylxanthines. Le chocolat du Cazenave a sûrement une teneur particulièrement élevée en l'une de ces substances, la théobromine: une tablette de chocolat normal contient suffisamment de ce relaxant musculaire, stimulateur cardiaque et vasodilatateur pour donner des convulsions fatales à un chien de taille moyenne. Dieu sait comment la théobromine interagit avec sa cousine chimique, la caféine – l'ingrédient actif sans doute le plus puissant du chocolat –, dans les vaisseaux sanguins des femmes de Bayonne. Aussitôt après avoir consommé du chocolat de haute qualité, une personne voit l'afflux de sang à son cerveau augmenter du tiers. Cela pourrait expliquer l'air de contentement, franchement post-orgasmique, qui envahit les visages des femmes autour de moi. J'observai une beauté dans la soixantaine – pommettes saillantes, carré de soie Hermès et montre Tissot – tandis qu'elle déchiquetait des bouchées de son toast et tapotait ses lèvres minces avec une serviette de plus en plus maculée de chocolat. Elle semblait sertie dans un camée; je l'imaginai emmaillotée dans des napperons damassés, l'incarnation de la satiété, saturée d'étranges substances chimiques. Vues ainsi, les chocolateries de la ville paraissaient un peu plus sinistres. Si Bayonne était l'Amsterdam du chocolat, j'étais coincé au cœur du quartier chaud, entouré de junkies purs et durs.

Pour reconnaître une drogue causant la dépendance, on cherche si, à un moment de l'histoire, elle a également servi de monnaie d'échange – comme des kilos d'héroïne afghane et de cocaïne colombienne servent aujourd'hui à payer Kalachnikov et Mercedes. Pour les Mayas, le cacao était plus précieux que l'or; avec quatre fèves, on achetait une courge, avec huit, un lapin, et avec 100, un esclave. Pour savoir si on est en présence d'une drogue, on peut aussi voir si elle a déjà été prohibée. En 1761, les bons citoyens de Bayonne – les ancêtres de ces femmes qui, aujourd'hui, apprécient leur *mousseux** avec tant d'éloquence – unirent leurs efforts pour interdire la vente et la production de chocolat. Dans la France du XVIIIe siècle, l'interdiction ne concernait pas le produit vendu, mais la personne qui le vendait. Comme d'habitude quand on parle de prohibitions, la vraie question, c'est le pouvoir.

Jusqu'au XVIIe siècle, quand on était réveillé, en Europe du Nord, il y avait de bonnes chances pour qu'on soit également ivre. En Allemagne, les gens commençaient la journée avec une soupe à la bière, faite de bière forte réchauffée à laquelle on ajoutait du sel, du pain, des œufs battus et encore de la bière. En général, les beuveries médiévales ne prenaient fin que lorsque tous les participants avaient perdu conscience. À une époque où l'eau potable grouillait de bacilles et où le lait était à moitié sur quand il arrivait chez les marchands de la ville, les familles anglaises buvaient trois litres de bière par jour par personne. (Jusqu'en 1820, les hôpitaux londoniens refusèrent, avec raison, de servir à leurs patients autre chose que de l'alcool.) Une grande partie du gros travail était exécuté par des gens qui avaient consommé de l'alcool depuis le petit-déjeuner, et le «lundi bleu» devint une institution nationale. Pendant des siècles, seul le pain procurait plus de calories que la bière dans l'alimentation quotidienne des Européens du Nord.

Tout cela changea avec l'apparition de la caféine, premier stimulant connu en Europe et premier produit de l'histoire occidentale grâce auquel les gens pouvaient accroître sur demande leur faculté de concentration. Les premières plantes porteuses de caféine importées en Europe furent probablement les fèves de cacao que Colomb offrit à Ferdinand d'Espagne en 1502. Les Chinois connaissaient la caféine, sous forme de thé, depuis 2737 av. J.-C. (date à laquelle ses usages médicinaux furent explicités dans un long traité). Préparée avec de l'eau bouillie, donc sûre, il s'agissait d'une boisson saine ; par la suite, le thé aida les moines Ch'an, précurseurs des bouddhistes zen au Japon, à rester attentifs pendant leurs méditations. Si l'on en croit la légende, le café fut découvert au VIe ou au VIIe siècle par un chevrier éthiopien appelé Kaldi, qui se posa des questions en voyant ses chèvres gambader après avoir grignoté les baies d'un arbuste aux feuilles luisantes. Comme la plupart des mythes de la création, celui-ci paraît un peu trop fait sur mesure : les anthropologues croient que, dès 1000 av. J.-C., les guerriers Oromos d'Éthiopie prenaient des boules de lard piquées de graines de café mûres pour se donner un regain d'énergie avant une bataille. Le café demeura une spécialité locale dans la Corne africaine, inconnue toutefois des Grecs et des Romains jusqu'à ce que les Sufis – touristes de l'Islam, danseurs effrénés, amateurs de haschisch et de vin – ne l'apportent à la péninsule arabe au XIIIe siècle. À l'instar de la plupart des drogues, le café fut d'abord consommé au cours de grandes cérémonies rituelles. Les Shadhilis, une secte sufie, faisaient mijoter des fèves non rôties dans de grands plats d'argile en psalmodiant : « Il n'y a pas d'autre Dieu que Dieu, le Maître, la Claire Réalité. » Ensuite, tout à fait alertes et inspirés, ces derviches passaient la nuit à tourner en transes extatiques qui les mettaient en communion directe avec Allah.

L'usage du café se répandit dans la société musulmane, et les rabat-joie en prirent note. Les cultures islamiques étaient tribales, basées dans le désert et nomades ; pour se distinguer de la plus ancienne, les civilisations urbaines avaient trouvé ce moyen : elles avaient proscrit l'usage du vin, ce produit enivrant intimement lié à la côte méditerranéenne. C'est d'ailleurs écrit en toutes lettres dans le Coran : « Les boissons enivrantes et les jeux de hasard sont une abomination, l'œuvre de Satan. Évitez-les afin de prospérer. » La définition islamique traditionnelle de l'ivresse est celle-ci : « Quand une personne est incapable de distinguer l'homme de la femme, ou le ciel de la terre. » (Si vous êtes juif, on s'attend au contraire à ce que vous buviez beaucoup à certaines occasions : quatre grandes tasses de vin, ou les trois quarts d'une bouteille, pendant le *seder* de la Pâque, et tellement de vin pendant la fête de Purim, au printemps, que vous ne savez plus « si vous bénissez Mordecai ou maudissez Hamam ». Mais la bière est absente du ciel chrétien, et c'est pourquoi les Bavarois boivent ici-bas ; la situation est l'inverse dans l'Islam, et les musulmans doivent attendre d'être au paradis pour boire un « vin si pur qu'il ne leur donnera pas mal à la tête ni ne leur fera perdre la raison ».) Le premier procès du café, soupçonné d'être un breuvage enivrant, eut lieu en 1511, lorsque Kha'ir Beg, chef de police de La Mecque, aperçut, près de la sainte mosquée, un groupe de Sufis qui se passaient un liquide de main à main, comme le faisaient les buveurs de vin. Il réunit alors un tribunal irrégulier, et deux médecins persans confirmèrent que le café était effectivement une boisson enivrante. Des poches de fèves furent brûlées dans les rues, et l'on fustigea publiquement les buveurs. Mis au courant de la prohibition, le sultan du Caire, maître royal du chef de police, révoqua l'édit ; il était grand amateur de café. Et Beg, le pourfendeur de la drogue, fut remplacé un an plus tard.

Mais la controverse ne cessa pas pour autant. D'un côté, les purs et durs faisaient valoir que, en plus d'être un stimulant, le *qahwa* – un mot arabe qui, selon l'interprétation qu'on en donne, peut vouloir dire « vin » – était grillé comme du charbon, ce qui justifiait son interdiction, la carbonisation étant un autre tabou coranique. Qui plus est, la notion sufie du *marqaha*, ou « euphorie par le café », qui supposait une communication privilégiée avec Allah, représentait pour les imams un défi, au même titre que l'étude de la Bible le serait plus tard pour les

prêtres catholiques. Les apologistes, plus permissifs, prétendaient que, n'étant pas, à l'instar du haschisch et du tabac,
mentionné dans le Coran, le café relevait du sympathique
principe de la jurisprudence Hanafi : *Al-ibaha al-asliya* – « si ce
n'est pas défendu, c'est permis ». Les cafés se répandirent dans
toutes les grandes cités du monde islamique et, en 1570, il y en
avait plus de 600 dans la seule ville de Constantinople. Il s'agissait souvent d'établissements luxueux où les hommes jouaient
aux échecs et au jacquet, écoutaient de la poésie et des chan-
teuses (camouflées derrière des grillages, *natürlich*), tout en
sirotant leur *kahveh* auquel on ajoutait du safran, du poivre et
même de l'opium.

La légende veut que, un jour, le sultan Murat IV, un alcoolique paranoïaque, se rendit incognito à une taverne où des
fêtards buveurs de vin chantaient des chansons d'amour, puis
qu'il entra dans un café où les clients critiquaient sans se gêner
son régime. De retour à son palais, il ordonna que le café fût
banni (de même que le tabac, pour faire bonne mesure). Déam-
bulant dans les rues en compagnie d'un bourreau, il faisait
décapiter quiconque était surpris à fumer ou à boire le breuvage
interdit. On rasa les cafés, et les récidivistes furent enfermés
dans des sacs de cuir et jetés dans le Bosphore. Ce fut la première guerre contre la drogue de l'histoire et le prix payé en
termes de victimes fut très lourd. Avant de succomber en 1640
– à un empoisonnement par l'alcool –, Murat IV avait peut-
être fait exécuter 100 000 personnes pour avoir consommé le
nouveau fruit défendu.

Le sultan était peut-être moins fou qu'on ne pourrait le
croire. Si l'aristocratie régnante en Europe avait prévu tous les
bouleversements qu'allait entraîner le café, elle aurait peut-
être bloqué les livraisons de fèves aux principaux ports. Avec
l'arrivée de la caféine, au début du XVIIe siècle, d'abord à Venise
et à Marseille, puis à Londres et à Amsterdam, l'Europe entre-
prit sa lente transformation. Consommatrice de soupe à la
bière, de gin et de vin, elle avait été jusque-là docile et dépres-
sive. Mais elle devint arrogante lorsqu'elle fut stimulée par le
café, le cacao et le thé. Le théoricien de la culture Michel

Foucault fait remonter la « rationalisation » de la civilisation occidentale à la naissance d'un café : un juif libanais ouvrit le premier café européen à Oxford en 1650 et, en 1689, un expatrié florentin fonda le Procope – ce premier café parisien est encore aujourd'hui une institution de la Rive Gauche. La caféine sembla réveiller de leur longue torpeur alcoolique les classes moyennes émergentes. Les puritains, en particulier, raffolaient de la première boisson sobre de l'histoire – ils trouvaient soudain une alternative à l'auberge et à la taverne, où les soirées se terminaient en général en propos incohérents, en bagarres, et dans le caniveau.

On exagère peut-être une fois de plus l'importance d'un produit – la morue, le sel ou les épices sont également considérés comme la force motrice derrière la civilisation –, mais la présence de la caféine au moment de la naissance de certaines des institutions essentielles de la modernité semble être plus que le fruit du hasard. La Bourse, les compagnies d'assurances et les méga-compagnies sont apparues avec la caféine. La Lloyd's Coffee House de la rue Lombard, où les armateurs et les capitaines de bateau prenaient une tasse de café avec des assureurs, finit par devenir la Lloyd's de Londres, la plus grosse compagnie d'assurances au monde, tandis que, de l'autre côté de l'Atlantique, la Tontine Coffeehouse de Wall Street devint la Bourse de New York. La Royal Society, l'un des clubs scientifiques les plus respectés du monde, fut fondée à l'Oxford Coffee Club, où des empiristes fébriles débarrassaient les tables pour procéder à la dissection publique de dauphins.

La caféine favorisa également les soulèvements populaires. Ce fut à un café du Palais-Royal que Camille Desmoulins sauta sur une table pour inciter le peuple à l'insurrection pendant la Révolution française. À la Merchant Coffee House de New York, les Fils de la liberté complotèrent contre un autre breuvage caféiné, le thé de Boston, et tout le colonialisme qu'il représentait. Comme il fallait s'y attendre, les nouveaux stimulants s'attirèrent la méfiance des autorités en place ; seule la marijuana provoquerait davantage de nouveaux prétextes à l'interdiction. (Et, ô combien révélateur, le seul pays à s'abs-

tenir de tenter de prohiber la caféine à l'époque moderne fut la
Hollande.) Le café échappa de justesse à une condamnation du
Vatican en 1600 lorsque les ecclésiastiques catholiques conservateurs prétendirent qu'il s'agissait d'une perversion démonia-
que du vin eucharistique : sa couleur noire et le fait qu'il était
utilisé par les païens mauresques le prouvaient indiscutablement. Heureusement, le pape Clément VIII en prit une gorgée, aima le goût et envoya promener les prohibitionnistes.
Dans une proclamation de 1675, deux jours avant Noël,
Charles II d'Angleterre interdit la vente au détail de café, de
chocolat, de thé et de sorbet ; les établissements où l'on servait
ces produits étaient dangereux pour le feu, fit-il valoir, et ils
attiraient des commerçants qui gaspillaient leur temps plutôt
que de vaquer à leurs occupations. Le principal chef d'accusa-
tion était que, dans ces établissements, « l'on élabore des rapports faux, malfaisants et scandaleux qui sont ensuite répandus
et diffament le gouvernement de Sa Majesté ». Ayant entendu
les protestations des propriétaires, Charles exerça sa « royale
compassion » et révoqua l'interdiction huit jours après le Nouvel An.

L'un de ceux qui repoussèrent avec le plus d'acharnement
l'incessante avancée de la caféine fut Frédéric le Grand, en
Allemagne. Convaincu que la coutume de boire de la soupe à
la bière contribuait au développement d'une paysannerie plus
robuste et bien en chair, il émit en 1777 cette proclamation,
un exemple laconique de rectitude teutonne : « Il est dégoûtant
de constater l'augmentation de la quantité de café consommé
par mes sujets et les sommes d'argent qui, en conséquence, sortent du pays. Tout le monde consomme du café. Cela doit être,
dans la mesure du possible, évité. Mon peuple doit boire de la
bière. » Il créa un corps de « renifleurs de café », soldats à la
retraite qui arpentaient les rues en cherchant à déceler dans
l'air l'arôme du café torréfié. À l'instar des mouchards qui ter-
rorisaient les marchands de gin en Angleterre, ils recevaient
un pourcentage de toutes les amendes qu'ils imposaient et,
comme ces mêmes mouchards, ils étaient raillés et honnis
par la foule. En fin de compte, face à l'irrépressible montée

en popularité d'une boisson psychoactive, Frédéric choisit la route qu'emprunteront plus tard les États nounous, de Singapour à la Norvège : il donna au gouvernement le monopole de la vente du café et fit fortune en le taxant.

Mais c'étaient là des remous de l'arrière-garde. Une Europe depuis peu sobre venait de se réveiller à l'odeur du café. C'en était fait de la débauche célébrée par Rabelais, Boccace et Villon. L'ère nouvelle fut annoncée par Samuel Johnson, qui composa son dictionnaire en buvant jusqu'à 40 tasses de café par jour. Quant à Honoré de Balzac, il en fut le représentant le plus exemplaire ; les multiples tomes de son œuvre, drames sociaux pleins de ratures, étaient nés de la pure caféine : il avoua même manger des fèves crues pulvérisées. De ce point de vue, les poètes romantiques anglais et les symbolistes français – qui raffolaient du laudanum suscitant le rêve et de l'absinthe brouillant l'esprit – exprimaient un désir quasi aristocratique de cette époque pré-caféine en train de disparaître, quand les âmes libres, non liées par l'aiguille du temps, pouvaient se complaire dans des idylles rurales et la poésie lyrique.

Les attaques sérieuses contre la caféine ne prendraient fin qu'en 1911, quand le Dr Harvey Washington Wiley, fondateur de l'U.S. Bureau of Chemistry (précurseur de la Food and Drug Administration, qui protège les États-Uniens des méfaits du fromage au lait cru), essaya de proscrire l'utilisation de caféine dans les boissons gazeuses. « Fondamentaliste chimique », Wiley avait été l'instigateur de la Loi sur la pureté de la nourriture et des médicaments de 1906 et il avait combattu pour faire interdire la saccharine. Il porta devant les tribunaux fédéraux cette cause décisive : *Les États-Unis contre Quarante barils et vingt tonneaux de coca-cola*. La compagnie, qui avait déjà retiré la cocaïne de ses feuilles de coca, parvint à convaincre la cour que, dans sa formule, la caféine était un composant naturel et non un ajout. Wiley était peut-être moins farfelu qu'il n'en avait l'air : c'est finalement plutôt étrange qu'un stimulant ajouté, qui inhibe l'absorption de calcium et de fer favorisant la croissance, soit présent dans des breuvages destinés aux élèves du primaire. Bonne perdante, la compagnie Coca-Cola accepta de ne pas montrer d'enfants de moins de 12 ans dans sa publicité, une contrainte dont elle se libéra tranquillement en 1986. Aujourd'hui, le triomphe de la caféine est total : les quatre mots les plus répandus, qu'on retrouve, avec de petites variantes, dans presque toutes les langues de la terre, sont également les noms des quatre principales plantes porteuses de caféine : café, cacao, cola et thé.

Voilà qui reflète une curieuse dichotomie de la société moderne. Alors qu'une personne risque la prison pour avoir cultivé du cannabis, une plante relativement inoffensive, elle peut, sur une simple ordonnance médicale, se procurer des stimulants puissants et même dangereux. L'amphétamine, d'abord commercialisée en 1932 comme inhalateur nasal pour asthmatiques, procurait à ses usagers une montée d'adrénaline, augmentait leur attention et leur permettait de rester éveillés. Pendant la Deuxième Guerre mondiale, l'armée britannique offrait aux soldats des amphétamines, qualifiées de « comprimés d'énergie » ; les États-Unis en produisirent 180 millions pour les pilotes de chasse et les soldats combattant dans la jungle ; les étudiants d'université avalaient des *pep pills* avant les examens ; et la méthédrine fut un traitement amaigrissant très populaire dans les années 1950. Sur le marché illégal, l'amphétamine – appelée speed, *crank*, *crystal meth* et *ya ba* ou « médicament fou » en Thaïlande – est l'une des drogues addictives les plus importantes au monde, avec ses 30 millions d'utilisateurs réguliers (presque deux fois plus nombreux que les cocaïnomanes). Comme le disait Frank Zappa dans les années 1960, le speed tue vraiment : l'usage chronique des amphétamines conduit à l'émaciation, aux hallucinations psychotiques et à la production d'albums comme *Metal Machine Music* de Lou Reed.

Contrairement à la marijuana, le speed garde l'esprit alerte, ce qui en fait la drogue de prédilection des bourreaux de travail. Dans les derniers mois de la Deuxième Guerre mondiale, Adolf Hitler recevait chaque jour cinq « injections vitaminées » chargées d'amphétamines. Sir Anthony Eden, premier ministre britannique, avoua que, sans les pilules de benzédrine qu'il prenait constamment, il ne serait pas passé au travers la crise du canal de Suez en 1956. John F. Kennedy reçut une injection de Dexedrine avant son débat avec Richard Nixon. (Quant à Nixon, c'était un gros buveur et consommateur de somnifères. En 1968, il soigna sa dépression en s'auto-prescrivant du Dilantin, un anticonvulsivant dont les effets secondaires sont la confusion, les problèmes d'élocution et la nervosité.) Paul Erdos – le grand maître de la théorie des nombres, le mathématicien le plus prolifique du XXᵉ siècle, et un *motorhead* extrême – ne dormait que quatre heures par nuit, alimentant ses équations à l'aide de benzédrine, de Ritalin et d'espresso corsé. (Lorsqu'un ami le mit au défi de renoncer à ses stimulants, Erdos gagna le pari, mais il perdit toute sa concentration. Il prit l'argent et dit à son ami : « Tu as fait reculer les mathématiques d'un mois. ») On compte actuellement un million et demi d'enfants américains qui souffrent de problèmes d'inattention et prennent du speed, sous forme de Ritalin, tous les jours de la semaine scolaire (certains d'entre eux gagnent de l'argent de poche en vendant les pilules, jusqu'à 100 $ chacune, à des haltérophiles et des étudiants d'université bûchant sur les examens). En 2002, à Kandahar, William « Psycho » Umbach, un pilote de F-16, tua quatre soldats canadiens avec une bombe guidée au laser. Il admit par la suite l'avoir fait sous l'influence de *go-pills* fournies par l'armée de l'air ; au cours de l'enquête, on apprit que les États-Unis font signer une décharge aux pilotes de chasse disant qu'ils vont consommer du speed. En Angleterre, le ministère de la Défense achète en vrac un nouveau stimulant, le modafinil, un traitement pour la narcolepsie récemment devenu une drogue habituelle pour les cadres étatsuniens surmenés. Vendues sur ordonnance d'un médecin de famille, les amphétamines prises de façon régulière seront plus dommageables, et plus rapidement, que toute autre drogue à l'exception des solvants hallucinogènes.

Nous vivons une époque stimulante et, dans une culture de productivité, les drogues pouvant nous transformer en fainéants rêveurs ne conviennent plus. C'est pourquoi personne ne deviendra dépendant du gaz hilarant, de l'opium et de l'éther, et c'est aussi pourquoi le stimulant le plus répandu au monde – tellement de personnes y sont accros que certains le considèrent comme une drogue – est la caféine.

Si le café, le thé et le chocolat ont survécu aux attaques spirituelles des évêques et des vizirs, des rois et des médecins, c'est parce que leurs effets pharmacologiques correspondaient au *Zeitgeist* du capitalisme mondialiste émergent. Mais les arguments réunis par le passé contre la caféine évoquent étrangement ceux que les ennemis de la drogue utilisent aujourd'hui pour diaboliser la marijuana et l'ecstasy. Comme ne cessent de nous le seriner les fondamentalistes, les politiciens socialistes, les moralistes et les médecins, les drogues illégales sont interdites aujourd'hui parce que :

Elles sont immorales. (Il est écrit dans la Torah, le Coran ou la Bible que nous ne devons pas nous avilir, que l'ivresse est l'œuvre de Satan et que notre corps est un temple. Les vrais croyants ne discutent pas ce diktat : « Parce que l'Être suprême a dit qu'il ne faut pas le faire. »)

Elles favorisent un comportement antisocial et criminel. (Dans le cas de drogues illégales, cela va pratiquement de soi : si elles sont défendues, alors quiconque en consomme sera un criminel. Pourtant, si une drogue semble inciter à la violence, c'est bien l'alcool, lequel est légal. C'est le besoin d'acheter des drogues chères au marché noir qui cause une grande partie de la violence associée à la drogue : agressions, cambriolages, guerres de gangs, échanges de coups de feu avec les agents de la DEA et de la GRC, tout cela découle de l'illégalité. Les opiomanes sont presque totalement paisibles quand ils sont sous l'influence de leur drogue préférée ; et à l'époque où Bayer vendait de l'héroïne sous forme de comprimés, on ne peut pas dire qu'on voyait une vague de vieilles filles se déchaîner. Quant à la marijuana, comme P. J. O'Rourke l'a fait remarquer, peut-on parler en mal d'une drogue qui incite les adolescents à conduire lentement ? C'est la prohibition de la drogue qui mène au crime ; les drogues, elles, mènent les usagers à trop regarder la télévision.)

Elles sont mauvaises pour la santé. (Eh bien, oui, les toxicomanes sont intoxiqués, c'est vrai. Mais tout est une question de degré. L'inconditionnel de *scotch single malt* aura bien le foie endommagé. L'amateur de Frappuccino sera sujet aux maladies nerveuses, rénales et à l'insomnie. On le tolère. Et Paul Morrissey, le réalisateur qui a collaboré avec Andy Warhol à la Factory, aimait répéter que les adolescents des années 1960, une des générations les mieux nourries et les mieux protégées contre les maladies de l'histoire, consommaient de la drogue pour expérimenter la mauvaise santé. Ce n'est pas vraiment tiré par les cheveux : une existence urbaine bien nourrie mais sans stimulation peut conduire les gens à rechercher une excitation toxique, tout comme les animaux en cage, en proie à l'ennui, acceptent volontiers toutes les drogues proposées par leurs geôliers. Si, comme le prétendent certaines autorités, le goût de l'évasion temporaire est universel, alors la guerre qu'on livre actuellement à la drogue est aussi vaine que celle que l'on mena contre la masturbation à l'époque victorienne, et nous devrions déployer nos efforts à diminuer la toxicité de la substance plutôt qu'à l'interdire.)

Elles causent la dépendance. (C'est le seul argument vraiment convaincant. Avec le crack, vous mettez le pied dans un engrenage de désir qui vous fera vider votre compte d'épargne en quelques mois, quelques jours, voire quelques heures. Il se passe la même chose avec la dépendance au vidéopoker. Mais quand, en plus de causer la dépendance, une chose nuit à la santé – le tabac pour les accros à la nicotine, les aliments gras pour les mangeurs compulsifs –, les conséquences pour la santé publique peuvent être en effet terribles. Qu'on dirige un casino ou une réserve amérindienne, une piquerie dans le quartier des sans-abri ou une aire de restauration rapide à Houston, profiter de personnes ayant perdu le contrôle de leur conduite est une vilaine façon de gagner sa vie.)

La caféine pourrait être accusée de tous ces méfaits – surtout si elle était interdite par la loi. En dernière analyse, l'unique question véritablement pertinente est celle-ci : une société devrait-elle interdire la colle, les cigarettes, les aliments gras et toute autre substance propre à causer la dépendance, ou peut-elle utiliser à meilleur escient ses ressources pour traiter cette dépendance ?

Je pourrais moi-même solliciter un peu d'aide, je le sais. Depuis mon voyage à San Francisco en quête de *smoke-easies*, j'ai recommencé à lutter contre une habitude de fumer qui va et vient, une habitude dont je m'étais débarrassé en prenant à l'occasion de la gomme à la nicotine. Et, comme 80 % des Nord-Américains, je consomme de la caféine tous les jours, sous forme de thé, de chocolat, d'aspirine caféinée, de boissons gazeuses et – c'est mon plus gros problème – d'espressos. Je consomme de la caféine depuis l'âge de 15 ans et j'ai développé une remarquable tolérance envers cette saloperie. J'essaie de donner quelque dignité à mon obsession en achetant des fèves de haute qualité, équitables, mais, au fond de moi, je sais bien que ce n'est qu'une autre dépendance. Si je n'avais pas d'autre possibilité, je mangerais des cristaux de Folgers directement du bocal.

J'ai essayé d'arrêter, une fois. L'expérience dura trois jours et, après 70 heures de léthargie et de dépression, au cours desquelles je perdis toute velléité de communiquer avec mes parents et amis, je me retrouvai aux prises avec un terrible symptôme d'état de manque : un mal de tête lancinant tel que je n'en avais jamais connu auparavant et n'en connus jamais par la suite. Je claudiquai alors jusqu'à la cuisinière, j'allumai le gaz et, résigné, je flanquai ma cafetière Vev Vigano sur le brûleur. Ma migraine disparut peu de temps après.

Quand je suis à Montréal, je commence presque toujours ma journée à un bar à espresso appelé le Social Club, où les clients italiens locaux feuillettent les pages roses de la *Gazetta dello Sport* tout en jouant au poker, tandis que les dernières parties de football sont retransmises par satellite de Milan et de Rome. Le bistrot est géré par six frères originaires de la Calabre et, au moins une fois par jour, on me sert une demi-tasse coiffée de *crema* concoctée par le diable en personne par les mains expertes d'un membre de la famille appelé Lucifero.

Si l'histoire du psychoactif s'était déroulée un peu diffé-remment – si Kha'ir Beg et Frédéric le Grand étaient parvenus à faire interdire définitivement les cafés, ou si l'on avait servi au pape Clément VIII une tasse de moka particulièrement amer en ce jour de 1600 –, ce ne serait peut-être pas avec un espresso que je lirais mes journaux l'après-midi, mais avec une pipe d'opium, un bol de gelée de haschisch ou une injection de laudanum. Je ne suis pas sûr que je ne préférerais pas vivre dans une société où les substances enivrantes approuvées incitent davantage à la rêverie ; bien sûr, traverser au milieu de la rue serait plus risqué, mais peut-être que les habitués du Social Club discuteraient de poésie plutôt que de râler et de tempêter devant les performances de la Juventus ou du Canadien de Montréal. Nous plaindrions tous les malheureux caféinomanes aux mains tremblantes – un signe révélateur –, qui dévalise-raient nos appartements et voleraient nos CD de Velvet Under-ground pour payer leur prochain sac Ziploc rempli de cristaux de caféine. Les salles d'urgence seraient bondées de victimes de surdose et, aux réunions des Caféinomanes Anonymes, des dépendants en voie de guérison calmeraient leurs nerfs survol-tés avec d'innombrables tasses d'infusion de pavot.

Je fis la connaissance de mon ami Alain Dagher au Social Club où il lisait À la recherche du temps perdu (œuvre écrite par un Français alité sous l'influence de la morphine, du sirop d'éther, de barbituriques et de doses héroïques de caféine). Alain travaille à l'Institut neurologique de Montréal où, dans le cadre de ses recherches sur la dépendance et les maladies nerveuses, il donne aux gens des amphétamines, de la nicotine et du chocolat avant de les mettre dans des scanners pour voir comment se comporte leur cerveau ; il publie ensuite les résul-tats dans des revues comme Nature et Neurology. (Malgré mes allusions réitérées, il ne m'a pas encore recruté comme sujet.)

Au Social Club, quand nous parlons de drogues et de dépendance, j'aime jouer l'avocat du diable et, en tant que médecin pratiquant, Alain a tendance à défendre – jusqu'à un certain point – le statu quo. Il pense comme moi que plusieurs des arguments invoqués pour justifier les prohibitions sont arbitraires et ont peu à voir avec l'évaluation rationnelle des coûts et bénéfices réels des substances en question. Tout en estimant que fumer la cigarette est une habitude néfaste, il croit aussi qu'on exagère les dangers de la fumée secondaire et que la nicotine administrée au moyen du patch, pour augmenter la concentration, se révélera un médicament précieux dans le traitement des maladies d'Alzheimer et de Parkinson.

Avant mon départ pour Bayonne, Alain m'invita chez lui pour un bref exposé PowerPoint sur l'état actuel de la recherche neurologique sur la dépendance.

« Toutes les substances addictives contiennent au moins un ingrédient actif qui agit sur un récepteur précis du cerveau, m'expliqua-t-il d'une voix douce mais assurée. Et chaque drogue connue causant une dépendance augmente les niveaux de dopamine, un neurotransmetteur qui n'est qu'un parmi les 50 neurotransmetteurs connus, dont la sérotonine et la noradrénaline.

« Bien, il n'existe aucune drogue qui rendra tout le monde dépendant. La plus addictive de toutes les drogues de notre société est la nicotine, et pourtant, seulement un quart des consommateurs peuvent être considérés comme dépendants. Les drogues causant la dépendance agissent également sur le circuit cérébral qui s'est d'abord développé pour gérer le comportement alimentaire. Je crois que la faim est une dépendance à la nourriture. Comme la dépendance à la nicotine, à la cocaïne et aux autres drogues, la faim est un comportement appris. Nous pensons que lorsqu'un bébé a faim il est dans un état d'agitation et c'est par les essais et les erreurs qu'il découvre qu'il peut éliminer cet état en mangeant. Nous apprenons cette leçon très vite, probablement dans nos 24 premières heures de vie. La faim est apprise pendant que le cerveau évolue encore ; elle est câblée, tandis que la dépendance à la drogue est apprise lorsque le cerveau a fini de faire toutes ses connexions. C'est frappant de voir comment une personne qui essaie d'arrêter de fumer ou de prendre de la cocaïne ressemble à une personne qui essaie de maigrir. La différence, c'est que lorsque les gens essaient d'arrêter de consommer de la drogue, ils

272 LE PIQUE-NIQUE DU DIABLE

peuvent réussir, malgré l'état de manque. Mais nous *devons* continuer à manger, et c'est pourquoi seulement 2 % des gens qui essaient de perdre du poids y parviennent.

« Nous avons fait une étude intéressante sur le chocolat. Les sujets recevaient un carré de chocolat, le laissaient fondre dans leur bouche, puis nous les mettions dans un scanner PET pour mesurer l'activité de leur cerveau. Nous avons comparé nos résultats à ceux d'une étude sur les cocaïnomanes ; chez ces derniers, les parties du cerveau activées par le *rush* étaient les mêmes que celles associées au plaisir chez un mangeur de chocolat. Le plaisir de manger du chocolat et le *rush* de la cocaïne impliquent les mêmes parties du cerveau – dans le cas qui nous occupe, il s'agit du striatum dorsal, où nous voyons la réaction conditionnée – et ils se développent probablement de la même façon, par l'expérience, par l'usage répété. Nous sommes tous depuis longtemps des mangeurs réguliers, et l'envie de nourriture, comme l'envie d'une drogue, peut libérer la dopamine.

« Bien entendu, la cocaïne et le chocolat sont différents. Nous avons tous un réflexe conditionné à l'égard de la nourriture, mais les consommateurs de drogue ont de plus un effet pharmacologique – les molécules de la drogue vont dans leur cerveau et y font quelque chose. »

Je mentionnai toutes les substances psychoactives présentes dans le chocolat : la théobromine, la théophylline, et peut-être, de façon encore plus révélatrice, la caféine.

« Il y en a plus encore, dit Alain. La phényléthalamine, un autre neurotransmetteur interagissant avec la dopamine, bien que nous ne puissions affirmer que, dans le cas du chocolat, il traverse le cerveau. Mais ce que fait la caféine, c'est de se lier à un récepteur conçu pour un neurotransmetteur appelé adénosine. C'est une découverte toute récente. » En fait, l'adénosine est produite à l'intérieur de nous, avec des propriétés déprimantes, hypnotisantes et anticonvulsivantes, aidant à se détendre et à dormir. Les molécules de caféine imitent sa forme et se branchent dans les récepteurs conçus pour recevoir l'adénosine : il en résulte donc un esprit plus alerte et, souvent, de l'insomnie.. « La caféine incite la dopamine à se libérer dans la même partie qui, selon nos études, était affectée par la cocaïne ; c'est la marque des drogues causant la dépendance. L'effet est relativement faible, évidemment, quand on le compare à celui des amphétamines ou de la cocaïne. »

Alain cliqua sur une icône qui nous fournit la définition de la dépendance à une substance selon le DSM-IV, l'ouvrage de référence dont les psychiatres se servent pour diagnostiquer les maladies mentales.

« La dépendance est définie ici comme un modèle mésadapté d'utilisation d'une substance ; elle implique que l'élément capital de la dépendance est la perte de contrôle sur votre conduite, mais aussi qu'il en résulte quelque dommage. Et si, dans une période de 12 mois, vous répondez à au moins trois des critères suivants, vous êtes considéré comme un dépendant. »

Je suggérai alors à Alain de tenter une expérience : soumettre une drogue légale, la caféine, aux sept critères de dépendance du DSM.

1. La tolérance. – Autrement dit, une résistance à la drogue et un besoin de quantités sensiblement plus élevées pour atteindre l'effet recherché. Nous avons tous deux été d'avis que c'était le cas avec notre espresso. En fait, chez certains usagers, la tolérance à la caféine augmente au point où aucune dose ne peut plus en triompher.

2. L'état de manque. – Absolument, comme j'en ai personnellement fait l'expérience : les symptômes comprennent la somnolence, les problèmes de concentration, l'irritabilité, la diminution de la sociabilité, une migraine lancinante ainsi que des symptômes grippaux comme la nausée et les vomissements, pouvant durer de deux jours à une semaine.

3. La substance est consommée en quantités plus importantes que voulues. – Certainement. Nous nous sommes rappelé, Alain et moi, que, un samedi matin, nous avions constaté avoir pris un espresso de trop.

4. Désir tenace d'arrêter. – Bien sûr : je me retrouve souvent en train d'essayer de limiter ma consommation à une tasse

par jour, et je cesse délibérément d'en prendre après environ 16 heures.

5.　Beaucoup de temps passé en activités nécessaires pour s'en
procurer, l'utiliser ou se remettre des effets causés par la
substance. – Tu parles : je ne veux même pas penser au
nombre d'heures que je passe chaque semaine à aller au
café, m'y asseoir et en revenir.

6.　Importantes activités sociales, professionnelles ou récréati-
ves abandonnées ou réduites. – Peut-être. Nous pourrions
jouer au football, je veux dire. (Si la caféine était illégale et
que nous devions nous démener pour en trouver une dose
quotidienne au marché noir, il aurait été encore plus facile
de répondre aux deux derniers critères.)

7.　L'usage se poursuit même quand on sait qu'on a un problème persistant ou récurrent, physique ou psychologique,
probablement causé ou exacerbé par la substance. – Discu-
table. La caféine cause sans contredit de la nervosité et de
l'insomnie, mais si l'on parle de drogues causant la dépendance, les effets négatifs sur la santé sont insignifiants.

Le dernier point est cependant difficile à corroborer, parce
qu'il est pratiquement impossible de trouver des sujets d'analyse qui ne sont pas dépendants à la caféine. En vérité, nous
sommes, comme société, devenus aveugles à l'omniprésence de
la caféine ; nous ne savons plus ce qu'est la santé sans caféine.
Après l'eau, le café est la boisson la plus populaire au monde,
avec 400 milliards de tasses consommées annuellement.
On détecte de la caféine dans le système sanguin de 80 % des
nouveau-nés. Même en limitant notre consommation de
liquide à l'eau fraîche, on pourrait quand même ingurgiter une
dose de caféine : de récents tests ont prouvé qu'il y en avait dans
les trois quarts des 139 cours d'eau analysés par la U.S. Geolo-
gical Survey dans 30 États.

Au contraire, une drogue illégale comme l'ecstasy est loin
de satisfaire aux critères de dépendance du DSM. On n'entend
presque jamais parler de surdoses fatales (alors que 10 grammes
de caféine, à peu près 100 tasses de café, suffiraient à tuer la
plupart des gens et qu'on peut lier la caféine à 5000 décès par

année aux États-Unis, soit plus qu'à toutes les drogues illégales combinées), et rien ne prouve que l'ecstasy entraîne une dépendance physique chez les humains. En fait, peu de personnes en prennent suffisamment pour que le phénomène de la tolérance et du sevrage entre en jeu ; même si quelques DJ professionnels ont atteint le niveau où ils doivent diminuer leur consommation, pour la plupart des usagers, l'ecstasy est une drogue festive de fin de semaine. Nous pouvons quand même apprendre que l'usage répété conduit à la dépression plus tard – le spectre d'une cohorte d'amateurs de raves prématurément moroses rôde –, mais le point saillant est qu'une génération a été exposée à l'ecstasy et que rares ont été ceux qui sont devenus des consommateurs quotidiens. On peut dire la même chose du LSD, des champignons magiques et, dans une moindre mesure, de la marijuana, une drogue à laquelle n'est accrochée qu'une minorité de *potheads* invétérés. Toutes ces drogues sont plus puissantes que la caféine – certaines substances psychédéliques provoquent par exemple des crises psychotiques chez les consommateurs vulnérables –, mais aucune n'est plus risquée que l'alcool et le tabac ; et, contrairement à ce qui se passe pour le café, seuls les drogués endurcis en consomment tous les jours. N'empêche que le fait d'être pris en possession de ces substances non addictives peut ruiner notre vie : aux États-Unis seulement, 600 000 personnes sont arrêtées chaque année pour possession de marijuana.

Alain préférait réserver son jugement en ce qui concernait les drogues illégales. Ce qu'il m'a déclaré ensuite m'a cependant surpris.

« Si une chose qui t'obsède vraiment ne te cause aucun tort physique réel, la musique classique, disons, le thé... » – et son chat obèse sauta alors sur ses genoux – « ... ou un animal de compagnie, elle ne répondra jamais aux critères du DSM. La nourriture est toutefois l'un des exemples les plus forts de la dépendance. Regarde comment les obèses utilisent la nourriture ; de façon inadaptée, absolument ; elle est cause de handicap ou de détresse, absolument ; elle comporte un risque grave pour la santé et une perte de contrôle, absolument. Et, enfin,

on continue à la consommer tout en connaissant les conséquences négatives, absolument, encore une fois. Il y a des obèses qui souffrent vraiment et qui sont incapables d'arrêter de
manger. »

Alors, demandai-je, peut-on considérer le chocolat comme
une substance causant la dépendance ?

Alain réfléchit quelques instants. « Eh bien, il contient de
la caféine et plusieurs autres substances psychoactives. Il contient du gras et du sucre, deux des principales sources de calories. Je suppose que si on devait fabriquer quelque chose de
légal entraînant la dépendance – à part, disons, les machines à
sous –, le chocolat serait le produit idéal. »

Vue ainsi, Bayonne était une ville de démenti. Elle devait
une partie de sa prospérité actuelle et beaucoup de son industrie touristique à la vente d'une substance psychoactive à une
populace dépendante.

D'entrée de jeu, le chocolat a montré toutes les marques
d'une drogue addictive. Comme l'opium, le cannabis, l'ergot
de seigle, l'alcool et le tabac, sa naissance fut emmaillotée
dans le rituel. D'abord cultivé par les Olmèques, précurseurs
des Mayas en Amérique centrale, au moins 600 ans av. J.-C.,
le cacaoyer est devenu une plante sacrée chez les Aztèques.
Comme d'autres drogues importantes, il fut l'objet de tentatives de prohibition : lorsque Charles II interdit le café, il distin-
gua également le chocolat comme fomentateur de discours
politiques libres dans l'Angleterre de la Restauration. En 1616,
un comité de docteurs de l'Église condamna le cacao qualifié
d'« agent coupable des nécromanciens et des sorciers », et la
Société de Jésus de la Nouvelle-Espagne tenta d'en interdire
l'usage chez les Jésuites. Heureusement, les nonnes et les moines espagnols étaient tellement friands de chocolat que celui-ci
fut épargné par les prohibitionnistes.

Bayonne fut initiée aux secrets de la fabrication du chocolat en 1609, après que l'Inquisition eut chassé les juifs séphara-
des de l'Espagne et du Portugal. Sans vraiment accueillir les
nouveaux arrivants à bras ouverts, la ville basque collet monté

toléra au moins leur présence. L'hôtel où je séjournais – ma chambre avait une vue inspirante sur les plates-formes de la gare ferroviaire avoisinante – se trouvait dans un quartier appelé Saint-Esprit, séparé de Bayonne même par la rivière Adour ; ce quartier avait jadis été un ghetto pour les juifs, bannis de la ville après le coucher du soleil.

Chaque jour, je traversais le long pont de pierre Saint-Esprit pour aller boire mon chocolat au Cazenave. Au XVIIe siècle, ce pont était en bois et les marchands juifs le traversaient pour aller vendre leurs produits aux gens de Bayonne. Les juifs n'avaient pas le droit de posséder leurs propres commerces ou de diriger des ateliers, de dormir ou de manger dans la ville, ou d'acheter au marché avant midi. Le soir venu, le sergent de ville les enfermait hors des murs, et ils traversaient le pont pour rentrer chez eux. Le chocolat, qui devint une friandise chic au sein de la classe moyenne, était l'un des produits qu'ils vendaient avec le plus de succès. Une vitrine au Musée Basque nous montre comment les marchands faisaient rôtir les fèves de cacao dans un petit four ; après les avoir fait refroidir dans un sac de toile, ils écrasaient les fèves et en faisaient une pâte sur une plate-forme de pierre concave chauffée posée sur un tripode. Ils devaient trimballer cette plate-forme d'une maison à l'autre, et les *chocolatiers** restaient agenouillés devant pendant une heure avant que les fèves aient pris la consistance requise pour être fouettées en une tasse convenable de chocolat chaud.

Le secret de la fabrication du chocolat fut peu à peu révélé. En 1791, les chocolatiers catholiques de Bayonne se regroupèrent pour former une corporation « dans le but de perfectionner le métier, vu qu'une pléthore d'étrangers inondent la ville et nous infectent en nous vendant du chocolat de qualité médiocre ». Cette confrérie fit preuve d'une audace époustouflante : ses membres affirmèrent que la fabrication du chocolat était interdite aux juifs « depuis des temps immémoriaux ». La ville reconnut la nouvelle guilde, le métier fut interdit aux juifs qui finirent par baisser les bras, consternés, et trouver d'autres façons de gagner leur vie.

Je pris rendez-vous avec Jean-Michel Barate, fondateur de la Guilde des chocolatiers contemporaine. Je le rencontrai dans sa boutique, Daranatz, à quelques portes du Cazenave dans la rue à arcade. Historien de formation, Barate s'était allié, par son mariage, à une famille engagée dans l'industrie chocolatière depuis 1870. Les employées du Daranatz étaient des femmes en robe rose rayée qui, armées de pinces en métal, tiraient respectueusement de la vitrine des *marrons glacés** et des bonbons en forme de jambon de Bayonne enveloppés dans du papier doré.

« Je suis un genre d'ayatollah du chocolat, un fondamentaliste, si vous voulez, me confia Barate. La plus grande partie de notre chocolat vient d'Amérique du Sud ; à titre d'historien, je m'évertue à retrouver les saveurs originales. Dans l'Amérique précolombienne, le cacao n'avait rien d'une plante ordinaire. Il jouait un rôle nutritionnel, mais il revêtait également une valeur mythique, symbolique et religieuse. La plantation et la récolte du cacao étaient toujours accompagnées d'une cérémonie religieuse et, dans la mythologie aztèque, c'était Dieu qui avait donné le cacao à la Terre. Le premier cadeau que l'empereur mexicain offrit à Cortés, le conquérant espagnol, fut un champ de cacaoyers. Par comparaison, c'était l'équivalent d'une vigne en région méditerranéenne. »

Jetant un regard circulaire sur la boutique, je remarquai des bouteilles d'Izarra jaune, une liqueur basque redoutablement sucrée et aromatisée au safran, des emballages de graines de café trempées dans le chocolat, des bouteilles de champagne Laurent-Perrier et des flacons d'eau-de-vie dans lesquels flottaient des poires entières. Nous étions entourés de substances psychoactives, fis-je remarquer à Barate ; il parut quelque peu décontenancé.

« En effet, répondit-il sèchement. Nous sommes des marchands. Les *dealers* de Bayonne : voilà un slogan intéressant pour une campagne touristique. »

Poursuivant sur ma lancée, je lui demandai s'il pouvait considérer certains de ses clients comme des dépendants.

« Nous en avons qui viennent un jour sur deux acheter leurs tablettes de chocolat. Il peut arriver qu'une personne éprouve le besoin d'en manger. Le chocolat contient des anti-dépresseurs naturels ; à mon avis, c'est plus intéressant que le Prozac. »

Barate admit qu'il connaissait l'histoire des chocolatiers juifs.

« Ce fut un bref épisode de l'histoire de Bayonne, dit-il avec une moue dédaigneuse, plus anecdotique qu'autre chose. La prohibition n'a duré que quelques années avant d'être renversée par le parlement de Bordeaux. C'est vrai qu'aucune famille juive ne fabrique plus de chocolat à Bayonne ; ils se sont lancés dans d'autres négoces. Mais la fabrication n'entre pas dans la tradition juive ; ils sont plus des vendeurs que des manufacturiers. »

(En particulier, pensai-je, quand, tout au long de l'histoire, les gentils d'un endroit se sont regroupés en guildes et en corporations pour les empêcher de faire autre chose que du démarchage.)

« Je pense que le véritable héros de tout cela a été un pape, reprit Barate. En Espagne, on a longuement débattu pour déterminer si le chocolat était un aliment solide. S'il était liquide, on pouvait le consommer pendant le carême, et ce pape a finalement signé une bulle stipulant que le chocolat était un breuvage. Une interdiction papale, dans une société si profondément religieuse, aurait pu entraîner la disparition pure et simple du chocolat. » (Ce pape fut Alexandre VII, et son cardinal Brancaccio se prononça sur la question en 1662.)

Barate, l'historien-chocolatier, regarda rêveusement par la fenêtre. « Je dis parfois que les *chocolatiers** de Bayonne devraient faire une collecte pour ériger une statue à ce pape sur la place Saint-Pierre. Nous lui devons tout. »

Il me semblait que, au contraire, les membres de la guilde contemporaine devaient tout aux juifs que leurs ancêtres avaient expulsés de l'industrie du chocolat.

Quand je retraversai le pont Saint-Esprit vers le ghetto qui m'avait instinctivement attiré, j'érigeai mentalement une statue plus appropriée sur la place. Elle représentait un juif sépharade inconnu agenouillé devant un tripode couvert de fèves de cacao broyées destinées à concocter une tasse de chocolat pour un des gentils de Bayonne.

Ce serait une œuvre symbolique, en marbre lisse couleur chocolat, dédiée à tous les autres héros oubliés – les derviches sufis buveurs de café, les Amérindiens mangeurs de peyotl, les fumeurs de marijuana mexicains – qui, tout au long de l'histoire, ont dû affronter le courroux des sultans, des ennemis de la drogue et des ecclésiastiques du Vatican, lesquels ont eu recours aux prétextes les plus fallacieux pour étouffer l'élan humain le plus vénérable et le plus incompris : le désir de s'évader, même brièvement, de la conscience quotidienne.

L'INFUSION

Vous, messieurs, qui pensez avoir pour mission
De nous purger des sept péchés mortels
Devriez d'abord régler la position fondamen-
   tale de la nourriture
Puis commencer à prêcher, c'est là que tout
   commence

BERTOLT BRECHT

Maté de coca

Ne dites jamais non

À La Paz, la première chose qui nous frappe, c'est l'altitude. On est trop haut. On n'a probablement jamais été aussi haut ; on est certainement plus haut qu'un être humain doive l'être pendant une seule journée. Notre avion se penche au-dessus de la zone, mal éclairée, du bidonville le plus haut au monde, on touche terre à l'aéroport international le plus haut du monde et on présente notre passeport à 1500 pieds au-dessus de la plus haute capitale au monde. Au carrousel, attendant que notre sac à dos arrive sur le tapis roulant, on se trouve à 1300 pieds au-dessus du niveau de la mer, à la même altitude que les alpinistes atteignant le sommet du mont Eiger après deux jours d'une éreintante escalade.

S'ajoutant aux autres dislocations – latitudinales, culturelles, temporelles – qui découlent du voyage intercontinental par avion, le changement d'altitude déclenche des grognements de protestation dans notre corps. Le *soroche*, ou mal des montagnes, est un genre d'intoxication affligeant ceux qui montent trop haut, trop vite ; le mal des caissons andin, si vous voulez. Si, chez la plupart des gens, le *soroche* se traduit par un engourdissement des doigts, de la lassitude, de la faiblesse et de légères migraines pendant un jour ou deux, il peut arriver que, dans les cas extrêmes, le fluide se rassemble dans le cerveau et provoque un œdème cérébral, le coma et la mort. Le jour où je pris l'avion vers le sud, mon père m'appela pour me parler du fils d'un ami, un homme plus jeune que moi, trouvé mort dans sa chambre d'hôtel de La Paz où il s'était retiré en se plaignant d'avoir mal à la tête et le souffle court. Lorsque je changeai d'avion à Santa Cruz, une ville de l'est de la Bolivie, située à basse altitude, je fis la connaissance d'une employée de l'ambassade américaine en Uruguay; elle m'offrit une plaquette de comprimés d'acétazolamide qui, m'assura-t-elle, m'aideraient à mieux métaboliser l'oxygène. Les effets secondaires de cette drogue semblaient presque aussi graves que le *soroche* lui-même : sur l'emballage, on nous recommandait d'appeler un médecin en cas d'ecchymoses ou de saignements inhabituels, de tremblements des mains, de douleurs à l'aine, de fièvre ou d'éruptions cutanées. On aurait dit un traitement typiquement technocratique; je préférai attendre de trouver une panacée plus naturelle.

Bien entendu, les Boliviens contrôlent depuis longtemps leur *soroche*. Dans le taxi qui m'emmenait de l'aéroport, j'observai, abasourdi et épuisé, des hommes baraqués comme des armoires à glace, vêtus de chemises habillées et portant de lourds sacs sur le dos, gravir en courant les montagnes russes que nous descendions. S'ils doivent leur endurance à des générations ayant passé leur vie à s'adapter à ces montagnes, les habitants des Andes ont aussi une arme secrète et traditionnelle dans leur arsenal. Je laissai mon sac à dos dans ma chambre d'hôtel, puis je descendis à un bar dans le lobby, pris un sachet dans la corbeille contenant des infusions de camomille, de thé fruité ou anisé, et versai de l'eau bouillante sur le sachet portant les mots *maté de coca*. Après l'avoir laissé infuser cinq minutes, je bus ma première gorgée de thé aux feuilles de coca.

La saveur était légèrement végétale, plus proche de Sleepytime que du *yerba maté* au goût d'herbe – l'infusion nationale de l'Argentine, plutôt amère. L'effet était toutefois plus intéressant que la saveur : après ma deuxième tasse, mes doigts cessèrent de picoter et je n'eus plus l'impression d'avoir les tempes serrées dans un étau; après ma troisième tasse, je me sentis alerte et détendu – une sensation concrète, bien que subtile.

Les feuilles de coca contiennent 14 alcaloïdes différents, dont l'un est la cocaïne ; une seule tasse de maté en contient quatre milligrammes, suffisamment pour rendre un chat domestique un peu plus espiègle que d'habitude ; ce n'est toutefois pas plus stimulant qu'une tasse normale de café. Il y a cependant juste assez de cocaïne – tout comme il y a juste assez de morphine dans deux bagels aux graines de pavot – pour produire un résultat positif à un test de dépistage de drogue. Luis Cristaldo, un joueur de football bolivien, fut testé positif après un match de qualification pour la Coupe du monde, de même qu'une femme de Chicago qui avait bu un peu de thé de coca rapporté chez elle après des vacances au Pérou en 2001. Cristaldo fut par la suite blanchi, mais la femme perdit son emploi au bureau du shérif du comté de Cook.

En Bolivie, on offre toujours une tasse de *maté de coca* aux dignitaires en visite à leur descente de l'avion ; Jean-Paul II en accepta une, de même que le roi et la reine d'Espagne et la princesse Anne, qui déclara avoir particulièrement apprécié la marque Windsor, la plus populaire de la Bolivie. (On sera peut-être moins étonné d'apprendre que Fidel Castro fut acclamé par le pays lorsqu'il en réclama une tasse au cours d'une visite en 1993.) Dans le pays le plus pauvre d'un continent pauvre, où le revenu moyen est de 72 $ par mois, la coca est le gagne-pain de dizaines de milliers de paysans. On peut acheter du thé de coca à la boutique hors taxes de l'aéroport ; les marchés locaux vendent des biscuits et du dentifrice à saveur de coca ; et le prochain président de la Bolivie pourrait bien être un cultivateur de coca. Pour reprendre les propos d'un anthropologue, éradiquer la coca en Amérique du Sud équivaudrait à supprimer le café, le tabac et les hosties dans l'hémisphère nord.

J'apportai ma tasse de *maté de coca* à ma chambre et j'en sirotai quelques gorgées tout en regardant les enfants dans la rue au-dessous simuler un duel avec de vieux tubes de carton. Le fils de l'ami de mon père aurait-il survécu à son séjour à La Paz s'il avait bu du thé de coca ? À cause des pressions exercées par les Américains sur les Nations unies depuis des décennies, la Bolivie, l'Argentine et le Pérou sont désormais les seuls lieux sur terre où l'on peut en toute légalité savourer ce breuvage. Entre-temps, la Drug Enforcement Agency (DEA) s'est engagée dans une guerre et, pour la mener, elle se sert d'hélicoptères Black Hawk, de défoliants chimiques et d'armes biologiques; elle semble avoir pour but d'éliminer totalement la plante de coca de la surface du globe. S'il existait une façon de sortir de la prohibition des drogues à l'échelle internationale, un cloaque de corruption qui, depuis 90 ans, ne cesse d'éroder les libertés civiles et de gaspiller des vies, je soupçonnai qu'il se trouvait peut-être dans ce sachet détrempé au fond de ma tasse.

J'éteignis la lumière et sombrai dans un profond sommeil sans rêve. Contrairement au *café au lait** ou au thé Earl Grey, le *maté de coca* est un stimulant qui ne nous empêche pas de profiter d'une bonne nuit de sommeil.

« En Bolivie, la coca garde les gens en contact les uns avec les autres, me dit l'anthropologue Andrew Orta, qui soignait son *soroche* avec un grand bol de soupe aux légumes. La coca est inscrite dans les activités sociales quotidiennes. »

Nous étions dans un restaurant de la Calle Linares; pour ma part, j'avais commandé un steak de lama – tranché mince, pas trop gras, délicieux. Maître de conférence à l'Université d'Illinois, Orta – rouquin, voix douce, lunettes, calvitie naissante – avait, avant mon départ pour la Bolivie, accepté de me rencontrer. Nous séjournions par hasard au même hôtel; le soleil qui entrait formait une flaque de lumière sur le palier, et je l'y avais surpris plongé dans un livre de poche. Apparemment, l'Amérique du Sud peut se révéler un petit continent – surtout pour les gringos qui se baladent avec un guide *Lonely Planet*.

Dans le cadre de ses recherches, Orta devait vivre avec des paysans aymaras à Jesús de Machaqa, une ville à 100 kilomètres à l'ouest de La Paz. Environ 60 % des Boliviens sont de descendance indigène plutôt qu'européenne. Les deux groupes les plus importants sont les Aymaras et les Quechuas; ces derniers descendent directement des Incas, dont l'empire de 12 millions de sujets s'étendait jadis de l'Équateur jusqu'au centre du

Chili. La coca ne poussait peut-être pas dans les hautes plaines où Orta poursuivait son étude, n'empêche que c'était un élément essentiel de la vie quotidienne; les différentes communautés commerçaient entre elles et c'était ainsi que la coca arrivait sur l'Altiplano.

« Là, tous les adultes sont censés participer à la gestion de la communauté, m'expliqua Orta, et le plus haut niveau auquel ils peuvent accéder s'appelle *mallku*, un poste de direction assumé par les couples mariés. Pendant leur mandat, ils doivent transporter en tout temps de la coca dans une *chuspa*, ou bourse à coca. Les gens les consultent pour résoudre des problèmes familiaux, et c'est en partageant la coca qu'ils abordent honnêtement et ouvertement un sujet. Habituellement, pendant leur *mallku*, ces familles patrilinéaires élargies construisent une pièce supplémentaire autour de leur patio, et c'est là qu'ils reçoivent leurs invités. Les gens seraient horrifiés s'il n'y avait pas de coca. »

Dans le contexte traditionnel, la coca était offerte gratuitement, et personne ne s'attendait à être payé. Comme c'était ailleurs le cas pour le tabac, le peyotl ou le vin eucharistique, la coca était un produit exclu de l'économie normale – un cadeau d'une valeur à la fois inestimable et nulle – et on était censé la consommer avec d'autres membres de la communauté. À part son rôle dans la divination, la coca était utilisée pour ses vertus anesthésiques puissantes bien avant que les Espagnols ne conquièrent les Incas en 1532.

Je demandai à Orta s'il avait déjà accepté de la coca de ses hôtes.

« Oh ! bien sûr ! Vous savez, c'est plutôt doux. On a la bouche engourdie, mais si on veut parler de *buzz*, je dirais qu'une couple d'espressos sont plus efficaces. Même l'Église catholique reconnaît maintenant l'utilisation rituelle de la coca, une position diamétralement opposée à celle qu'elle maintenait dans les années 1950. » (Et une rupture encore plus radicale avec sa position de 1552, lorsque le premier concile de Lima exigea une prohibition totale. Le roi Philippe II d'Espagne appelait l'effet stimulant de la coca *ilusión del demonio*; il ne changea de refrain et ne leva l'interdiction que lorsqu'on lui fit comprendre que les Indiens refuseraient de descendre dans les mines et de travailler comme des esclaves pour les Espagnols sans une chique de coca coincée dans leurs joues.) « De nos jours, les seules personnes qui prêchent contre la coca sont les groupes évangélistes protestants, comme les mormons ou les adventistes du septième jour. Mais c'est vrai qu'ils ne mâchent pas de gomme et ne fument pas de cigarettes. »

La serveuse débarrassa la table et nous apporta deux tasses d'infusion de coca, que nous accompagnâmes de bouffées d'une autre substance psychoactive du Nouveau Monde, le tabac.

« Vous savez, si on voulait se lancer dans une culture commerciale, reprit Orta d'un ton rêveur en exhalant une bouffée de sa Camel, on serait fou de ne pas faire pousser de la coca. C'est parfaitement adapté au marché bolivien. On n'aura jamais peur de voir sa récolte pourrir; la demande ne faiblira jamais. Et les clients viennent la chercher chez nous. »

À La Paz, deux choses sollicitent le regard de l'arrivant : les formidables distances et les demandes d'une proximité grouillante. Si on laisse nos yeux glisser le long des étages des maisons cubiques de couleur ocre sur les collines brûlées par le soleil qui entourent les gratte-ciel du centre-ville, on risque d'être renversé par le minibus bondé qui grimpe sur le trottoir pour prendre un dernier passager. Si la vision des bambins solitaires qui tendent leurs boîtes de cotons-tiges Q-tips et de cure-dents, leurs pains de savon Lux nous chavire, il suffit qu'on tourne le coin de la rue pour être ébloui à la vue des monts Illimani, cinq sommets couverts de neige, aussi majestueusement pyramidaux que les femmes en veste à franges accroupies derrière d'interminables piles de pièges à souris, de chandails en alpaga et de logiciels Windows 98.

Alors, comme j'entrais dans le marché alimentaire de la rue Rodriguez, j'étais content d'être mû par un seul désir – même si ce n'était que pour protéger mes sens déjà surchargés contre l'excès de *chuños*, d'*ocas*, de *tuntos* et des quelques 200 autres variétés de pommes de terre tachetées, longues et

minces, jaunes, déshydratées ou en forme de truffe, qui compo-
sent l'ordinaire du régime andin. C'était moins facile que ça en
avait l'air ; en fin de compte, il y avait plusieurs choses que
l'acheteur non initié pouvait prendre pour de la coca dans un
marché bolivien. Arrêté devant une charrette métallique pourvue de son propre moulin manuel, je restai en contemplation
devant les piles de fèves de cacao et de feuilles séchées jusqu'à
ce que je m'aperçoive que j'avais affaire à un marchand d'épices. Je dépassai une brouette remplie de quinoa soufflé et je
demandai à une vendeuse de jus de fruits cachée derrière un
amoncellement de verres ce qu'était la petite goutte verte dans
le liquide transparent.

« *Quisa*, répondit-elle. C'est sucré. »

Les échoppes grimpaient de plus en plus haut sur le flanc de
la colline. Je finis par entrer chez une bouchère et lui demandai
où je pouvais trouver des feuilles de coca. Elle sortit de derrière
le comptoir et me donna un bon coup de coude – j'étais appuyé
contre la carcasse dégoulinante d'une vache suspendue à un
crochet.

« Coca, pour mâcher ? » demanda-t-elle en s'essuyant les
mains sur un tablier maculé de sang.

Je fis signe que oui. Elle me tira par la manche, m'entraîna
dans la rue, pointa le doigt vers les collines et, de l'inimitable
façon sud-américaine, elle m'indiqua le chemin. « Tu montes
une rue, tu tournes à droite, puis tu descends une rue, puis
encore une demi-rue. »

Grâce à ses indications, je me retrouvai devant deux poches
de jute de 50 kilogrammes étalées au coin d'une rue, débordant
de feuilles. Assise sous un parasol, la marchande me zieuta d'un
air méfiant. C'était une *chola*, le mot employé pour désigner les
femmes indiennes nées à La Paz qui se conforment à un code
vestimentaire strict : un chapeau melon directement sorti du
Londres édouardien et des châles à franges drapés par-dessus
des jupes plissées à motif floral (très à la mode, paraît-il, dans la
Tolède du XVIIe siècle). L'authentique *chola* était une curieuse
confluence d'anachronismes ; c'était Carmen s'en va-t-en
ville dans le Tibet des Amériques.

Très femme d'affaires, celle-ci n'avait manifestement rien à faire de mon regard en quête d'exotisme.

« Combien t'en veux ? demanda-t-elle abruptement. Un boliviano ? Deux ? Cinq ? »

J'optai pour cinq bolivianos – l'équivalent de 63 ¢ US – et elle versa des feuilles dans un sachet de plastique vert qui prit toute la place dans le sac que je portais à l'épaule.

« Tu veux de la *lejía* ? »

La *lejía*, qui veut dire « javellisant », est en réalité une combinaison hautement alcaline de racines brûlées et de sucre de canne facilitant l'extraction des alcaloïdes des feuilles. La variété sucrée, vendue entre deux feuilles de plastique, ressemble à un carré de haschisch très noir écrabouillé.

Je sortis un peu de monnaie de ma poche ; parmi les pièces, il y avait quelques pesos chiliens et des 25 ¢ canadiens.

« Je ne veux pas de ton argent étranger ! » s'écria-t-elle en faisant la grimace.

Sa jeune collègue se pencha en avant et dit en ricanant : « Mais *moi*, j'aimerais bien aller dans ton pays ! »

La *chola* au chapeau melon me montra comment déchirer un morceau de *lejía* avec l'ongle de mon pouce et replier la feuille par-dessus. Elle profita de l'occasion pour se mettre des feuilles dans la bouche.

Après m'avoir jaugé du regard, elle conclut : « Tu devrais commencer avec 10 feuilles. » Il y en avait au moins trois fois plus dans la poignée qu'elle avait enfournée.

Je lui dis que j'espérais vraiment que cela m'aiderait à soigner mon mal des montagnes. Dans la chaleur de midi, je sentais planer le début d'une migraine chaque fois que je montais une pente.

« C'est bon aussi pour la digestion, dit-elle en tapotant son ventre rond. Très nourrissant. »

Je la remerciai et trouvai un banc à l'ombre devant une boutique ; là, je pourrais prendre le temps de préparer adéquatement ma chique. Les feuilles étaient ovales, foncées d'un côté, plus pâles de l'autre, fuselées aux deux extrémités, mais leur apparence n'avait rien de plus remarquable que les feuilles de laurier qui flottent dans une casserole de sauce à spaghetti. Je pinçai un petit bout de *lejía*, repliai la feuille par-dessus et calai le tout entre mes gencives et ma joue. Pincer, replier, caler ; quand je m'aperçus que les quelques passants qui me voyaient se fichaient comme de l'an quarante de ce que je faisais, je commençai à apprécier le rythme lent du rituel. J'eus bientôt les doigts couverts de taches noires et vertes, les joues gonflées – j'y calai 20, puis 30 feuilles –, puis je constatai que le bout de ma langue était engourdi. Réduites en une chique pulpeuse par ma salive, les feuilles se combinaient à la *lejía* alcaline, haussant le pH dans ma bouche, laquelle brisait à son tour les parois des cellules de coca, libérant finalement de minuscules quantités de cocaïne. C'était l'heure du lunch, pourtant ma faim avait disparu, tout comme l'élancement dans mes tempes et la sensation de malaise et de moiteur causée par un mélange de décalage horaire et de *soroche*.

Tout à coup, la coca commençant à faire effet, La Paz devint le meilleur endroit où se trouver sur terre, et j'avais pour l'explorer tout le temps du monde ainsi qu'une réserve d'énergie apparemment infinie. Plus besoin de faire d'effort pour gravir, pas à pas, les trottoirs en pente, je pouvais désormais les parcourir au petit trot. Sur le Prado, je bavardai avec les cireurs de chaussures, coiffés de passe-montagnes noirs de style zapatiste, je m'arrêtai avec un groupe d'enfants en pâmoison devant un appareil de télévision en noir et blanc où l'on voyait s'envoler les pieds de Jackie Chan, et une nonne m'aspergea d'eau bénite dans le portique de l'église San Francisco. Je marquais partout mon passage par des crachats d'un vert fluorescent. C'était beaucoup plus satisfaisant que le *pan*, un stimulant à la noix de bétel – qui tache les dents – que je mâchouillais en Inde et bien moins dégoûtant que le tabac à chiquer, avec lequel j'avais brièvement flirté dans mon adolescence. La coca procurait une légère euphorie, plus durable que le *buzz* cristallin, éternellement frustrant, produit par la cocaïne. Si le *rush* vient toujours de substances chimiques, les plantes dont elles dérivent offrent une version plus douce et plus salutaire de la même sensation.

Mâcher des feuilles de coca, ce qui exige un investissement de temps considérable, ressemble à fumer la pipe ou le cigare : une habitude d'avant la révolution industrielle, idéale pour la contemplation et les activités en plein air.

C'était peut-être aussi une question de contexte. À La Paz, il n'y avait rien de honteux dans le fait de mâcher des feuilles de coca et on n'avait pas besoin de se cacher ; c'était au contraire une expression de solidarité avec la population. Les graffitis peinturlurés sur les murs écaillés revendiquaient le LIBRE CULTIVO DE COCA, la « culture libre de la coca », et les tee-shirts vendus dans les ghettos de touristes arboraient le slogan LA HOJA DE COCA NO ES DROGA, « la feuille de coca n'est pas une drogue ». Mon euphorie, qui dura tout l'après-midi, ne semblait pas corroborer cette dernière affirmation : si la feuille de coca n'est pas une drogue, alors la fève de café, le *cannabis sativa*, la feuille de tabac et le pavot n'en sont pas non plus.

Mais si l'accepter signifiait que je pouvais profiter de ma coca en toute impunité, j'étais prêt à jouer le jeu.

Perché sur la même plaine sans arbres que l'aéroport, le quartier pauvre d'El Alto est désormais une ville de 700 000 habitants. Les cireurs de souliers, les *cholas*, les chauffeurs de taxi, les mineurs au chômage et les fermiers dépossédés partent de là pour aller protester sur les plazas de style européen de La Paz ; c'est là que des douzaines de personnes furent abattues par l'armée pendant les manifestations ayant conduit au renversement du dernier président.

Je pris un taxi pour négocier les vertigineuses montées et descentes jusqu'à El Callejón de los Yatiris, également connu sous le nom de Ruelle des Sorcières. D'un côté de la large rue non pavée, une statue de Jésus, *Díos de los Díoses*, bénissait les toits plats de La Paz ; un immeuble d'un étage occupait l'autre côté sur toute la longueur, avec des portes métalliques à tous les deux ou trois mètres ; un numéro était barbouillé au-dessus de chacune d'elles. Sans les affiches colorées offrant de « guérir différentes maladies » et d'« invoquer les âmes », l'endroit aurait pu être une suite de bordels dans une ville frontalière ou un mini-entrepôt dans le Sud-Ouest états-unien. Je choisis la porte numéro 3, DOÑA MAXIMA, dont l'écriteau affirmait qu'elle pouvait renverser les mauvais sorts en lisant dans les feuilles de coca.

À l'intérieur, señora Maxima était assise sur un étroit lit métallique. Elle avait la peau striée de rides formant un réseau aussi complexe que les lignes Nazca dans le désert péruvien, mais ses cheveux étaient épais, longs et noirs ; une couverture de laine, attachée sous son menton par une épingle de sûreté, couvrait ses tresses parsemées de pétales blancs. Elle sourit, révélant une dent en or, et me fit signe de m'asseoir sur une chaise à côté du lit.

« ¿ *Que quiere, joven* ? » me demanda-t-elle. Sa langue maternelle était l'aymara et son espagnol semblait aussi rudimentaire que le mien.

Je répondis que je voulais savoir ce que les feuilles de coca pouvaient dire sur mon avenir.

Elle déplia une *chuspa*, un carré de lainage à motifs, l'étala sur le lit et me demanda une pièce de cinq bolivianos, qu'elle plaça au milieu. Elle disposa six feuilles autour de la pièce, le côté foncé à l'envers, et les aspergea de quelques gouttes d'alcool d'une bouteille de plastique.

« Dis-moi le nom de ta *fiancée** », demanda-t-elle.

Je lui donnai le nom d'une lointaine dulcinée.

Elle commença à faire tomber les feuilles d'un sachet de plastique sur la *chuspa*. De temps en temps, elle mettait une feuille dans sa bouche.

Mon chauffeur de taxi, qui m'attendait à la porte, m'expliqua que c'était mauvais signe si les feuilles tombaient avec le côté foncé vers le haut. Elles montrèrent toutes leur face pâle, leur extrémité pointant dans la direction opposée à la diseuse de bonne aventure. Cela n'avait rien d'étonnant – señora Maxima avait manifestement perfectionné une torsion du poignet qui assurait des résultats positifs. Après avoir fait tomber une trentaine de feuilles, elle contempla le résultat.

« Tu es jeune et fort. Tu auras beaucoup de chance dans tes voyages, et en amour. Mais tu dois faire une offrande à Pachamama. »

Elle enfouit la pièce de cinq bolivianos que je lui avais donnée dans une poche de son épaisse robe bleue. Je lui demandai
si je pouvais prendre une photo.

« *Sí*. Ça coûte 20 bolivianos. »

Elle prit la pose, stoïque, l'air pincé, les mains dans son
giron.

Dehors, je remarquai une rangée de *braseros*, semblables à
de petits hibachis, posés devant la porte de chacune des *yaturis*.
Le chauffeur m'expliqua qu'on s'en servait pour faire brûler des
offrandes à Pachamama, la déesse symbolisant la terre. Les effi-
gies sucrées étaient incrustées d'herbes et de laine de lama, et
s'il restait des cendres noires après la carbonisation, c'était de
mauvais augure – il n'avait pour sa part jamais cru à ce genre de
chose, m'assura-t-il. On les vendait 120 bolivianos (15 $ US)
dans une boutique du voisinage. Je décidai de me passer de ce
rituel ; pour le même prix, je pouvais me payer une nuit de plus
à l'hôtel, 10 repas convenables et une provision de deux mois
de feuilles de coca.

En quittant la Ruelle des Sorcières sans faire brûler d'offrande, je ne me sentais pas trop coupable de mesquinerie ; tout
compte fait, l'expérience n'avait rien eu de très authentique.
Dans le quartier pauvre d'El Alto, peuplé de membres dépossédés de communautés paysannes brisées, le traditionnel avait
été urbanisé et commercialisé. En tant que touriste payant une
diseuse de bonne aventure urbaine pour une consultation – avec
le supplément pour une photo –, je m'étais éloigné d'un bon
pas de la façon dont les feuilles de coca étaient utilisées dans la
Bolivie rurale, où elles étaient offertes gratuitement en signe
d'hospitalité.

J'étais d'ailleurs passablement sûr de trouver un chemin
pour atteindre Pachamama.

La Bolivie, un pays sans accès à la mer comptant seulement
8,7 millions d'habitants, a vécu 189 *coups d'État** depuis qu'elle
a obtenu son indépendance de l'Espagne en 1825. Le dernier
changement de gouvernement s'est produit le 17 octobre 2003,
lorsque Gonzalo Sánchez de Lozada, un magnat de l'industrie

minière formé à l'Université de Chicago (que les Boliviens surnomment, sans trop d'affection, Goni ou le Gringo), a été forcé
de démissionner. Poussé par le Fond monétaire international,
Lozada passa une bonne partie des années 1990 à vendre les
chemins de fer nationaux, les compagnies d'aviation, les compagnies de téléphone et les mines d'étain dans un effort visant
à vaincre l'hyper-inflation (qui avait atteint un sommet sans
précédent de 24 000 % en 1985) et à rembourser une dette
écrasante, legs du pillage des coffres de l'État par des décennies
de généraux dictateurs. Pour la population, le vase déborda
quand Lozada, qui avait ouvert les réserves de gaz naturel du
pays, estimées à 70 milliards de dollars, à des compagnies
comme Shell et Enron, proposa de vendre du gaz liquide à la
Californie par le biais d'un pipeline qui traverserait le Chili,
ennemi traditionnel de la Bolivie. D'imposantes manifestations dans les rues, au cours desquelles au moins 70 personnes
trouvèrent la mort, obligèrent Lozada à fuir le palais présiden-
tiel en hélicoptère, puis à s'exiler à Miami. Son vice-président,
Carlos Mesa, ex-journaliste à la télévision, est depuis à la barre
de ce régime instable. Des manifestations bloquent la capitale
plusieurs fois par semaine.

Derrière les habituels changements de pouvoir, une force
plus profonde était à l'œuvre. Des dirigeants indigènes, dont
un grand nombre avaient grandi avec la feuille de coca comme
symbole de leur identité, représentaient désormais un sérieux
défi pour le statu quo. Depuis son indépendance, la Bolivie a
été dirigée par des personnes issues d'une élite, une minorité
aristocratique de descendance européenne s'étant souvent dis-
tinguée par une incroyable avarice. (Le pire de ses représentants encore vivant dans les mémoires fut le général García
Meza qui, en 1980, arracha le pouvoir à un socialiste élu démo-
cratiquement. Financé par l'un des plus riches narcotrafiquants de la Bolivie et assisté par un mystérieux Allemand
appelé Klaus Altmann – qui se révéla être Klaus Barbie, ancien
dirigeant de la Gestapo, surnommé le Boucher de Lyon –, Meza
mena une révolution sanglante, qu'on surnomma bientôt
« Cocaïne Coup », au cours de laquelle 500 chefs syndicaux

furent exécutés.) Depuis peu, des leaders indigènes ont cependant commencé à défier l'oligarchie. Aux élections de 2002,
seulement 1,5 % des voix séparèrent Evo Morales, d'origine
aymara, et son parti, le Mouvement vers le socialisme (Movi-
miento Al Socialismo, MAS), de Lozada. Les dirigeants aymaras et quechuas contrôlent désormais un tiers du Congrès. Sen-
tant le vent tourner, Mesa déclara la fin de la politique Coca
Zero, un projet financé par les États-Unis visant à l'éradication
de toute la coca en Bolivie. Bien des gens croyaient qu'Evo
Morales, qui avait commencé sa carrière comme cultivateur de
coca au Chaparé, une région pauvre située dans la jungle,
gagnerait les élections présidentielles en 2005. Pour la première fois, un champion de la coca avait de bonnes chances de
diriger un pays latino-américain.

Entre-temps, en Bolivie, rien n'était certain ; tout avait
l'air d'être jeté en pâture au plus offrant. Pendant la première
semaine de mon séjour à La Paz, chaque jour amenait une nouvelle manifestation. Andrew Orta me raconta que l'après-midi
de son arrivée, la police s'était servie de gaz lacrymogène contre des enseignants qui réclamaient une hausse de salaire auprès
du gouvernement au bord de la faillite. Un après-midi, je marchai jusqu'à la Plaza San Francisco et là, je me retrouvai entouré
de policiers ombrageux en uniforme kaki, tandis que des mains
anonymes lançaient des pétards sous leurs pieds. La place était
bondée de *gremialistas*, membres d'une guilde de vendeurs de
rue, protestant contre une mesure prise par le gouvernement
qui voulait leur faire payer des impôts tous les six mois plutôt
qu'une fois par année. Le lendemain, les *transportistas* – chauffeurs de taxi et d'autobus – paralysèrent la ville entière au cours
d'une manifestation contre une hausse du prix de l'essence de
trois centavos. Et l'élégante promenade appelée le Prado semblait accueillir un sleep-in permanent, les mineurs défilant
autour des quartiers généraux de leur syndicat, à côté du bureau
d'American Airlines, gardé par un seul membre de la *Policía
Nacional* à l'air nerveux. De nombreux mineurs portaient un
casque brillant couleur sang de bœuf et ils tuaient le temps en
jouant aux cartes et en suivant des matchs de football télévisés

par les fenêtres à carreaux du chic restaurant Unicornio tout en chiquant leurs feuilles de coca. Passant par là à la fin de la soirée, quand la température avait presque atteint le point de congélation, je vis que les mineurs dormaient avec leurs familles sous des couvertures de laine ; à l'aide de boîtes de carton, ils avaient divisé le trottoir en petits logements : un village instantané dans les rues de la ville.

Même au milieu d'un tel chaos, La Paz sait divertir ses visiteurs ; si les musées et les cathédrales de classe internationale brillent par leur absence, cette lacune est compensée par des attractions touristiques uniques en leur genre. On peut passer l'avant-midi au Marché des sorcières à comparer les prix des statuettes représentant Ekeko, un dieu nain, des potions pour améliorer notre vie sexuelle ou encore des fœtus de lama desséchés – créatures aux membres grêles et aux orbites creuses, directement sorties d'un film de Tim Burton, que les Boliviens enterrent dans les fondations de leurs maisons pour avoir de la chance. Certains touristes préfèrent pénétrer à l'intérieur de la prison San Pedro aux allures de forteresse, où les trafiquants de cocaïne et les anciens présidents ont le droit de frayer librement avec les visiteurs curieux. Et tout le monde, pour ainsi dire, va au Museo de Coca, un petit musée à côté d'une courette en pavés ronds dans la rue Linares.

Dans trois pièces remplies d'artefacts, le musée raconte l'histoire de la feuille de coca et de la cocaïne d'un point de vue bolivien. Tout en suçotant une pastille sucrée aromatisée à la coca vendue au comptoir, j'examinai les photos en noir et blanc d'autochtones andins sur les tapis roulants contrôlés par les médecins en sarraus blancs de laboratoire. Un mannequin en boxer-short montrait comment piétiner les feuilles de coca, comme on le fait avec les raisins, dans des orifices doublés de plastique remplis d'acide et de kérosène, pour en faire la *pasta básica*, une pâte facile à transporter qui contient jusqu'à 65 % de cocaïne. Le diorama du cocaïnomane américain était particulièrement hilarant : on y voyait un yuppie aux yeux globuleux vêtu d'un complet, tenant un billet d'un dollar roulé trempé dans un sachet de poudre, ses yeux bleus

exorbités rivés sur une annonce de Marlboro collée sur un
écran de télévision. Les visiteurs révélaient leurs obsessions
dans le livre d'or : « Beau musée, très informatif », avait écrit
Antony de Manchester, qui recommandait quand même
qu'on offre des échantillons gratuits. Ariel, de Tel-Aviv, était
plus direct : « Mais où est-ce qu'on peut en acheter, bon Dieu !
On est quand même en Bolivie ! » La Paz était un endroit
chaud pour un petit, mais important, segment de l'industrie
du voyage : le narco-tourisme. Le prix courant d'un gramme
de cocaïne de haute qualité vendu dans les rues de La Paz
était 3,85 $ US. Même si les gringos pouvaient s'attendre à
payer le double, c'était encore une sacrée bonne affaire selon
les critères mondiaux.

Je m'attardai devant un panneau qui racontait une légende
indienne transmise oralement de génération en génération,
avant d'avoir été traduite – plutôt librement, soupçonnai-je –
en espagnol en 1921. Ses vers prédisaient que cette plante de
coca, qui avait permis aux Indiens de résister au froid et à la
faim, ruinerait également l'envahisseur : « Si ton tourmenteur,
venu du nord / le conquérant blanc, le chercheur d'or, y touche /
il n'y trouvera qu'un poison pour son corps et la folie pour sa
tête… / Elle l'anéantira / comme les cristaux de glace nés dans
les nuages / font craquer les rochers / détruisent les montagnes. » Cristaux, craquer, poison : on aurait dit une prophé-
tie succincte de l'impact de la cocaïne sur les sociétés nord-
américaine et européenne.

Ce soir-là, je rencontrai Jorge Hurtado, fondateur du musée
et auteur de *La légende de la coca*, un traité populaire sur les
usages traditionnels et médicinaux de la coca en Bolivie. Seul
médecin en devoir dans le plus grand hôpital psychiatrique du
pays, Hurtado, barbu, les sourcils en broussaille, vêtu d'un jean
et d'une chemise à carreaux, était l'archétype de la nonchal-
lance désabusée. Il jouissait manifestement de son rôle de pro-
vocateur.

Nous étions dans son bureau éclairé au néon. « La coca
n'est pas interdite parce qu'elle est *mauvaise*, commença-t-il en
posant ses mocassins sur une chaise. Elle est interdite parce

qu'elle est très *bonne*. Selon une étude effectuée à Harvard, elle contient des vitamines A, B$_2$, E, et plus de calcium que le lait, ce qui est très important parce qu'il n'y a aucune autre source de calcium dans l'Altiplano. Elle contient aussi, comme vous le savez, de la cocaïne – un des seuls anesthésiques à la fois bon marché et ne provoquant pas d'hémorragie. C'est exactement pour cette raison que les ophtalmologistes préfèrent la cocaïne aux équivalents synthétiques pour les chirurgies de l'œil. Et savez-vous combien de dents sont arrachées chaque seconde sur la planète ? La Bolivie pourrait exploiter sa propre industrie de cocaïne médicale, une industrie qui nous serait très profitable. Mais les États-Unis ont le monopole de la coca depuis 1962. L'article 27 de la Loi de Genève autorise à planter, transporter et industrialiser la coca dans un seul but : fabriquer du coca-cola. Vous pouvez jeter un coup d'œil. »

(Ce que je fis, parfaitement conscient que, quand il s'agit de cocaïne, les théories de conspiration les plus paranoïaques se révèlent habituellement très en deçà d'une vérité encore plus bizarre. La convention des Nations unies interdisant la cocaïne sur toute la surface du globe reconnaît en effet une exception : dans le cas d'un « agent aromatique ne contenant aucun alcaloïde, et dans la quantité nécessaire pour cet usage, [les parties peuvent] autoriser la production, l'importation et la possession des feuilles ». C'est la porte de sortie qui permet à Coca-Cola d'importer d'Amérique du Sud 160 000 kilogrammes de coca de la meilleure qualité chaque année. Connues sous le nom de Marchandise numéro 5, les feuilles de coca sont traitées par Stepan Chemicals, au New Jersey. Coca-Cola a déjà tenté de se débarrasser complètement de cet exaspérant agent aromatique. Le résultat, « Nouveau Coke » sans coca, fut l'un des échecs les plus mémorables des années 1980.

Je fis remarquer à mon interlocuteur ce facteur évident : les feuilles de coca sont la matière première servant à la fabrication de cocaïne et de crack, deux drogues puissantes entraînant la dépendance et qui ont ravagé des communautés entières.

« Écoutez, je suis psychiatre, répondit Hurtado. Je crois que les drogues sont un problème de santé. Mais ce que nous avons ici, c'est une guerre à la drogue qui fait appel à des soldats, des hélicoptères et des armes pour combattre une plante. C'est stupide. Et, vraiment, les drogues ne sont pas un problème pour nous, en Bolivie. J'aimerais qu'il y ait davantage de toxicomanes ici ! J'aimerais les étudier. Il y a 40 lits dans cet hôpital et, actuellement, 80 % de mes patients sont des alcooliques. Pour les Boliviens, la cocaïne coûte cher, mais l'alcool est bon marché ; on peut passer la journée soûl pour un boliviano. » (C'était assez vrai : ce jour-là, j'avais vu un litre d'alcool à 92 % au Marché des sorcières ; on le vendait cinq bolivianos, ou 63 ¢. J'avais demandé à la *chola* qui tenait l'échoppe qui achetait cela. « ¡*Alcohólicos !* » m'avait-elle répondu jovialement. Des ivrognes, j'en avais vu pas mal, couchés dans leur urine le long des trottoirs, complètement partis. Je n'avais encore toutefois rencontré personne, à part les quelques narco-touristes aux yeux rougis, qui criait à tue-tête et gesticulait convulsivement dans les rues et les bars de La Paz.)

« La cocaïne est un problème en Argentine, au Brésil et aux États-Unis, mais pas ici, même si c'est le pays où elle coûte le moins cher au monde. La guerre à la drogue est une idéologie de pénétration et de contrôle politique ; elle garde en place des milliers de personnes dans les services d'espionnage nord-américains, des gens qui gagnent leur vie avec les prohibitions. Cette guerre n'est pas fondée sur la logique. Si nous avions quelque logique, nous serions capables d'aller en Virginie et de déraciner tous les pieds de tabac sous prétexte que les compagnies de cigarettes, reconnues coupables d'ajouter de l'ammoniac au tabac pour favoriser la dépendance, empoisonnent les Boliviens. »

J'avais très souvent entendu ce genre d'argument. Les États-Unis, par exemple, étaient actuellement le plus gros producteur de marijuana au monde, et la marijuana était une drogue illégale. Le gouvernement américain ne devrait-il pas soumettre toute la Californie à des fumigations ? Et s'il ne le faisait pas, de quel droit se permettait-il de déraciner les plants de coca dans les Andes ?

« Vous savez, en tant que médecin, je pense parfois que la seule drogue que nous devrions envisager d'interdire est l'alcool. Mais ça ne marcherait pas ! Ça n'a pas marché ! La prohibition n'a fait qu'engendrer plus de mafias. On ne se débarrasse pas d'une dépendance en essayant d'éradiquer du monde la substance qui la cause, mais en offrant de l'aide aux dépendants. »

Hurtado me confia qu'il rêvait de traiter les cocaïnomanes avec des feuilles de coca. Il avait eu quelques occasions de le faire, avec des fumeurs de *pasta básica* à La Paz et à Cochabamba, et les résultats avaient été prometteurs. Il considérait la coca comme un antidépresseur et un stimulant naturel dont les alcaloïdes semblaient prévenir le besoin de cocaïne raffinée.

« J'attends toujours les toxicomanes, soupira-t-il. Mais ils ne viennent pas. J'ai besoin de patients ! »

Hurtado esquissa soudain un sourire. « Je sais ! Mon musée ! Je devrais commencer par les narco-touristes gringos ! »

C'est en 1950 qu'on commença, bizarrement, à penser pouvoir résoudre les problèmes du nord en éradiquant une plante cultivée dans l'hémisphère sud depuis 4500 ans ; cette année-là, une commission des Nations unies publia un rapport sur la feuille de coca. Le moins qu'on puisse dire, c'est que le moment était curieusement choisi : la cocaïne, qui n'était plus populaire depuis les années 1920, avait pratiquement disparu en Europe et aux États-Unis. La véritable drogue de l'après-guerre, c'étaient les amphétamines, qui avaient été libéralement et légalement distribuées par les forces armées désireuses de garder les soldats qu'elles envoyaient outre-mer alertes et combatifs. La commission des Nations unies était dirigée par Howard B. Fonda, vice-président de Burroughs Wellcome, une compagnie pharmaceutique géante, et ami intime de Harry Anslinger, directeur du Bureau fédéral des narcotiques. Les marchands de pilules apprécient rarement les plantes anarchiques, dégoulinant de chlorophylle, et Fonda ne faisait pas exception à la règle : dans son rapport, il accusa la mastication de feuilles de coca de causer le « retard mental » des populations andines et ordonna de limiter la production de la coca. Une autre commission – celle qui produisit en 1962 le traité autorisant Coca-Cola à importer des feuilles de coca – donna au Pérou et à la Bolivie 25 ans pour éradiquer leur culture traditionnelle.

Par la suite, les gouvernements qui se succédèrent dans les pays andins tentèrent de prétendre n'avoir jamais signé l'accord, mais lorsqu'une nouvelle génération d'États-Uniens s'éprit de la cocaïne, dans les années 1970, Ronald Reagan déclencha la guerre contre la drogue, et la DEA se mit sérieusement au travail. La révolution de 1952 avait permis aux paysans boliviens de choisir leurs terres, marquant le début de la colonisation du Chaparé, une région auparavant déserte à l'est de La Paz. Le Chaparé se révéla un terrain difficile : la culture du café échoua, il n'y avait pas de routes pour exporter les fruits et la sécheresse ruina les récoltes de maïs. Quand le marché mondial de l'étain s'effondra, des dizaines de milliers de mineurs au chômage affluèrent dans la région. Les fermiers se tournèrent alors naturellement vers la coca, l'unique culture qui semblait fructueuse dans les basses terres tropicales ; entre 1978 et 1988, alors que de riches contrebandiers colombiens apparurent pour satisfaire les narines d'Hollywood et de Wall Street, la production de coca au Chaparé augmenta de 1500 %. Lorsque l'auteur Bret Easton Ellis fit allusion à la « poudre bolivienne en marche » dans son livre *Less Than Zero* et que la Bolivie devint le deuxième producteur de cocaïne au monde après la Colombie, les États-Unis lancèrent leur première intervention sérieuse, l'opération *Haut Fourneau*. En 1986, la DEA arriva dans le district de Beni, en Bolivie, avec six hélicoptères Black Hawk et 200 militaires. Ils parvinrent à détruire quelques laboratoires abandonnés avant d'être chassés par une foule en colère brandissant des machettes.

Constatant l'impopularité du bâton, les partisans de l'éradication décidèrent d'utiliser la carotte. C'est-à-dire la fève de café, le cœur de palmier et l'ananas qu'ils suggérèrent instamment aux Boliviens de cultiver plutôt que la coca. On offrit aux fermiers une somme allant de 350 à 2000 $ US pour se mettre à une culture légale. Les Nations unies les convainquirent des avantages d'une nouvelle souche de café à fort rendement, mais, une fois dans les champs, la plante ne survivait qu'à l'aide de tonnes d'engrais très chers. C'est alors que le marché international du café s'effondra. Le gouvernement bolivien se mit à obliger les fermiers à payer les inspecteurs venus voir s'ils faisaient pousser de la coca, les privant par le fait même de toute somme qu'ils auraient pu recevoir pour en cesser la culture. En 1988, le gouvernement adopta le projet de loi 1008, qui visait à éliminer la coca du Chaparé et à en limiter la culture dans 12 000 hectares des Yungas, à des fins strictement traditionnelles. Ce fut une loi extraordinaire, bafouant des siècles de jurisprudence occidentale en présumant coupable toute personne arrêtée pour trafic de drogue jusqu'à ce qu'elle ait prouvé son innocence. Sous Hugo Banzer, un despote militaire qui avait d'abord gouverné la Bolivie en 1971, puis qui était revenu, comme un mauvais centavo, en 1997, le gouvernement détruisit 40 000 hectares de coca. Cette action porta un coup terrible à l'économie – avant l'éradication, les revenus tirés de la coca représentaient 8 % du produit national brut de la Bolivie et 18 % de ses exportations –, et les plus durement touchés furent les paysans. J'avais vu un grand nombre d'entre eux couchés sur les chemins de terre du quartier pauvre d'El Alto.

Heureusement, la coca est un petit arbrisseau extrêmement résistant – ses feuilles peuvent être récoltées tous les deux mois, et chaque plante reste productive pendant un demi-siècle. Banzer fut renversé en 2001 et, depuis, de nouvelles plantations ont amplement compensé l'éradication au Chaparé. Entretemps, le Pérou et la Colombie, pays voisins de la Bolivie, ont pris la relève. En 2000, les États-Unis inaugurèrent le Plan Colombia et attaquèrent ce pays ravagé par la guerre armés d'un nouveau concept radical de la guerre contre la drogue : la défoliation aérienne des plantations de coca amazoniennes. Des 1,2 milliard de dollars alloués initialement, une grande partie fut versée sous forme de subventions à des compagnies états-uniennes privées. On consacra 354 millions de dollars à l'achat de nouveaux hélicoptères Black Hawk, mais seulement 68,5 millions pour aider les fermiers déplacés à entreprendre d'autres genres de culture. (La moitié de cet argent finit dans les mains de DynCorp Aerospace Technologies, la compagnie d'armement virginienne qui obtint le contrat de saupoudrer des produits chimiques sur les cultures.) Dans le cadre du Plan Colombia, on utilisait des satellites pour localiser les plantations de coca, puis on envoyait des appareils à ailes fixes, protégés par des hélicoptères, vaporiser les champs. L'herbicide de prédilection était le Roundup SL de Monsanto, un mélange de glyphosate et d'une substance appelée Cosmo-Flux 411 F, corrosive pour les yeux et causant de graves irritations cutanées. Il est interdit de se servir de Roundup SL aux États-Unis.

Des nuages visqueux de produits chimiques toxiques se répandirent sur tout, notamment sur la faune dans une zone abritant 15 % des primates du monde. Les avions de DynCorp avaient déjà vaporisé du défoliant sur les églises, les terrains de football et les écoliers ; les paysans se plaignirent de ce que leurs cochons et leurs poules mouraient, que le rendement de leurs cultures – légales – de café était nul et que leurs enfants et eux-mêmes souffraient d'ulcères, de migraines et de diarrhée. Personne n'avait la moindre idée des effets à long terme du Roundup SL sur l'environnement, mais on savait déjà que le glyphosate cause la déroute des écosystèmes aquatiques – Monsanto recommande aux agriculteurs états-uniens de garder une version pourtant plus faible de l'herbicide loin des étangs et des lacs. Quatorze pour cent de la surface de la Colombie avait déjà été vaporisée par les avions de DynCorp. Au même moment, les Nations unies déclarèrent que la Colombie, dévastée par 40 ans de guérilla, était le lieu de la plus grave crise humanitaire de l'hémisphère occidental. Deux millions de gens avaient été déplacés, dont un grand nombre, tirés de fermes en faillite, avaient abouti dans les bidonvilles aux alentours de Bogotá. La dépendance n'est jamais loin quand on disloque les communautés et qu'on tranche les liens qui en unissaient les membres entre eux. Pour la première fois, la cocaïnomanie était en train de devenir un problème chez les démunis de la Colombie.

Tout cela avait l'air de battre en brèche ce fait évident : on ne peut pas faire la guerre à une plante – et encore moins la gagner. À l'effet de ballon – quand on presse sur une région, la culture se met à gonfler dans la région voisine – s'ajoutait depuis peu le phénomène d'atomisation. De petites plantations de coca apparaissaient désormais dans les ravins et les vallées de la chaîne de montagnes Santa Marta, dans les parcs nationaux où la Cour suprême de la Bolivie avait déclaré que les États-Unis ne pouvaient vaporiser, et les cultivateurs avaient mis au point de nouvelles souches de coca capables de pousser à l'ombre et d'un meilleur rendement. Alors que les Nations unies se targuaient, à coups de statistiques, d'avoir réduit à 835 tonnes par année – soit de 20 % – la culture de la coca dans les Andes, en réalité, tout le marché américain pouvait amplement être alimenté avec seulement 300 tonnes. Aux États-Unis, la consommation de crack et de cocaïne chez les jeunes était restée stable, et celle de l'héroïne avait augmenté (la Colombie est à présent le principal fournisseur des États-Unis). Le prix de gros de la cocaïne, 20 000 $ le kilo à New York en 2004 (ou de 20 à 45 $ le gramme au détail, selon la qualité), était cinq fois inférieur à celui qu'il était en 1981, l'année où avait commencé la guerre contre la drogue, et la pureté du produit était supérieure. Qui plus est, la cocaïne trouvait de nouveaux marchés. Le Brésil était devenu le deuxième consommateur au monde et, en Angleterre, le prix de la cocaïne avait atteint un sommet record de 40 livres sterling le gramme ; elle était désormais un stimulant illégal plus populaire que l'ecstasy, donnant aux beuveries dont les Britanniques étaient de grands amateurs une petite saveur dangereuse et néfaste. Quatre ans et 3,3 milliards de dollars après la mise en œuvre du Plan Colombia, le service de la Politique nationale du contrôle de la drogue admit n'avoir pas atteint ses objectifs : au Pérou et en Bolivie, la superficie où l'on cultivait la coca avait commencé à augmenter. On pressa de nouveau le ballon, avec une conséquence prévisible.

Il faut donner à la Bolivie ce crédit : elle n'a jamais approuvé la folie des vaporisations aériennes. L'éradication s'était jusqu'alors faite manuellement, et comme le déracinement des plantes de coca exigeait beaucoup de travail, les progrès avaient été lents. Pendant ce temps-là, on s'était mis à appuyer de plus en plus la légalisation de la coca. Au Pérou, une entreprise avait lancé une boisson gazeuse appelée K-Drink, fortifiée d'extrait de feuilles de coca contenant de la cocaïne, et, à La Paz, je trouvai dans un magasin de la rue donnant sur la Plaza San Francisco du dentifrice Coca-Dent, du vin de coca et plusieurs marques de crèmes à la coca pour les soins de la peau. Evo Morales, un membre du Congrès, avait clairement indiqué ses positions : il était pour la coca, la plante – sous toutes ses formes traditionnelles –, et contre la cocaïne, la drogue, qui était, à ses yeux, un problème du monde développé. « Je défie l'ambassadeur des États-Unis... de signer une entente dans le cadre de laquelle on portera sur tous les fronts le vrai combat contre les narcotrafiquants, déclara-t-il à un interviewer. En premier lieu, le mouvement paysan se mobiliserait contre tout ce qui est illégal [le traitement de la coca]. Et les États-Unis s'assureraient de n'autoriser aucune expédition de substances chimiques nécessaires pour transformer les feuilles de coca en cocaïne en Bolivie. Parce que d'où viennent-elles, ces substances ? Des pays industriels... Les gens qui fabriquent la cocaïne manipulent des millions et des millions de dollars, et vous ne les trouverez pas au Chaparé. Ce sont des collets blancs, des hommes en veston cravate, pas des gens qui travaillent en sandales et en poncho. »

Ayant entendu ce genre de propos avant la dernière élection, l'ambassadeur des États-Unis menaça de retirer toute l'aide étrangère à la Bolivie si Evo Morales devenait un jour président du pays.

Certains Boliviens croient que, pour garder les cocaleros en affaires et la coca hors des mains des trafiquants de drogue, il faut encourager cette habitude relativement innocente : chiquer les feuilles de coca. Je rencontrai la cinéaste et sociologue Silvia Rivera Cusicanqui, dont les documentaires montraient les conditions de vie lamentables des cultivateurs de coca. Elle habitait à Sopocachi, le quartier des ambassades, dans une maison pleine de coins et de recoins. Vive et accueillante, ses lunettes rebondissant sur sa poitrine quand elle se précipitait à la recherche d'un autre chiffre, Rivera couvrait ses longues tresses grises sous un panama. M'invitant à entrer dans son bureau en pagaille, où Karl Marx et Michel Foucault voisinaient sur les étagères de la bibliothèque et où Ani DiFranco remplissait son iTunes, elle m'expliqua que son dernier nom était aymara, une langue qu'elle parlait couramment. Elle avait toutefois été élevée au sein de la petite classe moyenne de descendance européenne et elle était alors professeure de sociologie à l'Université San Andrés de La Paz.

« On a tout fait pour indianiser la coca, me dit Rivera, pour la stigmatiser et la convertir en une habitude rétrograde, sale, moche. Le fait est que si l'on mâche des feuilles de coca, c'est qu'on les a obtenues sur le marché illégal. Le trafic de drogue a été un élément corrupteur qui a créé une rupture totale dans la démocratie bolivienne. La meilleure façon de le combattre, c'est d'encourager les gens à chiquer les feuilles. Un marché est en train de se développer en Argentine, où même les gens de l'élite mâchent des feuilles de coca. »

En fait, mâcher des feuilles de coca fut légalisé en 1989 en Argentine et, aujourd'hui, les chauffeurs de taxi, les médecins et les juges apprécient tous cette habitude ; on estime que, surtout dans les provinces du nord, la consommation annuelle atteint plusieurs centaines de tonnes.

« Quand les gens récoltent pour des trafiquants, ils se contentent d'arracher les feuilles de la plante. » Rivera mima le geste de taillader un arbuste à coup de machette. « Ils peuvent récolter 20 ou 30 kilos de feuilles par jour. Le mot aymara pour la cueillette de la coca est *k'ichi*, ce qui veut dire cueillir avec ses doigts ; au mieux, on peut récolter un kilo et demi par jour. Cela nécessite l'emploi d'une main-d'œuvre nombreuse – beaucoup plus que pour la récolte des bananes, des cœurs de palmier ou des ananas qu'on nous a proposés comme cultures alternatives. Comme ça, un grand nombre de paysans travaillent.

Mâcher de la coca procure également une sensation bien plus durable que renifler de la cocaïne. Le plaisir est plus lent, plus long. La coca est un régulateur thermique qui nous aide à combattre le froid et la chaleur et contrôle le taux de glucose dans le sang. »

Je remarquai que nous étions assis dans un genre de nid de hamster de feuilles déchiquetées, nos pieds posés sur des débris de coca. Je lui demandai si elle pouvait me montrer comment elle la mâchait. Elle se leva d'un bond, ses lunettes s'envolant, et elle revint avec sa *chuspa*, le sac à coca que la *yatiri* de la Ruelle des Sorcières avait utilisé quand elle m'avait prédit mon avenir.

« D'habitude, j'en mâche après un repas, me dit-elle. Je souffre de gastrite et la coca est un bon antiacide. » Elle étala les feuilles sur le tissu rouge, blanc et gris et déchira soigneusement l'extrémité de chacune d'elles. À long terme, m'expliqua-t-elle, les tiges dures pouvaient irriter les gencives. Elle prit trois feuilles entre ses doigts, les approcha de ses lèvres et souffla trois fois dessus avant de les mettre dans sa bouche, contre l'intérieur de sa joue. « C'est une offrande à Pachamama, la déesse de la terre, et aux montagnes. Comme je suis mi-aymara, mi-catholique, j'ai inventé mon propre rituel syncrétique. J'envoie mon esprit vers les montagnes demander la permission d'apprécier la coca, reconnaissant que je mâche quelque chose de sacré et non pas une boule de gomme. » Je lui demandai quelle sorte de *lejía* elle utilisait, et elle me montra un sachet de plastique qui semblait contenir de la cocaïne en poudre. « C'est du Chamabico, me dit-elle. On le vend à Santa Cruz ; c'est de la *lejía* industrielle, et son existence prouve que les paysans ne sont pas les seuls à mâcher des feuilles de coca : les classes supérieures urbaines le font aussi. C'est un mélange de bicarbonate de soude et d'une plante amazonienne appelée *chamayo*, qui contribue à extraire les alcaloïdes.

« Une chose importante à savoir, c'est qu'on ne mâche pas vraiment les feuilles, poursuivit-elle. On les suce, doucement. » À ce moment-là, ses mots étaient ponctués de bruits lents de succion. « Je ne suis pas en faveur de la légalisation des feuilles de coca. Je crois que leur consommation devrait être décriminalisée. Premièrement, parce que la coca n'est pas une drogue. Deuxièmement, parce que, si elle se retrouvait dans les mains de compagnies comme Monsanto ou Enron, ce serait encore pire. Les multinationales sont encore plus immorales que les revendeurs de drogue ! »

Rivera me donna un paquet de Chamabico en souvenir, de même que l'adresse de son marchand de feuilles de coca préféré, un magasin appelé Luly's dans la rue 3 de Mayo. Sur le trottoir, une fillette prénubile silencieuse assise sur une chaise me vendit pour deux bolivianos de coca dans le sac de plastique vert auquel j'étais désormais habitué. Après le déjeuner, je m'allongeai sur le lit dans ma chambre d'hôtel et j'allumai la télé. Je pris trois feuilles, soufflai trois fois dessus – je sentais qu'il était temps de faire la paix avec Pachamama – et les mis dans ma bouche, veillant cette fois à sucer plutôt que mâcher. Les feuilles étaient croustillantes, légères et semblaient quelque peu sucrées. De temps en temps, j'ajoutais un peu de Chamabico, qui avait la consistance du sucre à glacer, à l'intérieur de ma joue.

Peu à peu, je me sentis captivé par le film que je regardais. C'était *Air Force One*, dans lequel un Harrison Ford impassible incarne un président qui, sans aucune aide, triomphe des pirates de l'air tenant la famille présidentielle en otage. Lorsqu'un Gary Oldman au fort accent se mit à buter les agents secrets, je commençai, moi, à transpirer abondamment. C'était sûrement le meilleur film de tous les temps, me dis-je, et j'enfournai une autre poignée de feuilles en regardant Ford traquer les supernationalistes kazakhs sans nuances. J'avais les yeux rivés sur l'écran. C'était *mauditement* fantastique. Tandis que Ford se balançait, suspendu à la queue de l'avion, à 35 000 pieds dans les airs, je me rendis vaguement compte que j'étais entouré de tiges et que le dessus-de-lit était couvert de poudre. Seigneur ! j'étais en train de devenir cet abruti de mannequin cocaïnomane aux yeux globuleux exposé au Museo de Coca ! Mais je m'en fichais. Le bien-être était total. Je finis, au prix d'un gros

effort, par m'arracher à l'écran. Laissant les feuilles de coca
dans la chambre d'hôtel, j'allai me balader dans les rues de La
Paz où je me calmai les nerfs avec une couple de bières Paceña.
Je ne me sentais ni déprimé ni coupable après ces excès; en
fait, ça ne m'empêcha même pas de dormir, cette nuit-là. Peut-
être, pensai-je, les autres alcaloïdes des feuilles avaient-ils atté-
nué les effets naturels de la cocaïne.

Je m'étais toujours demandé pourquoi on s'agitait autant
contre la cocaïne aux États-Unis, pourquoi la guerre à la drogue avait concentré autant de sa rage et de sa puissance de feu
sur cette poudre particulière. Après tout, les courtiers en bourse
et les gens de relations publiques qui se traçaient des lignes à
l'aide de leurs cartes de crédit et reniflaient leurs économies à
travers des billets de 100 $ roulés n'avaient rien de particuliè-
rement subversif; au contraire, ils se comportaient comme des
consommateurs modèles. Drogue stimulante de désir plutôt
qu'amplificateur de plaisir comme la marijuana et les opiacés,
la cocaïne paraissait idéalement adaptée à une culture de consommation écervelée. (Une vieille devinette de drogué résu-
mait la situation. Q.: Quel est le meilleur moment pour prendre un peu de coke? R.: Tout de suite après avoir pris un peu de
coke.) Selon David Lenson, un professeur de littérature comparée dont l'ouvrage, *On Drugs*, présente l'une des analyses les
plus percutantes de la guerre menée contre les substances psychoactives, le problème que pose la cocaïne à la société de
consommation, c'est qu'elle supplante un autre comportement
acquis.

« Le capitalisme de la cocaïne, a-t-il écrit, est au capitalisme conventionnel ce que la croissance de cellules cancéreuses est à la croissance de cellules normales dans le corps: c'est
la même chose en plus rapide et en plus mortel. C'est précisément pour cette raison qu'il faut faire la guerre à la cocaïne. »
Quand on est enfermé dans un cycle de consommation de
cocaïne, tout le moteur du désir – je veux un nouvel ordinateur
portable, je veux un nouveau VUS, je veux un nouveau condo,
il faut que je travaille plus fort – est supplanté par une simple
boucle fermée – je veux plus de cocaïne, plus de cocaïne, plus

de cocaïne, je n'ai pas le temps de travailler. La société de consommation ne peut tolérer cette parodie cancéreuse et non productive de ses forces motrices les plus élémentaires. Vu comme ça, en éliminant la coca en Amérique du Sud, on soumet l'économie mondiale à une chimiothérapie radicale.

Il n'y eut alors plus de doute dans mon esprit : *la hoja de coca es una droga*, absolument, surtout quand on achète des feuilles de qualité et qu'on corse le tout avec un peu de Chamabico. Le *buzz* est curieusement agréable, plus doux que celui de la caféine, sans effets secondaires immédiats. (Ni, comme je l'appris plus tard, d'effets secondaires à moyen terme appréciables, à part un ramollissement des gencives. C'est particulièrement efficace pour les tâches exigeant acuité et vigilance, mais peu de réflexion – comme transcrire des interviews pour ce chapitre.) Rivera cherchait à sacraliser la consommation de coca comme Pierre-André Delachaux servait l'absinthe au Val-de-Travers : avec vénération. Malgré toutes les justifications intellectuelles raffinées, ces jours-ci – surtout en milieu urbain de classe moyenne –, la coca, comme l'absinthe, sert avant tout à procurer une euphorie à ses consommateurs. Les choses ont peut-être été différentes dans des contextes traditionnels, quand les substances enivrantes renforçaient les liens par le biais de rites dionysiens ou de cérémonies transcendantes. Si je comprends qu'on ait envie d'y greffer un rituel syncrétique, je n'arrive pas à voir comment la consommation privée peut être resacralisée ; on peut aussi bien faire le signe de croix devant sa tasse de café instantané du matin. Il est intéressant de noter que, craignant de voir sa drogue douce préférée tomber entre les mains de Coca-Cola, Delachaux préférait lui aussi la décriminalisation à la légalisation.

Tout en sympathisant avec ces peurs, je commençais à reconnaître que si la prohibition était la plus destructrice des politiques, une simple décriminalisation – au mieux, un vide juridique – n'était pas non plus la solution.

Tous les gens que je rencontrai me dirent que si je voulais me renseigner sur la coca en Bolivie, je devais à tout prix rencontrer Alison Spedding. C'était une *cocalera*, elle faisait pousser de la coca et elle avait passé deux ans en prison pour trafic. Nous nous fixâmes un rendez-vous à l'Université San Andrés, mais j'eus des difficultés à trouver sa classe. Après avoir jeté un coup d'œil dans six ou sept salles, j'entrai dans un pavillon mal éclairé où une dizaine d'étudiants étaient affalés sur leurs pupitres dans une attitude de langueur exagérée. Je distinguai une silhouette penchée sur une table ; elle était coiffée d'un grand sombrero noir, couverte d'un vieux manteau noir trop grand pour elle et portait un long foulard noir à pompons autour du cou.

« Señor Grescoe ! » s'écria-t-elle en levant les yeux, un sourire découvrant ses longues dents. Spedding était grande – elle mesurait au moins cinq pieds dix pouces – et elle avait la peau très hâlée. Elle se tenait derrière une table couverte de minces livres de poche, dont un qui s'intitulait *Filthy Porn*, qu'elle avait cosigné ou dont elle avait dirigé la publication. J'achetai quelques livres traitant de la culture de la coca, puis je la suivis dans un bar désert dans un sous-sol du Prado. Devant un verre de *pilsner* mousseuse, elle m'expliqua qu'elle avait été arrêtée pour possession de marijuana et non de coca.

« Un revendeur de ma connaissance s'était fait choper, m'expliqua-t-elle avec son gros accent du Derbyshire. La police lui a dit, comme elle le fait toujours : "Si tu donnes quelqu'un, on te laisse aller." Les agents ont donc fait irruption chez nous et ils ont trouvé une couple de kilos de cette herbe vraiment nulle laissée par un de mes *compadres* qui était venu faire un tour.

« J'ai été condamnée à 10 ans de prison, mais je n'en ai fait que deux et demi. Ils m'ont enfermée dans la prison des femmes de Miraflores. Les prisons boliviennes sont plutôt potables. Pour commencer, elles sont toutes ouvertes, les prisonniers ne sont même pas enfermés dans leurs cellules. La directrice se plaignait que les prisonnières venaient dans son bureau et s'asseyaient dans son fauteuil. J'ai même reçu mes étudiants dans la cour de la prison. Ils se présentaient les jours de visite, deux fois par semaine, pour suivre mes cours. »

Spedding était venue en Bolivie pour la première fois en 1982, avec son sac à dos. Après avoir obtenu son diplôme en anthropologie à l'Université de Cambridge, elle était revenue s'installer dans les Yungas en 1989. Les *campesinos* de l'endroit lui offrirent une terre, et elle décida de se lancer dans l'agriculture.

« Ils me l'ont vendue un très bon prix, vraiment ; de toute façon, c'était juste un petit lopin couvert de mauvaises herbes. Je me suis alors dit : s'ils pensent que je devrais avoir ce champ de coca, pourquoi pas, au fond ? Je l'ai encore. Je m'y rends samedi pour la récolte. »

Spedding avait bien choisi son endroit : la loi 1008 autorisait la culture de la coca à des fins traditionnelles dans les Yungas, et le programme d'éradication ne concernait au départ que les terres basses du Chaparé.

« Au début, ça ressemblait à une plaisanterie. L'éradication a réellement commencé en 1986, au moment où le prix de la coca est tombé à son plus bas. Comme les métayers ne pouvaient plus vivre de leurs récoltes, ils ont tout planté là, laissant les propriétaires avec ces champs pleins de mauvaises herbes. Et c'est alors que… quel cadeau ! le gouvernement se présente et dit : "Nous allons vous donner de l'argent pour vous débarrasser de ce champ", dont la nature les aurait de toute façon débarrassés. Dans d'autres cas, les paysans ont complètement élagué les plants de coca, mais comme ces plants sont habitués à se faire enlever leurs feuilles tous les trois mois, ils ont tout simplement repoussé. » Peu à peu, les efforts d'éradication commencèrent toutefois à porter leurs fruits. Spedding, comme Rivera et Hurtado, me confia qu'il ne restait plus que quelques plantations de coca dans le Chaparé. Dans les Yungas, le territoire de Spedding, c'était une autre histoire.

« En 2001, le gouvernement a décidé d'envoyer des troupes pour entreprendre l'éradication dans les Yungas. Eh bien, il les a envoyées d'une façon très désorganisée et, contrairement au Chaparé, une région sans relief, les Yungas conviennent parfaitement à la guérilla. Ce ne sont que des vallées et, bien qu'il y ait des routes, elles sont très dangereuses, même quand personne

ne vous attend au tournant pour vous tendre une embuscade.
Il y a des foutus sentiers partout, les champs de coca s'échelon-
nent le long des parois des falaises et on se perd totalement
quand on n'a pas de guide local. On a donc envoyé ces jeunes
conscrits et les paysans se sont regroupés et les ont encerclés.
Les paysans n'étaient pas armés, sinon, peut-être, de quelques
bâtons et machettes. Les femmes sont allées au front, comme
d'habitude, et elles ont lancé des ruches en direction des soldats. C'est bien simple, ils ont rassemblé les soldats comme si
c'étaient des moutons et les ont chassés des Yungas ; ils ne leur
ont même pas permis de passer une nuit. Depuis, et le gouvernement en est conscient, si l'éradication a causé quelque effu-
sion de sang au Chaparé, elle serait vraiment *très* sanglante
dans les Yungas. »

Elle me suggéra d'aller à Chulumani, l'une des principales
villes des Yungas, pour voir le terrain de mes propres yeux. Je
lui expliquai que j'avais essayé, mais que les routes étaient blo-
quées depuis quelques jours. Apparemment, le désordre était
en train de devenir la norme en Bolivie.

« Ouais, dit-elle en écrasant son mégot de cigarette, super-
ficiellement, on pourrait dire que la Bolivie est chaotique et
désordonnée, mais, en réalité, elle ne l'est pas. Ici, les structures familiales sont en béton. S'il y a si peu de problèmes de
toxicomanie ici, c'est principalement parce que les gens ne
vivent pas suffisamment seuls pour devenir accros avant qu'un
membre de la famille n'intervienne. C'est le contraire de ce
qui se passe dans les sociétés industrielles. Je veux dire : plutôt
que de dépenser tout cet argent pour des programmes d'éradication, pourquoi n'essaient-ils pas de comprendre ce qui rend
la vie aux États-Unis tellement insatisfaisante que la moitié de
la population passe son temps à s'étourdir avec du Ritalin, du
Prozac et de la cocaïne ? »

Intéressant, comme question. Je commençais à comprendre
que, du point de vue des autochtones des Andes, la guerre
à la drogue ne pouvait sembler qu'injuste, sinon absurde. Ici,
les gens mâchaient des feuilles de coca depuis la nuit des temps :

on a découvert des statues avec la joue gonflée – signe ô combien révélateur – du mâcheur de coca qui remontent à 2500 ans av. J.-C. C'est l'industrie nordique qui donna réellement sa puissance à la plante de coca, transformant une chique agréablement revigorante en une substance hautement addictive. Les Espagnols avaient établi de grandes plantations, dont s'occupaient des esclaves, pour alimenter les indigènes qui trimaient dans les mines d'argent de Potosí. Un chimiste allemand, Albert Niemann, isola la cocaïne des feuilles de coca en 1859, et ses vertus anesthésiques et stimulantes furent bientôt connues un peu partout. Un jeune Sigmund Freud recommanda notamment la cocaïne pour traiter la morphinomanie. En 1885, l'explorateur et botaniste Henry Hurd Rusby fut envoyé à La Paz par la compagnie pharmaceutique Parke-Davis de Detroit pour trouver un moyen d'accélérer l'exportation des feuilles de coca, qui avaient tendance à pourrir pendant le transport vers l'Europe ou les États-Unis. Rusby mit au point une technique pour la fabrication de la *pasta básica* – un produit stable, facilement transportable, précurseur de la cocaïne en poudre que les trafiquants utilisent encore aujourd'hui.

Comme l'ecstasy, la cocaïne était à l'origine considérée comme dépourvue d'effets secondaires ; la lune de miel prit fin lorsque les premiers consommateurs se mirent à avoir des crises psychotiques. Sur le conseil de son ami Freud, Ernst von Fleischl-Marxow remplaça la morphine par la cocaïne – ce qui s'appelle remplacer un démon par un autre – et finit par mourir drogué, s'injectant un gramme de cocaïne par jour dans les veines. Aux États-Unis, en vertu de la loi Harrison de 1914, la vente de cocaïne, d'héroïne et d'autres drogues était punissable d'une peine maximale de 10 ans de prison. Deux ans plus tard, la loi anglaise sur la défense du royaume décréta que ces drogues ne seraient disponibles que sur ordonnance médicale. Un siècle après la venue d'un Américain en Bolivie pour extraire la cocaïne de la feuille de coca, ses *compadres*, mus par une furie vengeresse, revinrent avec des hélicoptères Black Hawk et des soldats afin de déraciner cette plante dont ils s'étaient naguère entichés.

Les paysans aymaras et quechuas ne purent rien faire d'autre que d'enfourner une nouvelle chique en soupirant : *son locos*, ces gringos. Tout cela avait été prédit : selon la légende, ceux qui, plutôt que de cueillir respectueusement les feuilles, déracinent la plante vénérée – comme ces vandales venus du Nord – seront inévitablement punis par Pachamama. À cause de sa conduite irrespectueuse, le conquérant blanc ne trouvera dans la coca « qu'un poison pour son corps et la folie pour sa tête ».

Je me préparai donc à partir pour les Yungas, la région à l'est de La Paz qui est le centre de la production légale de coca. Tous les signes étaient de mauvais augure. Une image de la défunte navette spatiale *Columbia*, arborant un drapeau bolivien sur une aile, était aérographiée sur le flanc de l'autocar à bord duquel j'étais sur le point de monter. Avant de tourner la clé de contact, le conducteur marmonna une prière, toucha ses lèvres avec ses doigts et fit le signe de croix. Heureusement, comme j'étais assis sur le siège du milieu de la banquette au fond du véhicule, je n'avais pas besoin de me tordre le cou pour regarder l'une des routes les plus terrifiantes du monde. Chaque fois que l'essieu arrière se mettait vraiment à sauter, je regardais droit devant moi, m'efforçant de concentrer mon attention sur la vidéo de *Wrestlemania* qui clignotait sur l'écran à l'avant de l'autocar.

Au sortir de La Paz, je vis des équipes d'ouvriers en salopette jaune qui traînaient des rochers sur le côté de la route, enlevant les restes des récentes barricades érigées par les *campesinos* mécontents. À La Cumbre, nous dûmes attendre qu'on ait fini de fouiller le camion devant nous, chargé de pommes – et de paysans entassés au milieu des pommes ; on cherchait de la drogue. À Unduari, une consternante halte routière, nous fûmes forcés de sortir de l'autocar tandis que des soldats en treillis fouillaient nos bagages. Je mangeai un sandwich au poulet dans une rôtisserie à côté d'une grosse affiche menaçant de sanctions sévères toute personne prise en possession d'un produit servant à la fabrication de cocaïne – ammoniac, piles, éther, acide, papier d'aluminium. Puis, la route se rétrécit, suivant les contours d'une sinueuse vallée fluviale. Les collines brunâtres, parsemées d'éboulements d'ardoise, furent bientôt couvertes de palmiers à larges feuilles et d'arbres en fleurs. Des chutes évoquant de la dentelle cascadaient du haut des falaises, faisant entendre à l'occasion comme un roulement de tambour. Même si, à chaque angle mort, le conducteur klaxonnait pour avertir de notre venue, nous freinâmes souvent en glissant dans le gravier devant un camion qui arrivait en sens inverse. Le conducteur devait ensuite reculer, et tous les passagers se levaient pour regarder vers le bas tandis que les roues arrière s'approchaient dangereusement du bord de la falaise. Lorsque le soleil couchant peinturlura en orangé les lointains sommets des montagnes, une pleine lune se leva sur la jungle et le tout petit bébé attaché dans le dos de la paysanne à côté de moi s'endormit, sa tête contre mon biceps.

Je descendis sur la grand-place de Chulumani. C'était là que, après que la femme et la fille d'un cultivateur de coca local eurent été enlevées et violées par la police, les *campesinos* avaient incendié le poste. Ils avaient capturé les agents en fuite et les avaient castrés. Mais ce soir-là, tout était tranquille. Trois fillettes coururent brièvement à ma suite, portant des sacs verts et criant : *Coca! Coca!* Je m'éloignai bientôt des lumières de la ville et marchai pendant quelques minutes sous la Croix du Sud, puis j'arrivai à la barrière d'une pension isolée. Je sonnai et j'attendis.

« Eh bien, tu n'es manifestement pas israélien, me dit, dans un anglais impeccable, l'homme barbu, de courte taille, qui m'ouvrit la porte. Ils font semblant de ne pas voir l'écriteau et entrent. D'habitude, je les trouve dans le vestibule. »

Il s'appelait Xavier et il pouvait m'offrir une belle chambre, m'informa-t-il. Puis il m'escorta à l'étage, dans un porche décoré de bestioles épinglées et encadrées, tarentules, sauterelles et chauves-souris (un bon aperçu de la faune qui allait se repaître de mon corps cette nuit-là). En fait, à part Klaus, un professeur de langues berlinois, j'étais le seul client. Itor, le cuisinier, un grand bonhomme mi-basque, mi-allemand qui toussait bruyamment et claudiquait gravement, me prépara des spaghettis carbonara, et Xavier vint me tenir compagnie pendant que je me restaurais sur la véranda.

« Comme ça, tu es venu voir la coca ? me dit-il. Parfait. Tu en verras autant que tu voudras au lever du soleil ; nous sommes entourés de coca. Les premiers qui sont venus ici pour la coca étaient des chimistes nazis ; ils voulaient fabriquer des anesthésiques. Quelques nazis sont restés après la guerre et ils ont eu la vie facile ; en fait, leurs enfants vivent encore ici. Josef Mengele, le médecin d'Auschwitz, était ici, lui aussi, jusqu'à ce que les gens de la fondation Wiesenthal viennent défiler sur le Prado, à La Paz, avec les portraits des nazis qu'ils pourchassaient. Demain, tu vas passer devant le domaine de Klaus Barbie – il vivait juste au bout du chemin. » Xavier avait travaillé à New York dans les années 1960. Il était allé à Woodstock. Ensuite, il était revenu à La Paz où il avait ouvert un bar. « Avant, je prenais beaucoup de coke. J'ai reniflé à moi seul la moitié du Chaparé ! Mais j'ai arrêté quand j'ai pris conscience de tout le mal que ça faisait à mes clients. Les gens perdaient la boule ; c'était terrible pour la moralité. Mâcher de la coca, ça va ; c'est bon pour lire, fantastique pour travailler, même si, à mon avis, quand on est distrait de sa tâche, c'est difficile d'avoir les idées claires. »

Le lendemain matin, Xavier me fit faire le tour du propriétaire. Il insista pour que je prenne Martín, un singe enchaîné, qui ne cessait de jacasser.

« Il ne te mordra pas ! »

Martín planta aussitôt ses crocs dans mon avant-bras.

Le perroquet, m'assura-t-il, était *más tranquilo*. Mais tandis que Xavier me photographiait, l'oiseau se pencha en avant et m'arracha avec son bec un morceau d'oreille.

« C'est parce que tu es trop nerveux ! dit Xavier.

– Ce n'est pas vrai, marmonna Itor. Ils mordent tout le monde. »

Après le petit-déjeuner, Xavier nous donna une carte, et Klaus et moi nous mîmes en route. Nous avions pris des bouteilles d'eau, mais pas de nourriture – d'après Xavier, nous trouverions à manger dans un village appelé Ocobaya. Tandis que nous marchions à l'ombre sur le chemin de terre, Klaus, dont les cheveux blonds avaient l'air d'avoir été taillés à l'aide d'un bol à soupe renversé et d'un rasoir, se lança dans quelques mots d'esprit plutôt lugubres.

« C'est drôle qu'on l'ait appelé Klaus Barbie, dit-il d'un ton rêveur lorsque nous arrivâmes devant la maison du nazi à Puente de Tablas. Il n'avait rien d'un jouet d'enfant, je dirais ! »

Parvenus à un tournant de la route, enjambant la rivière qui avait creusé le fond de la vallée, nous revînmes sur nos pas et grimpâmes la colline. Chulumani était très visible de l'autre côté ; des plantations de coca en terrasses, comme des rizières disposées en étages dans l'Himalaya, descendaient jusqu'à la rivière, donnant au flanc escarpé des collines un aspect ondulé. Une heure plus tard, un homme trapu se joignit à nous ; il portait une chemise à manches longues, une casquette de base-ball et des sandales, une poche vide sur l'épaule. Il avait pris un raccourci après Chulumani, passant la rivière à gué et suivant les sentiers plutôt que la route principale.

Il s'appelait Alberto Chura, il avait 64 ans et il revenait du marché où, chaque samedi, il apportait un sac de 15 kilos de feuilles de coca séchées. Il les avait vendues un bon prix, ajouta-t-il, 35 bolivianos le kilo, soit un total de 65 $, assez pour acheter du blé et d'autres produits essentiels.

Aimerions-nous voir son *cocal*, sa plantation de coca ?

Quittant le chemin principal, nous le suivîmes dans un sentier vers les terrasses de plants de coca. Il possédait trois hectares, deux de café et de fruits, le troisième de coca. Il cueillit quatre oranges, nous les tendit, puis nous indiqua des fèves de café semblables à des cacahuètes en train de sécher à côté de la coca sur une plate-forme en béton.

« Je me lève à cinq heures tous les matins, dit-il. Je mâche ma coca et, à six heures, je cueille les feuilles. » Il attacha un sac de toile autour de sa taille et, penché au-dessus d'un arbrisseau sans prétention aux feuilles vert pâle qui lui arrivait à la taille, il nous montra comment cueillir les feuilles avec deux doigts et les laisser tomber dans le sac.

Dans le hangar à séchage, il nous fit voir un sac de 50 kilos de feuilles. Je lui demandai si je pouvais en acheter un peu.

«Non, répondit-il. Mais tu peux en *avoir*.» Il remplit de feuilles le sac que je portais à l'épaule. «Ma coca est très organique. Je n'utilise aucun produit chimique.»

Je lui donnai le reste de mes cigarettes. Son visage s'éclaira d'un large sourire. Une fois de plus, quand c'était une affaire d'hospitalité, la coca n'était pas vendue; elle était offerte gratuitement, et le don était un plaisir.

De retour sur le chemin, je proposai à Klaus de lui donner quelques feuilles.

«Non, répondit-il, l'air malcommode. Je n'aime pas le goût.

– Tant pis pour toi», marmonnai-je en introduisant une bonne chique dans ma bouche.

Nous nous traînions péniblement sous le soleil qui montait dans le ciel. Des groupes de femmes parsemaient les terrasses; elles accomplissaient leur *ayni*, ou travail collectif: les *campesinos* aidaient leurs voisins à récolter un *cocal*, sachant que ceux-ci leur rendraient la politesse quand leurs propres champs seraient prêts. L'effet de la coca commença bientôt à se faire sentir, ce qui était une bonne chose, car il ne nous restait plus d'eau; dans l'unique magasin d'Ocobaya, on ne vendait que des graines et des trucs en conserve – ni sandwichs ni *empanadas*.

Sous le soleil impitoyable, Klaus commençait de toute évidence à souffrir. Je suggérai que nous tentions de prendre un raccourci en descendant vers la rivière pour remonter de l'autre côté de la vallée vers Chulumani que nous pouvions voir perché sur le sommet de la colline. Nous quittâmes la route, dévalâmes des montagnes russes qui devinrent rapidement des sentiers dans la forêt.

Après un tournant, j'aperçus dans une clairière un jeune type moustachu en tee-shirt sale qui se roulait une cigarette. À travers les arbres, je distinguai une demi-douzaine d'autres silhouettes; deux d'entre elles marchaient de long en large dans ce qui ressemblait à une petite fosse.

Le guetteur avec la cigarette m'adressa un sourire tordu, l'air soucieux. Je lui expliquai que nous essayions de nous rendre à Chulumani.

« Vous ne pouvez y arriver par ce chemin, dit-il. Il faut revenir sur vos pas. » Il me prit fermement par l'épaule et me fit me retourner vers la route. Il ne voulait manifestement pas que je regarde de plus près ce qui se trafiquait derrière moi.

Klaus s'approcha et demanda ce qui se passait.

« Il faut faire demi-tour, répondis-je.

– Comment ça ? s'écria-t-il. La rivière est juste là, en bas. Nous avons tout à fait le droit d'être ici ! »

Le moustachu examinait Klaus au visage cramoisi avec amusement – un amusement sinistre. Le moment était mal choisi, pensai-je, pour la rectitude teutonne.

« *Gracias*, dis-je. Nous retournons à la route. » Je jetai un dernier coup d'œil aux hommes dans mon dos et le regrettai aussitôt. Ils étaient en train de piétiner des feuilles dans un orifice doublé de plastique pareil à celui que j'avais vu au Museo de Coca. Ici, dans les Yungas, la zone où l'on était censé produire la coca à des fins légales, traditionnelles, nous étions tombés sur des types qui fabriquaient de la *pasta básica*, la première étape dans l'extraction de la cocaïne des feuilles, à des fins de trafic de narcotiques.

L'adrénaline s'ajoutant aux alcaloïdes de coca qui circulaient déjà dans mes veines, je gravis à grandes enjambées les terrasses. Klaus, qui peinait derrière moi, bredouilla : « Attends ! Je ne comprends rien à ce qui se passe !

– Écoute, Klaus, ils sont en train de faire de la cocaïne. Pour eux, les deux gringos que nous sommes pourraient bien être des agents de la DEA. Il faut partir d'ici, *tout de suite*.

– Mais j'ai des… comment on dit ça… chardons, dans mes chaussettes. »

Klaus s'arrêta pour les enlever tandis que je surveillais nerveusement le sous-bois, m'attendant tout le temps à sentir une machette me trancher l'épaule. C'est alors qu'un jeune homme efflanqué nous aperçut ; il se dirigea vers nous en traversant les terrasses de coca d'un pas redoutable.

« Avez-vous besoin d'aide ? » demanda-t-il. Nous en avions besoin, avouai-je, nous étions complètement perdus. Alison Spedding avait raison : je comprenais maintenant comment tous ces sentiers faisaient des Yungas une région idéale pour la guérilla.

Il sourit, nous proposa de le suivre dans les collines. Il marchait terriblement vite, et quand nous atteignîmes enfin la route, je lui donnai 10 bolivianos pour le remercier de son aide. Il les accepta avec un grand sourire qui voulait dire « complètement fous, ces gringos ». Ce n'était pas un prix élevé – il nous avait peut-être sauvé la vie.

Une camionnette arriva ensuite et on nous offrit de nous ramener à la pension. Affamé, exténué, souffrant d'un coup de soleil et complètement écœuré, Klaus ne m'adressait plus la parole.

Après m'être lavé, j'allai prendre un sandwich et une tasse de maté de coca avec mes hôtes et leur racontai notre aventure. Itor resta silencieux quand je décrivis ce dont j'avais été témoin, mais, après un instant, Xavier explosa.

« Ils fabriquaient de la *pasta básica*, pas de doute ! s'écriat-il. Mais, bon sang, qu'on les laisse faire de la cocaïne. Les paysans, ici, n'ont rien. Ils ne peuvent même pas acheter des chaussures pour leurs enfants. Les gens que tu as vus ne reniflent probablement pas de coke. Le peu d'argent qu'ils reçoivent sert à réparer le toit de leur maison, ou leur camionnette, ou à acheter des jouets pour leurs petits... Connais-tu la légende de la coca ? La coca est un cadeau de Dieu, mais elle va détruire les enfants du Nord qui ne savent pas s'en servir. Eh bien, c'est absolument vrai ! Il y a des gens à Miami qui empochent des millions avec la cocaïne. Qu'on laisse le Tiers-Monde gagner un peu d'argent, pour l'amour de Dieu ! »

J'étais porté à penser comme lui.

La guerre contre la drogue est un autre nom pour la guerre contre les plantes. Si les principales drogues ont des noms qui paraissent artificiels ou synthétiques, on peut en fin de compte retracer leur origine dans une plante. L'OxyContin, appelée aussi *hillbilly heroin*, dont le commentateur conservateur Rush Limbaugh devint dépendant, provient des coquelicots qui poussent dans les cimetières de la Première Guerre mondiale et les hautes terres de l'Afghanistan. Le *crystal meth*, ou speed, est une modification synthétique de l'éphédrine, qui vient elle-même de l'éphédra, une plante qui pousse à l'état sauvage dans toute l'Asie du Sud-Est et l'Ouest américain. La nature est le grand génie de la biochimie. L'homme est, au contraire, un technicien de laboratoire opiniâtre, qui plagie sans vergogne les molécules complexes ayant mis des millions d'années à évoluer dans les forêts tropicales humides et les prairies des montagnes.

Pourquoi les plantes synthétisent-elles des substances provoquant l'euphorie, l'hyperactivité ou même des hallucinations chez les animaux ? La réponse est simple : elles ne peuvent pas bouger et elles sont attaquées par des ennemis mobiles – insectes et herbivores – qui taillent leurs troncs et grignotent leurs feuilles. Incapables de s'enfuir, elles ont recours à la guerre chimique et se fient à la mutation et à la sélection naturelle pour produire de nouveaux alcaloïdes amers qui repoussent les parasites en tuant leur appétit ou leurs impulsions sexuelles, les désorientent et les paralysent temporairement. J'avais déjà été témoin du phénomène au cours de mes voyages : le pavot, dont les graines entrent dans la composition des craquelins narcotiques de Marks & Spencer, produit de la morphine et de la thébaïne, capables d'empoisonner les chevaux, les vaches et d'autres herbivores qui tentent de les brouter. Le tabac fabrique de la nicotine qui paralyse ses prédateurs ou leur donne des convulsions. L'armoise, si amère que même les chèvres n'en mangent pas, produit la thuyone, une neurotoxine qui provoque des convulsions et qui, comme le camphre et d'autres terpènes, repousse les insectes. Le caféier fabrique la caféine, qui rend les insectes stériles. Plus intéressant encore, des plantes comme la stramoine, ou datura, produisent la scopolamine, qui empêche les plus gros animaux de les brouter en déclenchant chez eux une sécheresse de la bouche et des hallucinations pouvant durer trois jours – bien plus qu'il n'en faut, en vérité.

Les drogues sont donc des poisons. À forte dose, elles peuvent tuer ; à petite dose, elles enivrent, et la sensation qu'elles procurent peut donner du plaisir, de la confusion, des révélations ou, dans certains cas, entraîner la dépendance. Les premiers humains observèrent probablement les animaux – chats qui se prélassaient et miaulaient après une orgie de cataire, bétail somnolant après s'être empiffré d'oxytrope brillant (*locoweed*) – pour savoir sur quelles plantes il convenait d'investiguer. Les éléphants aiment se soûler avec le jus fermenté de petits fruits tombés et, pour accélérer le processus, ils vont jusqu'à percuter le tronc des marulas. (En Afrique du Sud, les mêmes baies servent à la fabrication d'une liqueur onctueuse appelée « amarula » ou « liqueur d'éléphant ».) Les pigeons perdent leur coordination et deviennent amorphes après avoir picoré des graines de cannabis, ce qui explique peut-être comment les anciens Scythiens ont compris que le chanvre pouvait servir à autre chose que fabriquer des cordes. Le désir d'altérer notre conscience est tellement universel que le psychopharmacologue Ronald K. Siegel l'a nommé quatrième besoin, après la faim, la soif et le désir sexuel. Même lorsque les drogues ne sont pas disponibles, les gens trouvent des moyens pour perdre la tête, ce qui explique ces différents phénomènes : les moines capucins qui s'autoflagellent, les derviches sufis qui tournent, les sadhus indiens qui méditent, ou l'hyperventilation des enfants, le saut à l'élastique.

Toutes les sociétés humaines connues ont eu recours à quelque plante enivrante. Pour se détendre, les pêcheurs du Tonga sirotent sans fin des bols de kava, les membres des tribus somaliennes passent l'après-midi en conversations inspirées tout en mastiquant leur khat, un stimulant, et même les nomades de l'austère toundra sibérienne s'éclatent à l'aide d'un champignon hallucinogène, l'amanite tue-mouche. (Les Inuits de l'Amérique du Nord représentent la seule exception historique : ils n'avaient pour ainsi dire aucune verdure à mastiquer.) « Que l'humanité puisse un jour se passer de paradis artificiels, cela semble fort peu probable, a écrit Aldous Huxley dans *Les portes de la perception*. La plupart des hommes et des femmes mènent une vie si douloureuse dans le cas le plus défavorable, si monotone, pauvre et bornée dans le meilleur, que le besoin de s'évader, le désir de se transcender eux-mêmes, ne fût-ce que pour quelques instants, est et a toujours été l'un des principaux appétits de l'âme. »

Comme Huxley le laisse entendre, les drogues ne sont pas qu'un misérable substitut matériel de la transcendance religieuse, mais probablement la source même de la religion. Les substances pschoactives sont nichées trop près du cœur de trop de croyances pour parler de simple coïncidence. Les Indo-Aryens, dont le Rig-Veda est le plus ancien recueil de textes spirituels connu, vénéraient le soma, menant à la « droiture, source de béatitude » ; il s'agissait peut-être de l'amanite tue-mouche ou de l'harmel, une plante dont les alcaloïdes hallucinogènes sont les mêmes que ceux du *yajé*, une boisson amazonienne. Platon, Socrate, Aristote et leurs semblables participaient aux mystères d'Éleusis, une fête des moissons au cours de laquelle on consommait une potion hallucinogène, probablement à base de l'ergot qui parasite l'orge et le seigle et qui est à l'origine du LSD. Selon les anthropologues, les contacts de l'humanité avec les produits enivrants – en particulier les champignons magiques, substances chimiques déclenchant rêves éveillés et visions transcendantales – furent les germes qui permirent aux premiers hommes d'éprouver un sentiment religieux. Nommez une plante enivrante, n'importe laquelle, et vous trouverez, même aujourd'hui, un groupe d'humains qui l'utilisent dans leur culte. Le peyotl est sacramental dans l'Église des Amérindiens, la marijuana est une herbe sacrée pour les rastafaris, les bonbons à l'opium et le *bhang* (le pollen du cannabis) sont vendus dans des magasins gouvernementaux à Varanasi pour provoquer des transes dans les temples hindous. Et pendant la messe, les chrétiens se mettent en ligne pour consommer du vin (une appropriation des rites dionysiens et bachiques de l'Antiquité), un vin qu'ils croient transformé en sang du Christ quand ils le boivent du calice.

Pour trouver des indices du rôle joué à l'origine par les drogues en tant qu'agents de plaisir, de transcendance et de renforcement des liens entre les membres des communautés (plutôt qu'en tant qu'agents de dépendance, d'appauvrissement et d'aliénation), il faut se demander comment elles étaient utilisées dans les sociétés traditionnelles. Même le tabac, à présent le plus banal des produits, était jadis l'objet d'un rituel empreint de respect. Avant l'arrivée des Européens, les Karuks, une tribu amérindienne qui vivait dans ce qui est aujourd'hui la Californie, consommaient le tabac à l'occasion de rassemblements tribaux exclusivement réservés aux hommes adultes. À forte dose, la nicotine provoque des hallucinations, et les shamans karuks en ingéraient tellement que, pris de convulsions, ils vomissaient et tombaient dans des transes proches de la mort, qui, croyaient-ils, les mettaient en contact direct avec le monde spirituel. Les commerçants européens montrèrent aux Karuks à fumer le « tabac de l'homme blanc », moins puissant, mais inhalé beaucoup plus souvent. Les Karuks, qui ne consommaient autrefois le tabac qu'occasionnellement et en société, au cours de réunions où des traités étaient conclus et où le calumet était passé d'une main à l'autre, ont désormais adopté le modèle contemporain de consommation privée et de dépendance. Un anthropologue ayant vécu avec les Karuks note que, dans les années 1920, « les Indiens traditionnels ne fument jamais que quelques minutes par jour, désapprouvent même que les hommes ayant atteint la vingtaine fument et considèrent avec dégoût les fumeurs de cigarettes enragés que sont les garçons et les filles modernes. »

Normalement, l'usage sacramental des drogues est aussi exclu du commerce. Il n'y a rien à payer pour le vin de communion ni pour le peyotl utilisé par l'Église amérindienne; de même, dans la foi traditionnelle rastafari, la marijuana est une herbe sacrée qu'on peut offrir en cadeau, mais qu'on n'a pas le droit de vendre ni d'acheter. (Ce qui ne veut pas dire que les premières civilisations – particulièrement les kleptocraties plus organisées – ne faisaient pas l'équation entre plantes psychoactives et monnaie d'échange. L'empereur aztèque Moctezuma Ier, dont l'empire était une vaste machine militaire servant à arracher des tributs aux paysans subjugués, limitait aux seuls guerriers le droit de consommer du chocolat et gardait dans son palais un trésor d'un milliard de fèves de cacao.) Traditionnellement, l'usage était en général occasionnel : les chasseurs-cueilleurs sibériens, par exemple, n'étaient pas seuls à rechercher des champignons psychédéliques : les rennes leur faisaient concurrence. Pour ce qui est des Vikings – comme je l'ai appris en Norvège –, ils ne pouvaient se permettre de gaspiller qu'une petite partie de leurs précieuses céréales pour la fabrication de l'alcool destiné à leurs beuveries communautaires. J'avais vu comment la coca était offerte aux invités dans les contextes traditionnels boliviens. Ce n'est qu'avec la montée du commerce moderne que les plantes narcotiques ont été arrachées à leur rôle sacré et transformées en produits négociables.

La médicalisation fut la première étape : en Europe, la connaissance des plantes, jadis le domaine des païens, fut reprise par les médecins. La pharmacopée de Paracelse, considéré comme le père de la médecine, était systématiquement constituée de belladone, de cannabis, de mandragore, d'opium, de jusquiame et d'autres plantes qui furent utilisées pour fabriquer les potions hallucinogènes faisant léviter les sorcières. L'industrialisation fut la deuxième étape : l'opium, par exemple, fut raffiné en morphine, utilisée pour corser des médicaments brevetés bon marché et largement répandus, et finalement synthétisé en héroïne qu'on pouvait administrer immédiatement au moyen d'une seringue hypodermique. La pipe de tabac, qu'on mettait une heure à fumer, fut remplacée par le cigare, qu'on fumait en une demi-heure, puis par la cigarette, qu'on fumait en cinq minutes. L'euphorie lente et subtile procurée par les feuilles de coca céda la place au *rush* instantané de la cocaïne, puis, pour finir, au *buzz* de 10 minutes fourni par le crack. D'une certaine façon, industrialiser les drogues végétales fut aussi un moyen de les démocratiser : lorsqu'un havane de 50 ¢ était réservé au plaisir des ploutocrates, la Camel à 5 ¢ le paquet convenait bien au budget des classes ouvrières. D'autre part, ce fut aussi leur avilissement définitif. Tout compte fait, l'instinct religieux qui faisait de ces substances puissantes plus que de banals produits commerciaux n'était pas dénué de sagesse; une fois qu'on les livre à l'ingéniosité de l'industrie, on donne aux charlatans et aux entrepreneurs immoraux la possibilité de profiter du marché potentiellement illimité de la dépendance.

De nos jours, ce sont les plantes – ataviques, malfaisantes, païennes – qui provoquent la frénésie des législateurs. L'opium fut probablement la première drogue systématiquement cultivée par l'homme de l'Antiquité; des dépôts de graines de pavot, datant de 6000 av. J.-C., ont été retrouvés en Suisse, dans des villages lacustres néolithiques. Pendant presque toute l'histoire de l'humanité, elles ont été considérées comme une panacée et se sont révélées être des antidouleurs et des antidépresseurs parmi les plus utiles de la pharmacopée des hommes et des femmes du domaine médical. Tout au long du XIXe siècle, quand on pouvait acheter des médicaments opiacés dans les pharmacies et les buvettes sous forme de sirop pour la toux de Mme Winslow ou de solution sédative Battley, le toxicomane typique était une femme d'âge moyen souffrant de constipation, de somnolence et de honte. (Les médecins étaient également des habitués. Le Dr William Halsted, père de la chirurgie aux États-Unis et fondateur du Johns Hopkins Medical Center, prit de la morphine pendant toute sa vie adulte et mourut à l'âge de 70 ans, après avoir pratiqué certaines de ses plus remarquables interventions chirurgicales sous l'effet de la drogue.)

L'opium fut banni pour la première fois à San Francisco en 1875 – ce fut la première loi moderne criminalisant les consommateurs de drogue –, parce que, prétendit-on, il s'agissait d'une conspiration chinoise pour asservir la jeunesse blanche de Californie. Il fallut proscrire la cocaïne parce qu'elle changeait le Nègre du Sud en un violeur dément. La marijuana présenta un défi plus complexe; après tout, il était difficile de diaboliser une herbe qui, en général, portait les gens à rire et à s'empiffrer de chips. Incapables de démontrer les effets néfastes de la plante, les prohibitionnistes décidèrent d'accuser le cannabis de tous les maux possibles et de voir ce qui tiendrait la route. Alors que fumer de la marijuana n'était qu'une obscure habitude de Mexicains venus dans le sud-ouest à la recherche d'un emploi, des histoires d'horreur à propos de tueurs psychotiques sous l'emprise de la dope menèrent à l'ordonnance de 1914 qui donnait à la police locale le prétexte idéal pour fouiller arbitrairement les immigrants. Des manchettes à propos de musiciens de jazz noirs de Harlem fumant des joints accélérèrent l'adoption de la Loi sur la taxation de la marijuana en 1937, en vertu de laquelle toute personne cultivant de la marijuana devait faire la demande d'un timbre fiscal. (C'était le prototype de la situation désespérée, *Catch-22* avant Joseph Heller : le ministère des Finances *ne donna pas* de timbres aux cultivateurs de chanvre.) Dans les années 1950, la nouvelle passa en cinquième colonne : des stars du show-business comme Robert Mitchum et Gene Krupa avaient été prises en possession de pot dans des descentes de police, et les revendeurs furent accusés d'être des communistes cherchant à droguer la jeunesse américaine.

Pour finir, la propagande officielle contre la marijuana – qui l'accusait de causer des ravages meurtriers, d'être une pente raide et glissante vers l'héroïne – commença à se retourner contre ses détracteurs lorsque des dizaines de millions de personnes en consommèrent sans se transformer en junkies bolcheviques cambrioleurs de banques. Dans les années 1960, l'« ennemi intérieur » – naguère une poignée de beatniks et de rouges – devint toute personne assez curieuse pour prendre une bouffée à une fête, et une guerre civile officieuse se déclara entre les baby-boomers allumés et la prétendue majorité silencieuse. Richard Nixon abrogea les principes constitutionnels fondamentaux en autorisant la DEA nouvellement créée à mettre les téléphones sur écoute et à espionner les citoyens ; Ronald Reagan déclencha la guerre à la drogue, violant une loi datant de la guerre civile qui empêchait l'armée des États-Unis d'intervenir dans les affaires civiles ; et George Bush père fit construire de nouvelles prisons pour accueillir les victimes du programme Tolérance zéro. (Les seuls reculs se produisirent sous la présidence de Jimmy Carter, alors que la marijuana fut vraiment décriminalisée en Oregon, et pendant le mandat de

Bill Clinton, qui alloua une partie de l'argent de la guerre contre la drogue à la recherche sur la dépendance.)

On a déjà trop écrit sur l'absurdité de la prohibition de la marijuana pour que je m'y attarde davantage. La démesure des sanctions appliquées est devenue une sorte de cliché – même les législateurs conservateurs ont senti qu'il y avait quelque chose de disproportionné dans le fait qu'un citoyen de l'Oklahoma était passible d'une peine d'emprisonnement à vie pour avoir fait pousser un seul plant de marijuana dans sa cour. En 2000, la population carcérale états-unienne atteignait deux millions d'individus – plus nombreuse que partout dans le monde, y compris en Chine –, et un quart d'entre eux purgeaient leur peine pour des délits liés à la drogue, surtout pour possession. Heureusement pour le gouvernement, la guerre à la drogue est plutôt une bonne chose pour le budget. Depuis la mise en œuvre de la politique Tolérance zéro sous Ronald Reagan en 1988, les fédéraux ont le droit de saisir tous les biens associés à une arrestation pour une infraction liée à la drogue, notamment, dans un cas, un yacht de deux millions et demi de dollars sur lequel on avait trouvé un dixième d'once de marijuana. Le bureau des douanes états-unien est le seul service gouvernemental qui fait régulièrement des profits.

Existe-t-il une façon de mettre fin à cette aberration institutionnalisée ? Pour dire la vérité, je ne suis pas optimiste. L'idée de redonner leur caractère sacré aux drogues traditionnelles, comme l'absinthe de Delachaux et les feuilles de coca de Rivera, me paraît à la fois romantique et déloyale : la plupart des consommateurs, du moins en Amérique du Nord et en Europe, sont trop loin des communautés traditionnelles pour que ce soit autre chose qu'une affectation Nouvel Âge, un genre de trip bidon à la Timothy Leary. D'ailleurs, le génie est sorti de la lampe depuis trop longtemps : il serait impossible de désapprendre comment extraire la cocaïne de la plante ou synthétiser l'héroïne à partir du pavot. Comme Ronald K. Siegel l'a écrit : « Une fois que les alcaloïdes sont libérés de la plante, il est difficile de les y remettre. » Il proposa cette solution technologique : une campagne pour l'invention de nouvelles drogues.

« Les substances enivrantes idéales équilibreraient les effets positifs optimaux, comme la stimulation ou le plaisir, avec des conséquences toxiques minimales ou inexistantes, écrivit-il dans un article paru dans le *Washington Post*. Les drogues seraient ingérées sous forme de pilules à effet rapide ou aspirées sous forme de gaz. Leur durée d'action serait déterminée, et elles contiendraient des substances antagonistes conçues pour prévenir l'usage excessif ou les surdoses. » Cela s'appelle prendre ses désirs pour la réalité : étant donné le climat politique actuel aux États-Unis, il est inconcevable que le Conseil national de recherche subventionne dans un proche avenir des laboratoires universitaires pour mettre au point des produits donnant plus de plaisir à la population.

La solution ne consiste peut-être pas à poursuivre dans cette voie, dans l'espoir de concocter des formes nouvelles et sympathiques de soma n'entraînant pas la dépendance, mais à s'en tenir aux plantes qui ont accompagné l'humanité avant même que les humains soient capables de se tenir debout. Le khat, la coca, le pavot, le kratom, l'iboga, l'ergot, la psilocybine, l'ayahuasca, le kava, la sauge à fleurs rouges : il existe suffisamment de substances en milieu naturel pour occuper encore longtemps l'humanité. Et, comme l'ont montré les cultivateurs de Purple Thaï et de Sweet Skunk (sans parler de la « super-coca » résistant aux herbicides), on peut accomplir beaucoup en se servant des techniques horticoles traditionnelles. Les législateurs pourraient commencer par reconnaître l'absurdité de mettre des plantes hors la loi et cesser d'incarcérer les gens qui sèment des graines dans leur propre jardin. Offrir des substances plus douces pour remplacer les drogues addictives sur le marché pourrait entraîner un changement lent, mais subtil. Pendant la Prohibition, la popularité des alcools forts monta en flèche ; mais avec la nouvelle disponibilité et l'acceptation sociale qui suivirent, les gens se tournèrent vers des alcools plus légers, et c'est ainsi que la majorité des buveurs obtiennent aujourd'hui leur éthanol sous forme de vin et de bière. De la même façon que tout le monde ne préfère pas le haschisch à la marijuana, on peut penser que, si des drogues dérivées de plantes étaient proposées à la place des drogues dures, de nombreux consommateurs opteraient pour les formes plus douces. (Il est intéressant de constater qu'en Hollande la consommation de marijuana, chez les adolescents, a vraiment baissé au cours de la décennie qui suivit l'arrivée des *coffee shops* – où l'on pouvait consommer du cannabis –, en 1976 ; aujourd'hui, seulement 8 % des adolescents hollandais âgés de 16 à 19 ans en consomment, alors que, aux États-Unis, où le cannabis est interdit, le pourcentage dans le même groupe d'âge est de 16 %.) Le mouvement pourrait commencer dans les pays industrialisés du monde développé – ceux qui souffrent le plus de la dépendance aux drogues. Ainsi, les fermiers boliviens, comme Alberto Chura, continueraient à faire des affaires en cultivant un stimulant doux et agréable. Pendant ce temps-là, les États-Unis pourraient consacrer une partie des 40 milliards de dollars qu'ils dépensent annuellement dans leur guerre contre la drogue aux programmes de traitement offerts aux toxicomanes plutôt qu'à l'achat de nouveaux hélicoptères.

Pour moi, la seule chose encourageante est ma certitude que la guerre contre la drogue est vouée à l'échec. À moins de désherber la planète entière et de vaporiser du napalm sur toute la terre arable du globe, l'éradication totale des récoltes de drogues est un objectif inaccessible : les besoins annuels de chaque héroïnomane états-unien pourraient être comblés grâce aux pavots poussant dans un champ de 20 mètres carrés. Quant à tous les cocaïnomanes, leur provision annuelle totale pourrait être empilée dans 13 remorques. Et les 30 tonnes d'héroïne consommées en Grande-Bretagne entreraient dans un seul camion de taille moyenne. Si l'Armageddon réduisait la civilisation à une poignée de fermiers, je suis convaincu que, dès le départ, ils s'adonneraient à la culture d'un produit psychoactif quelconque : arbrisseau de thé ou de café, plants de cannabis ou de tabac, céréales ou raisins servant à la fabrication de l'alcool. Le désir humain de l'ivresse, de la transcendance ou de l'évasion temporaire – peu importe le nom qu'on lui donne – est trop fort pour être nié.

On n'a pas besoin de le rappeler aux Boliviens. Ils ont leurs statues à la joue gonflée datant de millénaires avant l'arrivée des Espagnols pour prouver qu'ils ont toujours cohabité avec *mama* coca. Et ils ont raison d'être optimistes : en Amérique du Sud, du moins, le vent est en train de tourner dans la guerre contre les plantes. Xavier était lui aussi convaincu que l'ancien cultivateur de coca Evo Morales, ou un autre dirigeant indigène favorable à la coca, serait le prochain président du pays.

Je sortis le sachet mouillé de ma tasse et bus une gorgée de maté de coca, attendant la subtile stimulation. Après le dîner, je m'offrirais peut-être une autre chique de feuilles de coca et je passerais quelque temps à écrire mon journal. Une chose était sûre : je ferais mieux d'en profiter pendant que c'était possible, pendant que j'étais encore au pays, au cœur de la production légale de coca. Je n'essaierais pas de rentrer chez moi en faisant passer en contrebande un sac à dos rempli de feuilles séchées. S'il y a une chose que les douaniers détestent – et que leurs chiens adorent renifler –, ce sont les plantes.

Qui plus est, ma prochaine destination n'était pas exactement un havre pour narco-touristes. Et si une substance interdite m'attendait là-bas, je n'avais pas hâte de l'essayer.

LE DERNIER VERRE

Le tabac, le café, l'alcool, le haschisch, l'acide prussique, la strychnine sont de faibles dilutions ; le poison le plus sûr, c'est le temps.

RALPH WALDO EMERSON

Penthiobarbital de sodium

Avant de s'endormir

C'est une rue d'une monotonie tellement mortelle que le simple fait d'y marcher nous vide bientôt de toute l'effervescence que la Suisse aurait pu laisser dans notre système. Au début, des appartements d'aspect modeste et respectable, des cerisiers en fleur sur les pelouses, puis, des immeubles qui, s'ils ne sont pas miteux – rien n'est vraiment miteux à Zurich –, sont décorés avec autant d'imagination que des stationnements intérieurs. Les futons et les fauteuils de rotin rejetés, empilés proprement sur le trottoir pour le camion d'ordures, rappellent ces quartiers où les gens font escale dans leur course pour acquérir des choses plus brillantes ou plus tristes – ou peut-être tout simplement identiques. Seules les lettres multicolores des garderies Bambi Kinderparadies détournent nos pensées de la fin plus sombre de la vie.

Au 84 Gertrudstrasse, quatre marches de marbre conduisent à une entrée ; les noms des occupants de l'immeuble sont inscrits sur des cartes de plastique à côté de 20 sonnettes. On reconnaît quelques trémas germaniques au-dessus de voyelles, un nom de famille italien, le *i* surmonté d'un cercle, écrit à la main sur du papier ligné puis scotché sur le métal ; on lit des noms indiens, français et du centre de l'Europe ; sur une carte, les mots MASSAGE THAÏ, tout simplement et, dans le coin supérieur droit, le mot DIGNITAS, un mot latin qui veut dire « mérite », « caractère louable », « dignité ». Dans le couloir, une jolie jeune femme d'origine indienne avec un bébé dans les bras vous regarde d'un air vaguement inquiet, mais elle ouvre quand même la porte. L'ascenseur est l'un de ces modèles insensés dépourvus de porte de sécurité intérieure, une simple cage qui surgit devant vos yeux. Au quatrième étage, le dernier, on sort sur le palier où une porte verte est grande ouverte.

On entre dans un studio à plafond bas – une chambre et une cuisinette servant de bureau. Des stores vénitiens dans la pièce principale bloquent la vue de l'appartement de l'autre côté de la rue. Le décor évoque une salle d'attente, une chambre d'hôtel deux étoiles, un salon funéraire. Le petit frigo est rempli de champagne et de bière allemande. Un bol de feuilles de thé japonais Sensia, un autre de sachets d'Earl Grey – le propriétaire est amateur de thé de qualité –, une machine à espresso pour ceux qui aiment leur café corsé, dans une assiette en verre, des chocolats Cailler et Guylan enveloppés individuellement. Le lit à une place est recouvert d'une couette rayée ; à côté, une petite chaîne stéréo et quelques CD : *Water Music* de Haendel, *Les quatre saisons* de Vivaldi, *Toccate et fugue en ré mineur* de Jean-Sébastien Bach. Les images qui ornent les murs sont les seuls détails vraiment troublants : des paysages semi-impressionnistes, des peintures psychédéliques naïves. Sur l'une d'elle, on voit une silhouette dans un fauteuil roulant ; devant elle, une pyramide au sommet d'une montagne ; derrière, une traînée d'objets au rebut – une boîte de couches Pampers, un rein, un foie, un cœur humain. Le personnage tient une fiole de liquide vert et sourit. La femme qui a dessiné cet autoportrait, un médecin, était en phase terminale. Elle a passé ses derniers moments à écouter de la musique, assise à la table dans cette chambre. Puis, elle a avalé une potion trouble qu'elle aspirait avec une paille. On l'avait amenée à ce quatrième étage dans son fauteuil roulant, mais on l'a redescendue dans un sac. Comme la plupart des membres de Dignitas, elle est arrivée en Suisse sans bagages.

Je suis content de voir cette pièce où des gens viennent du monde entier pour mourir. En fin de compte, c'est plutôt rassurant de savoir où sont les issues de secours ici-bas. Ceux d'entre nous qui ne croient pas à la réincarnation ou à l'après-vie, ceux pour qui tout le sens est forcément concentré dans la sphère matérielle éprouvent à l'occasion une sorte de vertige existentiel à la pensée de la mort – souvent solitaire, tourmentée par la douleur et humiliante. Philosopher, c'est apprendre à mourir, disait Montaigne, et le désir d'une bonne mort (*eu*, « bonne », *thanatos*, « mort », donc « euthanasie ») occupe les penseurs depuis la nuit des temps. « Je ne rejetterai pas la vieillesse, écrivit le philosophe romain Sénèque le Jeune, si la vieillesse me permet de rester moi-même, intègre, je veux dire, de mon meilleur côté ; mais si elle se met à ébranler ma raison et à la mettre en pièces, si elle me laisse non pas la vie, mais une simple animation, je sortirai d'un bond de mon logis délabré. » L'ancienne fin stoïque ne fut en définitive ni volontaire ni expéditive : ayant reçu de Néron l'ordre de se suicider, Sénèque se trancha les veines avec une épée, mais comme son sang s'écoulait trop lentement, il fut obligé d'avoir recours à la ciguë. Et le poison agissant aussi trop lentement, il s'asphyxia dans un bain de vapeur.

S'il avait prévu la possibilité de bâcler son suicide. Sénèque aurait aimé savoir qu'il existerait un jour un lieu comme le 84 Gertrudstrasse. Et il aurait sûrement voulu connaître la formule de l'élixir – la ciguë moderne – qu'on lui aurait servi à boire.

C'est facile de se moquer des Suisses. En particulier des Suisses allemands. Zurich offre d'infinies occasions à ceux qui éprouvent encore une satisfaction désabusée en voyant se matérialiser un cliché national. Sur le pont en face du *Rathaus*, j'avais déjà observé un chauffeur bien nourri – de *Spätzli* –, en chemise blanche empesée, qui astiquait à l'aide d'un mouchoir blanc sa Mercedes bleu marine, gonflant les joues et soufflant sur les ailes de son taxi pour en déloger d'invisibles grains de poussière. Dans le tram grinçant numéro 3 de la Badenstrasse, deux contrôleurs de billets à l'expression maussade, voyageant incognito dans leurs jeans et leurs vestes à poches multiples, vérifiaient à intervalles irréguliers que personne n'était monté sans payer ; même les deux filles gothiques aux ongles couverts de vernis noir et aux yeux désespérés cerclés de khôl montrèrent un billet ou une passe valide. J'avais esquissé un petit sourire en coin devant les piles de journaux, impeccables, attachées avec de la ficelle, alignées le long du trottoir pour être ramassées par le camion de recyclage. Et je m'étais habitué à toutes les horloges – les aiguilles dorées, terminées en flèche, de la plus grosse horloge de l'Europe, les innombrables coucous exposés dans les vitrines des magasins – dont l'omniprésence paraissait éliminer la nécessité de vraiment posséder une montre. *Tempus fugit*, hurlaient les Swatch suisses. Les intérêts s'accumulent, répondaient les banques zurichoises d'un ton réconfortant.

Peu à peu, mon amusement se mua cependant en admiration. Dans la Niederdorfstrasse, une rue piétonnière, je regardai une digne Frau ouvrir son porte-monnaie et tendre un billet de 10 francs suisses à une adolescente punk, pieds nus mais l'air en santé, qui l'accepta avec un sourire et retourna vers son chien en fredonnant une chanson joyeuse. J'avais remarqué une demi-douzaine au moins de vélos que leurs propriétaires avaient laissés sans surveillance sur les trottoirs du centre-ville pendant qu'ils se hâtaient de faire leurs courses. Seul dans un magasin de disques d'occasion pendant que le proprio était sorti laver sa vitrine, je me rendis compte que tous les CD étaient encore dans leurs étuis, une situation qui aurait rendu les voleurs à l'étalage frénétiques dans n'importe quelle autre ville du monde.

Je rassemblai les divers éléments d'un pique-nique – Birchermuesli, salade de pommes de terre et burger de poisson – et j'allai m'installer au Platzspitz, un parc en forme de talon situé au nord de la gare ferroviaire. La réputation du lieu l'avait précédé : c'était l'infâme *Needle Park*, un légendaire no man's land que la police ne patrouillait pas, où se rassemblaient habituellement 2000 toxicomanes ; là, ils se shootaient, s'endormaient, et un par jour tombait dans les pommes. Pendant toutes les années 1990, l'endroit avait été une scène de mort, un abcès civil dont les prohibitionnistes conservateurs se servaient pour montrer les conséquences apparemment inévitables des politiques européennes libérales en matière de drogue.

Prêt à subir un assaut de regards agressifs et de sollicitations exprimées d'une voix sifflante, je me trouvai une place au soleil sur la berge de la rivière Limmat et m'y installai pour me faire une idée de l'endroit. Deux jeunes mères passèrent en poussant leurs bébés dans des landaus. Des secrétaires et des commis mangeaient leur lunch. Je vis arriver en trottinette un jeune exécutif, sa mince cravate passée par-dessus son épaule. Cela ne ressemblait en rien aux rues aux alentours d'Oslo, où j'avais vu des junkies squelettiques en train de se shooter dans les caniveaux ; bon sang, ça ne ressemblait même pas au quartier chaud d'Amsterdam où les toxicomanes vous proposaient de vous vendre des vélos volés contre le prix d'une dose. L'ancien *Needle Park* de Zurich était un endroit charmant, au point que je me retrouvai bientôt en train de contempler rêveusement le jeu de tic-tac-toe un peu dingue formé par les sillages d'avions planant dans le ciel alpin. Les seuls mendiants qui me troublaient étaient les grands cygnes blancs et les foulques noires à la voix plaintive qui pataugeaient vers moi pour quémander quelques miettes ; les seuls consommateurs de drogue que je vis furent deux adolescents qui partageaient ouvertement un joint à l'ombre d'un saule pleureur.

Je n'arrivais pas vraiment à me faire une idée. J'avais lu qu'on trouvait encore 30 000 héroïnomanes en Suisse. Dans n'importe quel autre pays, un aussi gros contingent de personnes dépendantes à des drogues chères et illégales constituerait une importante sous-classe criminelle et serait régulièrement à l'origine de cambriolages, d'effractions et de vols sordides. Les Suisses s'étaient manifestement organisés pour cacher leurs problèmes de drogue quelque part.

Il me faudrait quelques jours pour découvrir où exactement. Mais, pour l'instant, l'héroïne n'était pas mon principal sujet de préoccupation. J'avais franchi les Alpes en quête de quelque chose de plus fort, plus exactement le penthiobarbital de sodium, un tranquillisant à action rapide. La dose habituellement servie à Zurich provoque une mort presque instantanée.

C'était la seule substance interdite que je ne testerais pas personnellement.

Que porte-t-on, me demandai-je, quand on a rendez-vous pour interviewer madame la Mort ?

N'ayant pas apporté de veste en Kevlar, j'optai pour des manches longues aux poignets attachés, endossai mon blouson en peau d'ange et je partis en espérant que tout se passerait bien. Devant la Maison de l'opéra, je montai dans un trolley-bus rouge et crème qui grimpait les avenues impassibles surplombant la rive est du lac de Zurich ; les maisons à pignons, construites au hasard, cédèrent enfin la place à des fermes et à des prés verdoyants parsemés de pissenlits et de jonquilles. Je descendis à une petite gare rurale appelée Forch et j'attendis au bord de la route en me demandant si je devais essayer de voir un corbillard noir à l'horizon.

On peut se sentir intimidé à la perspective de rencontrer une personne dont la vocation consiste à expédier d'autres humains *ad patres* ; étant donné l'histoire de l'euthanasie, on aurait plutôt tendance à s'interroger sur les motivations profondes de cette personne. Prenons Jack Kevorkian, ce médecin du Michigan qui avait présidé au trépas d'au moins 130 de ses patients – dont seulement le quart étaient en phase terminale – en leur faisant des injections fatales et en les asphyxiant au monoxyde de carbone à l'arrière d'une camionnette Volkswagen rouillée. Après un de ces « patienticides », il préleva les reins d'un cadavre, manifestement à des fins de transplantation ; il purge actuellement une peine de vingt-cinq ans pour meurtre au second degré dans une prison du Michigan. Ou prenons Philip Nitschke, ce médecin australien qui avait construit le prototype d'un appareil à coma appelé *Final Exit* afin d'aider les gens à mourir d'une narcose au monoxyde de carbone et qui envisageait de lancer un « vaisseau de la mort » dans les eaux internationales pour contourner les lois nationales contre l'euthanasie. Et, bien sûr, comment oublier le programme *T-4 Euthanasia* mis en œuvre par Adolf Hitler en 1939, conçu pour purger le Troisième Reich des « vies lourdes à porter » et des

« bouches inutiles ». Au total, 200 000 personnes gênantes aux yeux du maître – dont les attardés mentaux, les handicapés et les enfants malades – furent envoyées à la mort contre leur volonté, avec la complicité de la communauté psychiatrique allemande.

Une Citroën rouge des années 1980 s'arrêta au bord du trottoir, et un homme costaud dans les 70 ans, au visage lunaire strié de rides, sortit de la voiture et me serra la main. Il portait un foulard bleu marine rentré dans le col ouvert d'une chemise bleu pâle et des sandales sur des chaussettes bleues. Le trajet de la gare à chez lui prenait trois minutes en voiture ; un ascenseur nous fit monter du garage à un salon inondé de soleil, aux murs couverts de livres, dont les œuvres complètes de Winston Churchill et de George Bernard Shaw. Mon hôte revint de la cuisine avec une théière de thé blanc de Chine et une assiette de biscuits au miel et aux amandes. Il s'assit dans un fauteuil de rotin couvert d'une vieille peau de mouton, versa le thé dans des tasses en porcelaine, leva ses yeux bleus vers moi, dans l'expectative. « Alors ? » dit-il. C'était le dimanche matin, il était 10 heures. Il n'avait pas été question d'un office à l'église.

Depuis la fondation de Dignitas en mai 1998, Ludwig Minelli, ex-avocat spécialisé dans les droits de la personne et journaliste au *Der Spiegel*, un hebdomadaire allemand, avait aidé 274 personnes venues de partout dans le monde à mettre fin à leur vie. Grâce à un vide juridique dans une loi suisse datant de 60 ans, il est légal d'aider une autre personne à commettre un suicide pour autant que ce ne soit pas fait dans un but vénal. Dignitas compte actuellement 4000 membres, de 50 pays aussi lointains que le Pérou et Israël. De ce nombre, 520 sont originaires de Grande-Bretagne, où aider un être cher à se suicider est passible d'une longue peine d'emprisonnement.

Minelli avait été un membre d'Exit, une organisation suisse d'aide au suicide plus importante ; un schisme interne l'avait cependant poussé à former sa propre association.

« Une terrible assemblée générale a eu lieu à Zurich en 1998, m'expliqua-t-il. Les participants ont beaucoup crié, et c'est ce soir-là que j'ai décidé de fonder Dignitas, parce que, à mes yeux, les gens qui font partie d'une association consacrée au dernier recours préfèrent voir régner la paix plutôt que la guerre. L'assemblée générale de Dignitas ne compte que deux personnes, et l'autre est un de mes vieux amis. De cette façon, il n'y a pas de luttes de pouvoir ; nous serons toujours unanimes. » Les politiques restrictives d'Exit en ce qui concernait les membres représentèrent un autre motif de rupture ; Exit n'acceptait que les citoyens suisses. « Je n'admets pas qu'on discrimine des gens parce qu'ils résident à l'étranger ; ils souffrent, eux aussi. Si nous disposons des moyens de les aider, je pense que nous devons le faire. C'est la même chose pour les gens atteints de maladies mentales. Exit était d'avis de ne pas se quereller avec les autorités, mais, à titre d'avocat, j'ai souvent poursuivi le gouvernement. J'ai l'habitude des querelles. »

Minelli éclata de rire. Il avait un de ces rires qui commencent par un gloussement, lequel, par une sorte d'effet d'entraînement, se transforme en éclats bruyants. À ma grande surprise, je ne pus m'empêcher de l'imiter.

« Vous savez, environ 80 % de nos membres ne feront jamais le voyage en Suisse, mais ils sont soulagés de savoir qu'ils ont une issue de secours, s'ils en ont un jour besoin. Nous avons beaucoup de membres atteints d'un cancer. Des femmes qui souffrent d'un cancer du sein très agressif et très douloureux, des hommes qui ont un cancer du pancréas, dont l'évolution est très rapide. Et nous avons des maladies neurologiques, des maladies de Charcot, des cas de sclérose en plaques, de sclérose latérale amyotrophique. Ils lisent des articles à notre sujet dans des journaux ou visitent notre site Web. Parfois, ils veulent venir tout de suite, mais nous leur demandons de payer des frais d'adhésion de 100 francs suisses [86 $ US], puis de nous soumettre une demande personnelle nous expliquant pourquoi ils ont choisi cette voie. » (Dignitas est une organisation sans but lucratif ; Minelli m'apprit qu'il vivait d'une pension de l'État.) « Nous demandons ensuite à voir les dossiers médicaux, car nous travaillons avec sept ou huit médecins, et, pour que le médecin accepte de signer une ordonnance, il faut le convaincre que cette personne a de véritables raisons de vouloir se suicider. À ce point, le médecin propose des solutions de rechange. Dans plusieurs cas, un médecin a dit à un membre que la thérapie de la douleur n'avait pas été optimale et que, selon lui, la personne devait rentrer dans son pays et tenter une thérapie plus forte. Quand des membres de la famille sont présents, le médecin discute également avec eux. Après ça, il rédige une ordonnance. »

Je lui demandai si les membres étrangers éprouvaient des difficultés à entrer en Suisse.

« Personne ne vous demandera ce que vous venez faire en Suisse. C'est un pays très libéral, et ce, depuis des siècles. Nous ne sommes pas aux États-Unis, où l'on veut savoir si vous êtes homosexuel avant de vous accorder un visa. Nous vivons dans un pays libre et non dans un État policier ! »

Et, encore une fois, son rire joyeux.

« Ensuite, nous allons à l'appartement de Gertrudstrasse. Je fais mes adieux au membre, puis je quitte l'appartement, et la procédure commence. Un ou deux de nos accompagnateurs restent sur place et ils discutent avec le membre pour s'assurer qu'il veut vraiment entreprendre cette démarche. Nous lui disons que nous serions heureux s'il décidait de rentrer chez lui. La conversation se poursuit parfois pendant des heures. Quand le membre décide qu'il est prêt, il prend de la Dramamine ou un autre médicament pour prévenir les vomissements. Une demi-heure plus tard, quand l'estomac est préparé, il prend 15 grammes de penthiobarbital de sodium dissous dans 60 millilitres d'eau plate. Parfois, les patients boivent la potion avec une paille ; s'ils sont sous perfusion, ils ouvrent la valve qui libère le penthiobarbital. Mais c'est toujours le membre qui accomplit ce dernier acte. Au cours des six dernières années, nous n'avons eu qu'un membre trop handicapé pour agir seul ; il est retourné chez lui et a reçu l'aide de quelqu'un d'autre. Une de nos membres a mordu sa paille 16 fois ; elle n'était pas prête à mourir. Elle est revenue plus tard et, cette fois, elle a bu.

« Ensuite, la personne mange du chocolat ou boit quelque chose de sucré, parce que la potion est très amère. De deux à cinq minutes plus tard, elle sombre dans un sommeil profond – parfois, elle est en train de parler et s'endort au milieu d'une phrase –, puis, c'est le coma. Bientôt – cela peut prendre de 10 minutes à, au maximum, quelques heures –, le penthiobarbital paralyse sa respiration, et elle meurt. Un représentant du parquet, un officier de police ou un médecin légiste se présente alors. On recherche des indices de crime, mais, au cours des six dernières années, nous n'avons jamais été poursuivis. Le corps est apporté à l'institut de médecine légale et, une fois que le procureur a donné le permis d'inhumer, on l'envoie au crématorium ou on le retourne dans le pays d'origine du membre. »

Les membres de Dignitas n'étaient pas tous des malades en phase terminale. Certains étaient handicapés ; d'autres avaient une maladie mentale ; d'autres encore étaient simplement terriblement déprimés, et cela s'était révélé l'aspect le plus controversé du travail de Minelli.

Une fois, me dit-il, un Allemand de vingt ans se présenta à sa porte et lui déclara qu'il voulait mourir tout de suite. Il confia à Minelli qu'il avait triché à ses examens à l'université, qu'il se sentait insatisfait de sa vie professionnelle et qu'il avait récemment fait un séjour dans une institution. Minelli discuta des méthodes de suicide avec lui tout en essayant de lui montrer qu'il avait des raisons de vivre. Ils allèrent manger dans un bon restaurant, où ils discutèrent de la possibilité de mourir de faim ; ils passèrent la soirée dans un établissement de bains où ils parlèrent de ce que c'était que de mourir de froid sur un glacier. Le jeune homme décida finalement de donner une autre chance à la vie et il rentra chez lui, en Allemagne.

« Je l'ai revu il y a quelques mois, et il allait très bien. Il a obtenu un autre diplôme, il a terminé une formation professionnelle et il a toujours la même petite amie. Mais, moi, j'avais travaillé dur pendant cinq jours. Je suis persuadé que si nous voulons réduire le nombre de suicides et de tentatives de suicide, il ne faut jamais essayer d'influencer les gens pour les amener à ne pas se suicider. Il faut toujours accepter ces propositions et leur donner la possibilité d'en discuter sans crainte. Nous devons accepter que tous les êtres humains pensent au suicide une, deux ou trois fois dans leur vie. Vous savez, bien des gens sont dans un trou très, très profond et, quand ils lèvent les yeux, ils voient le ciel, ce qui veut dire la mort, et ils ne voient rien d'autre. Si on leur permet de parler sans crainte d'être internés dans un hôpital psychiatrique, de parler normalement entre êtres humains, je crois qu'on est en mesure de leur montrer qu'il existe une foule d'autres solutions. Si je pouvais légiférer, je consacrerais peut-être un demi de un pour cent du budget de la santé publique à des organisations qui travaillent à la prévention du suicide. »

J'interrogeai Minelli au sujet d'un des cas les plus controversés de Dignitas – un frère et une sœur venus de France, âgés respectivement de 29 et de 30 ans, qui souffraient de schizophrénie depuis leur puberté.

« Avec les malades mentaux, nous procédons toujours lentement. Nous savons que, parfois, le temps arrange les choses. Mais ce cas, pour nous, était très clair. Nous n'avions aucun doute. Je les ai personnellement accueillis à la gare centrale et, en chemin vers l'hôtel, la jeune femme s'est mise à pleurer. Elle a demandé littéralement : "Est-ce que ça va vraiment marcher ?" C'était sa première et sa seule inquiétude. Elle avait hâte de mourir. Si on ne les aidait pas, la seule autre possibilité pour eux était de se jeter sous un train quelque part. »

Je commençais à prendre conscience que je n'avais pas affaire à un Kevorkian. Minelli n'était pas médecin, ne montrait aucun intérêt morbide pour la mécanique de la mort et s'assurait de n'être jamais présent au moment du décès. Je lui demandai pourquoi il se consacrait à aider les gens à mourir.

« Je sais seulement que, depuis mon plus jeune âge, j'ai toujours aidé les autres. Je me rappelle que, quand j'avais 12 ans, nous avions un professeur suppléant qui a frappé un élève sur les jointures avec un bâton, ce qui, je le savais, était très dangereux. Je me suis plaint à quelqu'un du conseil de l'école et on a rappelé le professeur à l'ordre. Quelque temps plus tard, j'ai vu ma grand-mère mourir d'une maladie rénale et je me souviens qu'elle disait : "Ne pouvez-vous faire quelque chose pour accélérer le processus ?" Et le médecin a répondu : "Non, je n'ai pas le droit." »

Il se pencha en arrière dans son fauteuil et joignit ses doigts épais et noueux.

« Les gens me demandent souvent si tout cela n'a pas un effet négatif sur mon esprit. Eh bien, nous serons tous morts un jour ; il ne reste qu'à savoir quand et comment. Mais ce qui me perturbe profondément, c'est que nos membres soient obligés de quitter leur lit, leur maison, leur pays, pour venir mourir dans un pays étranger, un lit étranger. » Minelli me parla de John Close, un Anglais qui souffrait de la maladie de Charcot et qui rêvait de mourir à la fenêtre de sa maison en écoutant de la musique au coucher du soleil ; d'un cancéreux au visage si ravagé qu'il avait dû porter un masque pendant le long voyage en train depuis le nord de l'Allemagne ; de Reginald Crew, venu de Liverpool dans un petit avion, et c'était vraiment très inconfortable. « Cela me brise le cœur. Je m'efforce donc de trouver un moyen de faire changer les lois dans le reste de l'Europe, de façon que les gens n'aient pas à faire de tels périples. »

L'une des peurs exprimées par les opposants à l'euthanasie et au suicide assisté concerne le potentiel d'abus. Les personnes timorées, celles qui souffrent de démence, celles qui sont incapables de s'exprimer peuvent être forcées de se suicider parce qu'elles sont un fardeau pour leur famille. La façon dont les nazis pratiquèrent l'euthanasie est encore présente dans la mémoire collective, fis-je remarquer à Minelli.

« Toutes ces allusions aux nazis sont dénuées de fondement ! protesta-t-il d'une voix sèche. Parce que, dans leur cas, il n'y avait pas de libre choix. Dans l'Allemagne d'aujourd'hui, on parle toujours de tuer quelqu'un sur demande, et ce n'est pas la bonne manière de présenter la chose. Nous avons le tabou de tuer, et cela peut être évité en aidant, en soutenant la personne qui veut se suicider. Ainsi, on s'assure vraiment qu'il n'y a pas de mauvais usage, parce que celui qui ne veut pas mourir ne boira pas le penthiobarbital. Je vais vous lire quelque chose. »

Minelli disparut dans son bureau et revint avec le texte d'un discours qu'il me lut à voix haute. « Lorsqu'une personne est aux prises avec une douleur terrible et lancinante et qu'il n'y a aucun espoir de la guérir ou de la soulager, les prêtres et les magistrats viennent l'exhorter, lui faisant comprendre que puisqu'elle ne peut plus mener une vie normale, elle ne devrait plus nourrir un mal aussi profondément enraciné, mais choisir plutôt de mourir vu qu'elle ne peut plus vivre autrement que dans la souffrance. Incités par ces arguments, certains se laissent mourir de faim de leur propre gré, ou prennent de l'opium et, ainsi, ils meurent sans douleur. Mais aucun être humain n'est forcé à mettre ainsi fin à sa vie, et si on ne peut les convaincre de le faire, on prendra quand même soin d'eux ; mais on croit qu'une mort volontaire, quand elle est choisie à la suite d'avis aussi éclairés, est très honorable. »

Minelli déposa le document. C'était un extrait d'*Utopie*, le portrait d'une île idéale gouvernée selon des principes humanistes, imaginée par Thomas More, lord chancelier sous Henri VIII, en 1516. (Curieusement, ce champion du prototype de l'euthanasie fut canonisé en 2000 par le pape Jean-Paul II en tant que saint patron des politiciens et des hommes d'État.)

« Vous savez, j'aime réfléchir aux problèmes à la manière de Thomas More. Nous devrions parfois voir les choses d'une perspective utopique, nous demander comment nous résoudrions un problème si nous étions libérés des conditions habituelles. Premièrement, je crois que j'accepterais que tout être humain ait la possibilité de choisir quand il s'agit de vie et de mort. Évidemment, cela ne doit pas se faire à la première demande, mais seulement après une discussion sérieuse, la personne ayant montré qu'elle était responsable vis-à-vis des autres, les membres de sa famille, et vis-à-vis d'elle-même. Deuxièmement, dans le cas d'une maladie, je demanderais aux médecins s'ils peuvent proposer d'autres traitements. Mais lorsqu'ils nous auront déclaré que plus rien n'est possible, ou lorsque le patient aura décidé de ne pas entreprendre une autre thérapie, il pourrait aller chez un pharmacien cantonal avec une ordonnance médicale et obtenir 15 grammes de penthiobarbital de sodium. De cette façon, il n'y aurait pas de danger de répandre des narcotiques, et nous garantirions le libre arbitre. Mais nous aurions aussi la possibilité de dire aux gens qui veulent mourir : "Venez, nous allons en discuter, et peut-être que nous pourrons vous aider." »

Minelli se leva soudain de son fauteuil. « Je veux vous montrer quelque chose », dit-il.

J'éprouvai aussitôt de l'appréhension. J'avais remarqué une étincelle dans les yeux de Minelli et j'imaginai une visite dans un abri antiaérien au sous-sol de sa maison, où il m'initierait aux mystères de quelque taxidermie sommaire et troublante.

Mais il ne fit que quelques pas, fit glisser une porte vitrée donnant sur sa cour.

« Ils sont beaux, n'est-ce pas ! » Il contemplait rêveusement sa pelouse, en direction d'un nu en bronze un peu kitsch posé sur un piédestal. Suivant son regard, j'aperçus un bosquet de fleurs ressemblant à des roses fuchsia.

« Ce sont des camélias, dit-il affectueusement. Normalement, ils ne poussent pas au nord des Alpes. »

La guerre contre la drogue et le tabou du suicide se recoupent dans l'une des quelques substances pouvant donner une mort rapide et sans douleur aux malades en phase terminale. Le penthiobarbital de sodium, la ciguë choisie par Dignitas, est un barbiturique, l'un des puissants sédatifs d'abord mis en marché par Bayer et Merck comme soporifiques en 1903. Si, quand on les prend à faible dose, les barbituriques se révèlent d'efficaces anxiolytiques, ils ont toutefois un défaut fatal : quand on augmente la dose, souvent d'un gramme ou deux, ils peuvent provoquer le coma et la mort. Avec les barbituriques, les nuances entre être mort pour le monde, un mort vivant, et vraiment mort, sont infimes. Des gens comme Sarah Bernhardt, Montgomery Clift et John Kenneth Galbraith prenaient des doses presque suicidaires de barbituriques – aussi appelés *goofballs* parce que les gens qui en prenaient avaient tendance à radoter et à s'exprimer d'une voix traînante – sous forme de Nembutal, de véronal et de Seconal. Des surdoses de barbituriques ont vraiment mis fin aux jours de Brian Jones, de Jimi Hendrix et de Janis Joplin. En Angleterre, vers la fin des années 1960, seul le gaz était impliqué dans plus de suicides que les somnifères. Graduellement remplacés par des benzodiazépines comme le Valium et le Xanax, avec lesquels la surdose est pratiquement impossible, les barbituriques sont désormais strictement contrôlés et rarement prescrits ; de nos jours, le penthiobarbital de sodium est un produit régulièrement utilisé par les vétérinaires comme anesthésique pour faire mourir sans douleur les gros animaux de ferme.

Avec l'adoption de la loi Death with Dignity, en 1997, l'Oregon devint le seul État des États-Unis où le suicide assisté était légal. C'est alors que l'ex-ministre de la Justice, John Ashcroft, un pentecôtiste qui s'abstenait de consommer du tabac et de l'alcool par conviction religieuse, s'acharna à saper la volonté des citoyens de l'Oregon – et, ce qui est étrange pour un républicain, le principe même des droits des États – en menaçant de faire appel à la Drug Enforcement Agency pour retirer leur permis aux médecins qui prescrivaient des doses mortelles de barbituriques. Lorsqu'il quitta ses fonctions après la réélection de George W. Bush, Ashcroft exprima le fervent désir de voir le gouvernement fédéral combattre de toutes ses forces les deux initiatives locales conçues pour réduire la souffrance et écourter l'agonie – la loi californienne autorisant la prescription de marijuana à des fins médicales et la loi de l'Oregon autorisant le suicide assisté.

Le suicide est l'un des plus sombres tabous de l'humanité. Pour les juifs, les musulmans, les hindouistes et de nombreux chrétiens – catholiques, baptistes, mormons et scientistes chrétiens, entre autres –, le suicide constitue une interférence inexcusable avec les intentions divines concernant l'humanité. Selon ce raisonnement, la vie appartient à Dieu, c'est à Lui de la donner et à Lui de la reprendre ; elle doit donc être vécue jusqu'à sa fin naturelle, même si cela veut dire accéder au paradis en rampant dans un tunnel hérissé d'épines. Saint Augustin considérait le suicide comme le plus grave de tous les péchés, parce que c'était le seul dont le pécheur ne pouvait pas se repentir de son vivant; plus tard, Dante consigna les âmes des suicidés dans le septième cercle de l'enfer. Dans certaines sociétés européennes médiévales, les autorités, furieuses d'être privées d'un corps exemplaire par le suicide, confisquaient les biens du défunt et punissaient ses descendants. Dans un essai de 1783 intitulé *Du suicide*, le sceptique écossais David Hume tenta de réconcilier le suicide avec la tradition chrétienne en faisant valoir que « la vie d'un homme n'a, pour l'univers, pas plus d'importance que celle d'une huître ». Et puisque c'était ainsi, « quand je tombe sur mon épée... je reçois ma mort des mains de Dieu tout autant que si elle avait été provoquée par un lion, un précipice ou une fièvre ».

Pour les païens, le suicide n'a jamais représenté une telle énigme. Les stoïques, les cyniques et les épicuriens le voyaient tous comme une fin de vie rationnelle et honorable, et des gens comme Zénon, Caton et Sénèque, mentionné plus haut, sont parmi les suicidés célèbres. Le legs de la tradition féodale du hara-kiri, ou « entaille du ventre », plane encore dans le Japon moderne où les gens se tuent à cause de faillites, de peines d'amour ou même de mauvais résultats à des examens. Dans l'Occident contemporain, le milieu psychiatrique semble s'entendre sur ce point: les pensées suicidaires sont un symptôme de maladie mentale, et aucune tentative de suicide ne peut par conséquent être considérée comme un acte rationnel. Si vous estimez que votre vie n'en vaut plus la peine – quelle que soit l'intensité de votre souffrance, de votre dépression ou de votre douleur physique –, votre santé mentale est automatiquement mise en doute, et le personnel médical, les policiers et les médecins ont le devoir de vous protéger de vous-même. Dans chaque pays, il y a des histoires d'horreur d'individus dépressifs incarcérés pour avoir songé à voix haute à en finir.

Euthanasie veut simplement dire « mort douce, sans douleur », habituellement à la demande d'une personne qui souffre. En tant que pratique culturelle dans les sociétés occidentales, l'euthanasie fait face à des prohibitions bien établies, c'est-à-dire à ce commandement absolu de la tradition judéo-chrétienne: « Tu ne tueras point », et à l'injonction d'Hippocrate contre le fait de mettre fin à la vie, un élément du credo des médecins depuis 400 av. J.-C. Pour certains, aucune souffrance – même, disons, celle d'une femme intubée souffrant d'un sarcome de l'utérus avec métastases, dont le cancer se répand lentement dans les os – ne justifiera jamais la transgression du tabou contre l'homicide. L'unique recours possible pour ceux dont les croyances leur interdisent l'euthanasie est une négligence pharmacologique – droguer un patient avec une quantité d'analgésiques telle qu'il sombre dans le coma –, la rédaction d'un ordre de ne pas ranimer ou l'arrêt du traitement (appelé parfois euthanasie passive); les malades meurent alors de déshydratation, de faim ou de la maladie dont ils souffraient (c'est ainsi que Terri Schiavo, une femme de Floride atteinte d'une maladie cérébrale, a fini par succomber). Le suicide assisté, que défendent Ludwig Minelli et Dignitas, donne à tous ceux qui souhaitent mourir le moyen d'accéder à une mort sans douleur; on leur demande seulement d'accomplir eux-mêmes le dernier geste (il s'agit habituellement d'avaler le poison ou d'appuyer sur un interrupteur pour s'administrer du monoxyde de carbone). En plus de permettre d'éluder le tabou entourant l'homicide, cette condition assure que la mort est un acte librement décidé. Avec les nouvelles technologies, comme ce logiciel qui déclenche le décès lorsqu'on appuie sur une seule touche du clavier d'un ordinateur, l'euthanasie auto-exécutée, plutôt qu'assistée par un médecin, pourrait être facilement accessible pour tous sauf les comateux et les déments.

Même si on a cessé de pénaliser le suicide dans la majorité des États américains au XXe siècle, même s'il n'est pas un crime en Angleterre depuis 50 ans et qu'il a été décriminalisé au Canada en 1972, encourager le suicide reste pourtant un délit dans la plupart des pays. Les lois sont loin d'être symboliques : en 1983, par exemple, le secrétaire général d'une organisation bénévole britannique vouée à l'euthanasie fut condamné à 18 mois de prison et, tant au Canada qu'en Grande-Bretagne, la loi prescrit des peines d'emprisonnement pouvant atteindre 14 ans. En Allemagne, on peut légalement assister à un suicide – à condition de ranimer immédiatement le patient et d'appeler une ambulance. En Suisse, l'un des rares pays au monde à tolérer le suicide assisté, la loi de 1942 fut adoptée pour autoriser des cas hypothétiques tels que fournir un pistolet à un ami qui a fait faillite. Aux Pays-Bas, l'euthanasie est tolérée depuis 1973 et elle fut officiellement légalisée en 2001. (La Belgique a suivi un an plus tard, et l'Espagne envisage actuellement de faire pareil.) Pour satisfaire aux critères établis aux Pays-Bas, la douleur ou la souffrance doit être insupportable (ce qui ouvre la porte aux demandes soumises par les personnes souffrant de dépression ou de maladies mentales), mais il faut aussi être depuis longtemps en relation avec un médecin de famille, et les deux tiers des requêtes sont rejetées – ce qui explique peut-être pourquoi Dignitas compte autant de citoyens néerlandais parmi ses membres.

Les lois entourant l'euthanasie et le suicide assisté ont beaucoup en commun avec la façon dont les sociétés traitent (ou échouent à traiter) les substances interdites. Aux États-Unis de l'ère de la Prohibition, il était illégal de fabriquer, d'acheter ou de transporter de l'alcool, mais légal d'en boire chez quelqu'un (où la gnôle apparaissait comme par magie, une manne tombant du ciel, dans le cabinet à boissons). Aujourd'hui, de nombreux pays ont décriminalisé la consommation de marijuana tout en continuant à en considérer la culture et la vente comme des infractions criminelles. De même, si le suicide *per se* n'est pas un crime, tout ce qui peut le rendre possible – et moins susceptible d'être bâclé – l'est catégoriquement, créant un statu quo paradoxal : dans la plupart des pays, il est actuellement illégal d'aider quelqu'un à faire une chose qui, en elle-même, est parfaitement légale. Lorsqu'ils emmêlent des questions de liberté individuelle dans un réseau de lois complexes et souvent contradictoires, les législateurs ne font qu'éluder les risques politiques d'affronter directement des questions philosophiques délicates.

L'euthanasie et le suicide assisté étant très controversés dans la plupart des pays, je fus étonné de ne trouver en Suisse à peu près aucun débat sur le sujet. Comme il fallait s'y attendre, l'Église catholique avait condamné la pratique,

LE DERNIER VERRE 355

mais son influence était minime, surtout dans les régions germanophones du pays. (Minelli, catholique non pratiquant, m'a dit avec mépris : « Je ne crois pas que les religions soient l'opium du peuple, comme Marx l'a affirmé. Elles sont l'opium de l'intelligence, parce qu'elles empêchent les gens de penser. ») Les objections qu'on opposait à Dignitas ne visaient pas la moralité, mais elles reflétaient une préoccupation particulièrement suisse : quel impact tous ces étrangers – ceux que la presse surnomme les « touristes aller simple » – auront-ils sur notre société stable, homogène et de plus en plus conservatrice ?

Je rencontrai Andreas Brunner, le critique le plus virulent de Dignitas, au bureau du procureur public au centre-ville de Zurich. Brunner arriva en Vespa rouge qu'il gara sous les branches déployées d'un cerisier japonais en fleur. Bel homme d'âge moyen, en jean, cravate rayée et blouson, il allumait les Marlboro qu'il fumait à la chaîne avec un briquet orné d'une croix blanche suisse gravée en relief.

« Le principal sujet de discussion en Suisse concerne les étrangers, m'affirma Brunner. "Voir Zurich et mourir", comme on l'a écrit dans un journal américain. » (Le slogan touristique local était « Zurich : vivez-la. Aimez-la. » Ils auraient pu ajouter : « Et ne la quittez jamais. ») « À mon avis, il faut suivre pendant un certain temps les gens qui veulent se suicider. Ce qui se passe actuellement, c'est qu'ils débarquent ici, rencontrent brièvement un médecin suisse qui rédige une ordonnance et, le jour même ou le lendemain, ils meurent. La volonté de se suicider n'est pas toujours stable ; une semaine plus tard, vous aurez peut-être changé d'idée.

« Si, par exemple, continua Brunner, vous pensez n'avoir pas réalisé de bonnes entrevues à Zurich aujourd'hui, monsieur Grescoe, vous pourriez dire : "S'il vous plaît, monsieur Minelli, donnez-moi la drogue parce que je sais qu'on va me congédier, et je veux me tuer. »

Pour Brunner, le suicide du frère et de la sœur schizophrènes français représentait un cas particulièrement douteux ; par la suite, le médecin impliqué avait été temporairement empêché de rédiger une ordonnance de penthiobarbital. « Les examens et les dossiers médicaux de médecins étrangers ne sont pas toujours fiables. Et, souvent, ils ne répondent pas à cette question primordiale : cette personne est-elle consciente de sa volonté de commettre un suicide ? » Les candidats, me dit Brunner, devraient être obligés de passer six mois en Suisse avant d'être autorisés à se suicider ; cette exigence éliminerait presque totalement le phénomène du « touriste suicidaire » et réduirait de beaucoup la charge de travail au bureau du procureur public. Ce qui n'était peut-être pas un effet du hasard.

(Ludwig Minelli n'avait pas une haute idée des motivations de Brunner. « À titre de procureur public, m'avait-il dit, M. Brunner est chargé des victimes d'homicide. Combien de meurtres par année avons-nous à Zurich ? Moins de 12, je crois. Et voilà qu'arrive une organisation comme Dignitas, qui a accompli quelque 92 accompagnements à Zurich l'an dernier. La charge de travail du procureur a donc considérablement augmenté, et c'est pourquoi il souhaite revenir à l'ancienne situation. Et c'est pourquoi il veut que les politiciens élaborent une nouvelle loi. C'est aussi simple que ça. »)

Pour sa part, Brunner me parla des coûts qui incombaient au canton. « Les touristes suicidaires nous coûtent 3000 $ US par cas. Avec tous les agents, les médecins et les policiers impliqués, c'est chronophage et ça ne nous cause que des ennuis. Si ça continue à se développer à ce rythme, ça pourrait devenir un problème. »

Mais Brunner savait que même s'il réussissait à faire voter une loi dans le canton de Zurich, Minelli ne ferait que déplacer ses activités dans un des 25 autres cantons de la Suisse ; en fait, Dignitas venait de louer une maison dans la campagne du canton voisin d'Aargau ; l'organisation prévoyait en faire le lieu de futurs suicides assistés.

Le coût n'était pas son principal sujet de préoccupation, insista Brunner ; il voulait vraiment voir toute cette affaire réglementée.

« Si je décide demain que je ne veux plus travailler, je pourrais lancer ma propre organisation de suicide en Suisse.

Des organisations comme Dignitas et Exit peuvent être très bonnes, mais il faut s'assurer que les dirigeants sont des personnes qualifiées. Nous sommes capables d'imaginer que des gens de cultes religieux pour lesquels la mort est une fin en soi se servent d'organisations pour faire leur travail. Comme pour n'importe quoi dans le monde, nous avons besoin de règles, d'un contrôle de la qualité. Ils devraient à tout le moins avoir un permis de l'État. »

Un bon point. Dans le contexte suisse quasi utopiste, où les soins de santé sont gratuits et où l'on s'attend à voir les humains se comporter rationnellement, on s'occupe peu des mauvaises intentions. À ma façon pervertie, étrangère, j'avais déjà imaginé des intrigues de thrillers – un jeune Lothaire profite de la crédulité suisse pour liquider une riche veuve dans la première phase de la maladie d'Alzheimer, un disciple en fauteuil roulant est contraint d'avaler le penthiobarbital par quelque nihiliste machiavélique.

Pour Ludwig Minelli, ce genre de scénario était tiré par les cheveux. « Je crois que nous pouvons le sentir si une personne veut ou non mourir parce que, quand elle arrive, elle dit : "Je suis tellement contente d'être ici. Depuis que vous avez téléphoné pour me dire que j'avais le feu vert, je me sens si heureuse." Une personne subissant la pression d'un tiers ne s'exprimerait pas dans ces mots. À leur arrivée, les gens qui veulent en finir sont habituellement souriants et font des blagues, tandis que les parents qui les accompagnent sont au contraire très tristes. Si c'était autrement, nous y réfléchirions. »

Tout reposait pourtant sur l'aptitude de Minelli à évaluer rapidement et correctement les véritables intentions des gens. En fin de compte, ils n'étaient que deux pour déterminer le bien-fondé d'une requête : Minelli lui-même et le médecin suisse qui rencontrait le patient et rédigeait l'ordonnance fatale. J'étais quelque peu troublé par l'aspect éphémère de leur entrevue avec les candidats au suicide. Minelli n'était pas là pour faciliter la mort de façon complètement neutre : il avait admis avoir énergiquement discuté de solutions de rechange avec l'Allemand de 20 ans qui avait pour finir décidé de retourner chez lui. Minelli avait beau protester de son impartialité, il y avait de toute évidence une procédure de sélection ; on ne pouvait qu'espérer que, chez Dignitas, les responsables continuent à être perspicaces et désintéressés.

Dans les rares cas où l'opposition à l'euthanasie et au suicide assisté n'est pas basée sur des croyances religieuses, c'est en général parce qu'on craint une escalade – les candidats à la mort ne seraient plus exclusivement les malades en phase terminale, mais aussi les déments, les handicapés, les difformes, les désespérés et même les laissés-pour-compte. Et si, demande l'avocat du diable, le suicide devenait une institution populaire ? Si l'euthanasie devenait une norme culturelle au point qu'on y aurait recours pour mettre un terme à la vie des gens qui ne peuvent plus exprimer leur volonté de vivre ou de mourir ? Si des trousses de suicide – un petit verre de penthiobarbital – étaient vendues ouvertement à n'importe quelle pharmacie de quartier ? Soudain, tous les jeunes de 16 ans au cœur brisé pourraient décider d'en finir un samedi soir sinistre. Nous devons certainement poser des garde-fous. Mais qui devrait déterminer qui va mourir ? Un avocat à la retraite comme Ludwig Minelli ? Un médecin de famille, comme c'est le cas en Hollande, en Belgique et en Oregon ? Ou un comité d'éthique composé de médecins et de gestionnaires d'hôpitaux, comme certains l'ont proposé ?

Not Dead Yet est une organisation populaire fondée aux États-Unis en 1996 à la suite des protestations suscitées par le travail de Jack Kevorkian. C'est aussi l'un des principaux opposants non religieux au suicide assisté et à l'euthanasie.

« Nous considérons la légalisation du suicide assisté comme une politique discriminatoire », me déclara Stephen Drake, le directeur de recherche. Nous nous trouvions au siège social de l'organisation à Forest Park, en Illinois. « Dans la plupart des pays, continua-t-il, il existe des statuts faisant de la prévention du suicide une des responsabilités des professionnels de la santé et des représentants des services chargés de faire respecter la loi. La légalisation du suicide assisté nous dit que non seulement nous allons faire une exception à ces politiques de prévention, mais aussi que nous allons nous assurer de fournir une aide professionnelle afin qu'un certain groupe de personnes ne bâclent pas leur suicide. Et qui sont ces personnes ? Les vieux, les malades, les handicapés. Si vous faites partie de ces groupes et que vous commencez à examiner la question en ces termes, vous verrez qu'il s'agit moins de donner les pleins pouvoirs à l'individu que de les donner aux professionnels de la santé. »

Parmi les 2000 membres de Not Dead Yet, un grand nombre sont des handicapés, et Drake lui-même était à sa naissance atteint d'hydrocéphalie – des liquides s'épanchant dans la cavité crânienne. Il était resté avec de légers handicaps neurologiques et une forte méfiance à l'égard du pouvoir de vie et de mort des médecins.

« Pour les médecins, les handicapés sont *d'emblée* des victimes. Le médecin présent à ma naissance voulait que mes parents me laissent mourir dans un coin de la pouponnière. Un grand nombre d'entre nous ont vécu des expériences analogues ; nous sommes des survivants. »

Mais plus Drake exprimait ses inquiétudes, plus elles semblaient ne concerner que les États-Unis. En tant qu'unique démocratie industrialisée sans assurance-maladie universelle, les États-Unis représentent une anomalie. Dans un contexte où les traitements sont souvent ruineux, on a raison de craindre l'abus et la négligence.

« Nous n'avons pas lieu de nous inquiéter d'une hypothétique pente glissante aux États-Unis, reprit Drake. Nous avons déjà amorcé la descente et nous essayons de nous retenir. Dans ce pays, il y a 98 000 décès par année dus à des erreurs médicales, mais le milieu médical américain est une culture du silence ; plutôt que d'admettre leurs erreurs, les médecins se contentent de les balayer sous le tapis. Et ce sont à ces gens que nous sommes censés faire confiance pour jouer cartes sur table en ce qui concerne le suicide assisté ?

« Légaliser le suicide assisté n'est qu'une façon commode de se débarrasser du problème, alors qu'on devrait concentrer nos efforts à l'assainissement du système médical. Plutôt que de nous donner accès à de meilleurs soins palliatifs, on nous dit de nous enlever du chemin afin que la société ne se sente pas coupable de ne pas payer pour ce dont nous avons besoin. »

Que plus d'États-Uniens devraient profiter de soins médicaux abordables, c'était difficilement contestable. La question pertinente était de savoir si, dans les pays autorisant l'euthanasie et le suicide assisté, on avait commencé à voir cette longue pente glissante et si des gens étaient euthanasiés contre leur volonté. En réalité, cela semblait être exactement le contraire. En Oregon, par exemple, où, pour obtenir des drogues mortelles, les patients en pleine possession de leurs facultés mentales devaient soumettre trois demandes séparées – deux verbales et une écrite – et recevoir d'un médecin la confirmation qu'ils n'avaient plus que six mois à vivre, seulement 180 patients optèrent pour le suicide assisté pendant les sept premières années suivant l'entrée en vigueur de la loi Death with Dignity. (Rien ne prouvait non plus que des gens aient afflué en Oregon pour mourir, et les études montraient que certains aspects des soins palliatifs s'étaient véritablement améliorés depuis l'adoption de la loi.) Ce qu'on pouvait dire, c'était que les garde-fous intégrés dans la loi étaient tellement rigoureux que moins de gens se prévalaient de la possibilité de mourir sans douleur qu'on aurait pu s'y attendre.

Qui plus est, il y a lieu de craindre des pentes glissantes plus sournoises. Le fait que de nombreuses juridictions s'autorisent à prendre la place de Dieu, à juger des êtres humains adultes pour leur conduite et à mettre un terme à leur vie est certainement un exemple d'orgueil démesuré plus flagrant que l'avortement ou l'euthanasie. L'existence de la peine capitale comme institution civile normale – une institution qui, dans des contextes plus sinistres, peut servir à éliminer des opposants sur des bases politiques, ethniques ou religieuses – devrait faire réfléchir quiconque appréhende vraiment une glissade dans la tyrannie. Contrairement aux chrétiens opposés au suicide assisté, mais favorables à la chaise électrique et aux injections léthales, Drake faisait au moins preuve de logique.

« Je me trouve ici, en Illinois, et je ne sais pas comment une personne vivant dans cet État peut défendre la peine capitale. Selon une étude récente, nous avons exécuté au moins 17 innocents. Mais comparez cela à des conditions comme un état végétatif permanent causé, dans 40 % des cas, par une erreur de diagnostic. Je vous parie un an de salaire que certains de ces malades étaient parfaitement conscients de ce qui se passait dans la chambre d'hôpital pendant que les gens parlaient autour d'eux et s'apprêtaient à les faire mourir de faim. »

Curieusement, Drake n'était pas contre le suicide en soi. Il me cita le penseur libertaire Thomas Szasz qui, dans son ouvrage intitulé *Fatal Freedom*, défend le droit absolu de l'individu à une mort volontaire tout en recommandant de ne pas donner davantage de pouvoir au milieu médical en légalisant le suicide assisté par un médecin.

« Nous avons soumis un dossier à la Cour suprême, reprit Drake, faisant valoir que le suicide assisté devrait soit être offert à tous, soit ne pas être offert du tout. Si notre politique stipule que nous allons empêcher la plupart des gens d'y avoir recours, mais le rendre facilement accessible à d'autres, c'est alors la société qui prend indéniablement la décision. Et c'est une forme de discrimination, parce que le groupe qui se qualifie sera prédéterminé par ses particularités physiques et son état de santé. Ce que Szasz dit, c'est que l'État ne devrait pas donner aux professionnels le pouvoir de priver les gens de leur liberté ou de les aider à se suicider. »

Szasz, un libertaire extrémiste, a également plaidé en faveur d'un marché des drogues – même les drogues dangereuses – complètement libre, ce qui ferait du suicide un acte aussi simple qu'une course à la pharmacie du coin. Mais je comprenais le point de vue de Drake. Tout ce qui met en péril la préservation et la protection de la vie – des mesures qui permettraient aux médecins de pratiquer l'euthanasie sur des nouveau-nés handicapés, par exemple – doit être énergiquement combattu. Mais cela ne veut pas dire que la norme médicale doive être de prolonger l'agonie d'une personne souffrante contre son gré.

Je demandai à Drake ce qu'on devrait faire dans le cas d'un patient cancéreux qui aspire à une mort digne et sans douleur. Aux États-Unis, l'accès à de bons soins palliatifs est limité et le quart des malades en phase terminale meurent encore dans la douleur.

« Si ces malades veulent se suicider – et des milliers de personnes trouvent chaque jour moyen de le faire –, je pense qu'ils ont les mêmes possibilités. Mais nous sommes contre l'implication d'un tiers. »

Malheureusement, cela laissait les personnes souffrantes dans exactement le même vide social et juridique où elles avaient toujours été : se défenestrer, s'asphyxier en se mettant la tête dans un sac de plastique, prendre une surdose de pilules. Dans de nombreux cas, elles ratent leur tentative et restent impotentes pour le reste de leur vie.

Ludwig Minelli avait décrit la situation en Suisse : « Chaque année, nous avons environ 1350 suicides, et environ 67000 tentatives, l'équivalent de la population d'une ville comme Lucerne, et nous estimons que cela coûte à notre société 2,4 milliards de francs suisses par année. Qu'arrive-t-il à ces gens qui essaient de se tuer et ratent leur coup ? Nous l'ignorons. Il n'existe pas de statistiques. Les somnifères ne fonctionnent plus, parce que les médecins ne prescrivent plus de barbituriques, et les benzodiazépines comme le Valium ne vous tueront pas, bien qu'elles puissent endommager gravement votre foie et vos reins. Se mettre la tête dans le four n'est plus possible, parce que les cuisinières sont maintenant au gaz naturel plutôt qu'au gaz de charbon. Faire tourner le moteur de votre voiture dans un garage ? Il n'y a plus assez de monoxyde de carbone dans le pot d'échappement. Percuter un mur ? La voiture est munie de coussins d'air. Vous tirer une balle dans la tête ? Vous pourriez vous rater et passer les 50 prochaines années dans un lit d'hôpital. L'une des méthodes efficaces consiste à vous jeter devant un train, et elle est très populaire en Suisse. Mais vous devez aussi vous rappeler que cela cause d'énormes problèmes émotionnels aux conducteurs de locomotive. »

Au dire de tous, la situation était encore pire dans les pays où le suicide assisté et l'euthanasie étaient absolument illégaux. Dans une étude ambitieuse, *Angels of Death : Exploring the Euthanasia Underground*, le chercheur australien Roger S. Magnusson décrit comment les malades en phase terminale essaient de se tuer aux États-Unis et en Australie. Les patients sautent des fenêtres d'hôpital, se tranchent les veines jugulaires, s'administrent des surdoses d'insuline, s'étouffent avec des oreillers. Des infirmières décrivent des « suicidés écrabouillés », des personnes ayant sauté du haut d'édifices élevés, des « embolies par l'air », des personnes s'étant injecté des bulles d'air pour arrêter le cœur de battre, et des « trousses Ashcroft », un sac de plastique et un rouleau de ruban électrique pour l'auto-asphyxie. Les médecins donnent souvent une dose mortelle de drogue à leurs patients, mais, craignant les poursuites judiciaires, ils refusent d'être présents, et c'est ainsi que les proches doivent rester là, impuissants, à regarder l'être cher vomir et se tordre. Quand le suicide est réussi, le corps est aussitôt incinéré, souvent avec la complicité d'un directeur de salon funéraire, pour détruire les preuves qu'il s'est passé quelque chose de louche. Dans plusieurs cas, il s'agit de jeunes hommes atteints du sida, dont le cœur est encore solide et qui, souvent, survivent même après qu'on a injecté dans leurs veines tout le contenu du sac donné par le médecin.

Autrement dit, malgré la prohibition, l'euthanasie est pratiquée tout le temps. Selon un sondage, 17 % des infirmières états-uniennes spécialisées dans les soins en phase critique ont reçu des demandes d'euthanasie, et 4,7 % des médecins (soit presque 1 sur 20) ont fourni au moins une injection mortelle. En Grande-Bretagne, un généraliste sur sept a admis avoir déjà aidé un patient à mourir. Magnusson montrait que, faute d'une réglementation, l'euthanasie était une sale affaire, compliquée et entourée de honte. Il déterra des histoires d'horreur des gens contraints par leurs proches, des interventions irréfléchies et hâtives des médecins, une envahissante culture de duperie. Qui plus est, l'euthanasie clandestine tendait à attirer les francs-tireurs moralistes et les cow-boys.

« En l'absence d'une réglementation, observe Magnusson, nous trouvons des grands-prêtres et des grands-prêtresses dans les coulisses, combinant un ensemble de connaissances incomplètes, camouflées sous de bonnes intentions et une agitation périodique. » Il est révélateur de constater que, en général, les mêmes médecins qui pratiquent des euthanasies illégales s'opposent à la réglementation qui empiéterait sur leur jugement clinique et leur pouvoir. (Et on fait bien de se rappeler que les médecins ne sont pas plus immunisés contre les maladies mentales que l'ensemble de la population et qu'ils sont plutôt enclins aux abus : on estime que 10 % des médecins sont alcooliques et que 7 % sont toxicomanes). « L'interdiction légale du suicide assisté et de l'euthanasie inhibe la libre discussion de la prise de décision par rapport à la fin de vie en général, et du décès assisté en particulier », de conclure Magnusson en faisant valoir la nécessité de la légalisation accompagnée d'une réglementation. « L'euthanasie est pratiquée de façon informelle, intuitive et arbitraire. C'est dangereux pour les patients. »

Cela vous semble-t-il familier ? Il le faudrait. En diabolisant le suicide assisté, la société le fait entrer dans la clandestinité, et les maux sociaux qui en résultent sont énormes. Des éminences grises opèrent dans les coulisses de la société et elles détiennent beaucoup trop de pouvoir sur la vie des gens. Un marché noir se développe, offrant des médicaments volés dans les hôpitaux. Ostracisées par l'ensemble de la société, les personnes impliquées sont réduites à vivre dans la honte au moment où elles auraient le plus besoin d'appui. En l'absence de normes et de réglementation, des tentatives de suicide ratées font que des personnes déjà souffrantes se retrouvent handicapées pour le reste de leurs jours.

Des trafiquants et des revendeurs criminels, un marché noir sans règles, des victimes marginalisées, des conséquences sur la santé à long terme graves et coûteuses : ce sont aussi les maux apportés par la prohibition des drogues. La situation reste inchangée à cause de la lâcheté des politiciens et des législateurs. Refusant de reconnaître et d'affronter la nature moralisatrice et dogmatique de l'opposition – l'idée que la dépendance est un échec de la volonté et que d'agir sur le désir de mourir est un péché –, les gouvernements préfèrent ne pas se mouiller et continuer de considérer ces conduites comme criminelles plutôt que défier un tabou, ce qui permettrait à la société d'amorcer la discussion et d'imaginer de nouvelles solutions. Qu'il s'agisse d'une pendaison bousillée dans un refuge pour sidéens à San Francisco, d'une mort solitaire par surdose de médicaments dans un HLM à Édimbourg ou d'un empoisonnement au méthanol dans un hôtel minable à Oslo, ce sont précisément ces refus de discuter de tout ce qui est interdit – alcool ou suicide assisté, coca ou *crystal meth* – qui continuent de détruire des millions de vies chaque année dans le monde.

Quand on le compare à la situation dans d'autres pays, le statu quo en Suisse, où le suicide assisté n'est pour ainsi dire pas stigmatisé, réchauffe le cœur. Je rencontrai Soraya Wernli, une femme d'âge moyen mariée avec l'associé de Ludwig Minelli, sur la terrasse d'un café d'hôtel à proximité de l'appartement de Dignitas dans Gertrudstrasse. Wernli, qui avait travaillé 25 ans comme infirmière dans des hôpitaux et des résidences pour handicapés, était chargée de la liaison avec les membres de Dignitas à partir du moment où ils communiquaient avec l'organisation jusqu'au jour où ils venaient boire le penthiobarbital. Une sorte d'ange de la mort. Pendant que les tramways passaient en grinçant devant nous, elle me raconta, tout en sirotant son jus de tomate, les derniers moments qu'elle avait passés avec des membres venus de partout dans le monde.

« Pour commencer, nous nous asseyons, nous prenons du thé ou du café, et j'explique à la personne ce qui va se passer. Nous lui rappelons au moins trois fois qu'elle peut tout arrêter et rentrer à n'importe quel moment dans son pays. Lorsqu'elle décide que le moment est venu – cela peut prendre deux ou trois heures –, elle boit le liquide. De deux à cinq minutes plus tard, elle s'endort, parfois au milieu d'une phrase. C'est très rapide. Les personnes n'ont pas peur du tout.

« De nombreuses personnes apportent un CD de musique classique, ou, quand ce sont des jeunes, leurs chansons populaires préférées. Elles allument des bougies, apportent des croix, s'entourent de photos et de fleurs. Certaines veulent que je les prenne dans mes bras; d'autres me demandent de m'asseoir silencieusement à leur chevet. Une fois, j'ai eu un médecin français, une femme, et il y avait 14 personnes dans la chambre, dont ses petits-enfants. Ils ont joué de la flûte, sont montés sur le lit et ont chanté pendant qu'elle mourait. C'était très beau. Une autre fois, c'était un couple marié; les conjoints avaient perdu leur fils. Ils étaient heureux parce que j'avais apporté des tulipes et qu'ils avaient oublié d'acheter des fleurs. Elle a dit à son mari: "Ne sois pas triste, nous allons bientôt retrouver notre fils." »

Les mots de Wernli devinrent inaudibles pendant qu'elle ravalait ses sanglots, mais elle reprit vite contenance. « Je dois dire que, chaque fois, cela m'arrache un peu de moi, parce que nous finissons par connaître très bien ces gens. Ils me racontent leur vie, toute leur histoire. Je voudrais parfois avoir une baguette magique... » – elle tapota la table avec ses ongles – « et pouvoir dire: "Vous avez retrouvé la santé, allez vivre votre vie."

« Je suis protestante; je crois au bon Dieu. Il est bon et Il accepte que les gens choisissent leur voie. J'ai travaillé dans des hôpitaux et j'ai souvent vu des gens qui avaient tenté de se suicider, s'étaient ratés et s'étaient retrouvés branchés à des appareils pour le reste de leur vie. Ils étaient devenus prisonniers de leur propre corps. Ce qui m'attriste le plus, je suppose, c'est que les gens soient obligés de voyager, un voyage de 12 heures, parfois, et ce alors qu'ils souffrent, pour venir mettre fin à leurs jours. Ils me disent qu'ils préféreraient mourir chez eux. Mais c'est impossible, parce que ce n'est pas accepté dans leur pays. »

J'étais reconnaissant à Ludwig Minelli de m'avoir rappelé Thomas More, cet humaniste du XVIᵉ siècle, et cette tradition de pensée utopique. On oublie facilement que, bien que certains résultats puissent paraître inévitables, l'humanité ne cesse de façonner la réalité, et cela suffit parfois pour changer des lois, des philosophies ou des hiérarchies et transformer radicalement la vie de millions d'individus. Imaginer à quoi ressemblerait la Constitution d'une république raisonnable n'est pas une activité complètement futile. Il suffit de penser à Platon. Ou à Thomas Jefferson. Ou au Mahatma Gandhi.

Après avoir voyagé pendant un an dans le monde et avoir observé les effets des prohibitions officielles sur les libertés individuelles, je savais exactement quels mots seraient ma source d'inspiration. Ils avaient été publiés en 1859 :

« Exercer un pouvoir sur un membre d'une communauté civilisée, et ce, contre son gré, n'est justifiable que lorsque c'est fait dans le but d'empêcher qu'un mal soit fait aux autres. Son propre bien, physique ou moral, n'est pas une justification suffisante… [il y a] de bonnes raisons de lui faire des reproches, ou de le raisonner, de le persuader ou de l'implorer, ou de voir avec lui le mal qu'il se fait s'il refuse d'agir autrement… Le seul aspect de la conduite d'un individu qui soit du ressort de la société est celui qui concerne les autres. Pour ce qui est de la partie qui ne concerne que lui, son indépendance est, de plein droit, absolue. En ce qui le concerne, en ce qui concerne son corps et son esprit, l'individu est souverain. »

Ce fut le credo formulé par le philosophe et économiste anglais John Stuart Mill dans son essai *De la liberté*. Cette expression succincte du rôle que la société devrait jouer dans la vie de l'individu reste insurpassée. Toute communauté civilisée qui se considère comme laïque – c'est-à-dire non liée par la doctrine d'une confession religieuse – et libre serait bien inspirée de faire de la souveraineté individuelle l'un des premiers articles de sa Constitution.

En tant que principe fondateur, c'est d'une simplicité séduisante. Lorsque des activités risquent de produire un effet nuisible sur la vie des autres, une communauté civilisée est pleinement justifiée d'insister pour que ses membres respectent certaines règles. S'arrêter au feu rouge, par exemple. Ne pas conduire en état d'ébriété. Ne pas fumer le cigare dans un restaurant bondé. Ne pas décharger d'armes automatiques en public. Ne pas vendre de crack, de tabac ou d'autres substances entraînant la dépendance aux enfants. Ne pas vendre de plutonium enrichi, de thalidomide ou de spores d'anthrax aux enchères sur eBay. Pour ce qui est des autres activités dont les conséquences immédiates ne regardent que l'individu concerné, toute intervention de la société devrait être considérée comme très suspecte. Faire pousser du cannabis dans son jardin et fumer de la marijuana dans sa maison, par exemple. Se soûler la gueule. Se masturber. Avoir des relations sexuelles orales avec un adulte consentant. Mâcher des feuilles de coca. Se suicider. Aider un adulte conscient à se suicider.

Dans son application, le principe pourrait faire l'objet de tous les débats juridiques et philosophiques compliqués qui rendent la vie en démocratie dynamique. Peut-on, par exemple, dire qu'un individu n'ayant pas l'âge de raison, qui souffre de problèmes cérébraux, qui est dans le coma ou esclave d'une toxicomanie est souverain en ce qui concerne son corps et son esprit ? Si la société n'a pas le droit de pénaliser des individus pour une conduite qui ne regarde qu'eux-mêmes, a-t-elle quand même le droit d'imposer des normes pour les transactions commerciales ? (Assurer que la viande et le fromage ne soient pas avariés, par exemple, ou que les mineurs n'aient pas accès à des drogues incroyablement puissantes.)

Toute personne dotée d'une raison non préprogrammée par des dogmes devrait avoir en horreur l'idée qu'une communauté civilisée puisse mettre à l'amende, incarcérer ou exécuter un individu pour des activités qui ne concernent que lui. Dans le cas du suicide, du suicide assisté et de l'euthanasie, la société pourrait commencer avec ce concept simple : la personne seule est en mesure de décider si sa vie ne vaut plus la peine d'être vécue. Il serait raisonnable, vu qu'un tiers assiste le suicide et court, par conséquent, un risque professionnel, de s'assurer que la demande est soumise par une personne dont la raison est toujours souveraine (ceux qui craignent une déchéance due à la maladie d'Alzheimer ou à la démence devraient s'assurer une sauvegarde contre ce genre de perte d'autonomie en rédigeant un testament ou en signant une procuration). Il serait également raisonnable, vu que le désir de mourir peut passer et que la mort est irrévocable, de s'assurer que la requête est sérieuse en exigeant qu'elle soit répétée plusieurs fois. Mais l'idée que l'on permette à une équipe de bioéthiciens, de psychiatres, d'avocats et de philanthropes d'analyser les intentions d'une personne souffrante devrait paraître une aberration pour quiconque valorise le concept de souveraineté de l'individu. C'est la situation que craint Stephen Drake, de Not Dead Yet : trop de pouvoir dans des mains extérieures. Une organisation désintéressée, sans but lucratif et non médicale comme Dignitas – encore que, dirais-je, elle devrait être surveillée de plus près par la communauté – pourrait sans doute servir de modèle.

Malheureusement, je vis dans le vrai monde. Quelques politiques raisonnables ne seront pas d'une grande utilité si la société dans laquelle nous vivons est insensée. Dans une communauté stable fondée sur des principes de souveraineté individuelle, un droit reconnu dans la Constitution, celui de choisir une mort sans douleur, pourrait être une solution sensée. En Chine, où les droits individuels sont sacrifiés au nom d'une manipulation des structures sociales déterminée par l'État, l'euthanasie involontaire pourrait toutefois servir à limiter une population vieillissante ou à mettre fin aux jours de nouveaunés non désirés. Aux États-Unis, où 44 millions de personnes ne bénéficient d'aucune assurance médicale et où une cohorte de baby-boomers vont bientôt entrer dans un système déjà sous pression, on ne peut négliger le risque d'être contraint au suicide assisté et à l'euthanasie pour des raisons financières. En Oregon, cela semble fonctionner ; mais, encore une fois, l'Oregon est depuis toujours le plus suisse des États américains.

Le suicide assisté ne sera pas légalisé dans un avenir proche, tout simplement parce que la plupart des sociétés occidentales ostensiblement séculières sont soutenues par des dogmes plutôt que par la raison. Les États-Uniens doivent prêter serment au drapeau en disant : « Un pays gouverné par Dieu, indivisible, avec la liberté et la justice pour tous. » La Charte canadienne des droits et libertés commence par les mots : « Attendu que le Canada est fondé sur des principes qui reconnaissent la suprématie de Dieu et la primauté du droit… »

(Le préambule de la Charte des droits fondamentaux de l'Union européenne, adoptée en 2000, évite au moins le monothéisme : « Consciente de son patrimoine spirituel et moral, l'Union se fonde sur les valeurs indivisibles et universelles de dignité humaine, de liberté, d'égalité et de solidarité... » Ainsi soit-il.) Lorsqu'un seul Être suprême chrétien est inscrit dans la majorité des documents fondamentaux – et que la moralité personnelle doit se conformer à Ses 10 commandements –, la souveraineté de l'individu n'a pas beaucoup de chance. C'est quand même utile pour expliquer quelques curieuses anomalies. Pourquoi, par exemple, le sexe oral ou anal entre adultes consentants est toujours illégal dans 13 États américains et pourquoi, dans sept États, il est toujours illégal pour les couples non mariés de vivre ensemble.

Nous nous targuons de vivre dans des régimes fondés sur la séparation de l'Église et de l'État. Pourtant, quand surviennent certaines des questions primordiales – le suicide assisté, la peine capitale, le mariage gay, la drogue –, c'est comme si le Siècle des lumières n'avait jamais existé. À vrai dire, nous ne sommes que de vilains enfants, toujours punis par des interdictions paternalistes pour le péché originel de rechercher le fruit défendu.

Après seulement une semaine à Zurich, je compris pourquoi je pouvais marcher dans les rues entouré par des milliers de toxicomanes sans craindre de sentir la lame d'un couteau dans mon dos. Un après-midi, je vis un jeune homme décharné et une femme émerger de la porte arrière d'un immeuble anonyme. Ils avaient les pupilles comme des têtes d'épingle ; ils étaient de toute évidence sous l'influence d'un opiacé quelconque. À la pharmacie au bout de la rue, le pharmacien m'expliqua que cet édifice était l'un des 21 centres de distribution d'héroïne sur ordonnance. Depuis 1994, le gouvernement fournissait gratuitement de l'héroïne de catégorie pharmaceutique aux personnes âgées de plus de 20 ans dépendantes depuis plus de deux ans ; 3000 personnes étaient alors inscrites au programme. L'État offrait également de la méthadone, un opiacé buvable, à effet durable, ainsi que des seringues propres et des lieux où se faire des injections. Ces dépendants pouvaient toutefois acheter de l'héroïne dans la rue, s'ils le voulaient ; peu le faisaient. Pourquoi se donner la peine d'acheter des drogues chères et frelatées quand on pouvait recevoir le produit pur sans débourser un franc ? Et pourquoi voler des CD, agresser des touristes pour leur prendre leur portefeuille ou dévaliser des voitures quand on n'avait pas besoin de payer son revendeur pour avoir sa prochaine dose ? Trois ans après le début des études cliniques, une étude montra que 224 participants, presque le quart, avaient choisi de renoncer à l'héroïne en faveur d'une thérapie par l'abstinence. Dans un référendum tenu en 1997, 77 % des électeurs suisses approuvèrent l'idée de faire du programme de distribution d'héroïne sur ordonnance une politique officielle. La Suisse est peut-être un pays conservateur – un an plus tard, 74 % des électeurs votèrent contre la légalisation de la marijuana et d'autres drogues –, mais, après avoir pendant des années vainement essayé d'enrayer le crime et la dépendance aux drogues, elle avait été capable de faire l'équation : quand des toxicomanes ont besoin d'acheter quotidiennement des drogues à prix fort au marché noir, l'ensemble de la société souffre d'une augmentation de la criminalité et d'une diminution de la sécurité publique. Les Hollandais ont eux aussi fait le rapport : une étude encore plus exhaustive aux Pays-Bas est arrivée aux mêmes conclusions, et l'héroïne sur ordonnance est désormais offerte aux dépendants de longue date. Une étude similaire a été entreprise en 2005 à Toronto, à Montréal et à Vancouver ; aux États-Unis – comment s'en étonner ? –, la DEA s'est assurée que ce genre d'initiative ne verrait jamais le jour.

La nature radicale du programme suisse de distribution d'héroïne ne devrait pas être tenue cachée. C'est le gouvernement qui offre gratuitement à des dépendants des narcotiques illégaux. Non seulement le monde comme les Suisses le connaissent n'a pas sombré dans une anarchie amorale, mais de nombreux dépendants ont renoncé spontanément à leur habitude. Quand l'effort nécessaire pour se piquer dans une veine n'existe plus, il ne reste plus que l'aspect fastidieux de la dépendance.

Les junkies peuvent désormais envisager le sevrage avec moins d'anxiété, sachant pouvoir compter sur le soutien des professionnels de la santé qu'ils ont, au cours de leurs visites quotidiennes, appris à connaître et à considérer comme dignes de confiance. Entre-temps, la société en général récolte le fruit de cet effort : d'un seul coup, la classe des délinquants toxicomanes endurcis responsables de la plupart des crimes contre la propriété a été éliminée – tout simplement parce qu'ils ne sont plus essentiellement des hors-la-loi. En rendant les drogues gratuites – en leur retirant leur valeur marchande –, l'État a par le fait même usurpé le pouvoir des revendeurs et des trafiquants. Lorsque la plus sinistre des drogues, l'héroïne, a cessé d'être un fruit défendu et que l'obtenir est devenu aussi laborieux que de demander un permis de conduire (et ce, chaque… jour… de… votre… vie), son triste pouvoir de séduction a commencé à s'évaporer.

Les critiques soutiennent qu'une telle politique ne peut fonctionner qu'en Suisse ; c'est un petit pays riche, avec relativement peu d'immigration et un réseau bien organisé de services sociaux, non déchiré par le genre de polarisation politique qui rend le juste milieu si difficile à trouver dans d'autres sociétés. Mais on pourrait dire la même chose de la Norvège, et le contraste dans les rues ne saurait être plus frappant. Au début de mes voyages, j'ai vu comment les junkies norvégiens, chassés du parc de la gare ferroviaire par la police, mouraient dans les caniveaux et les édifices abandonnés pendant que la ville débordait d'héroïne bon marché, de qualité dangereusement variable, venue d'Afghanistan. Les drogués, leur santé se désintégrant, se rassemblaient en bandes au coin des rues du centre-ville et faisaient fuir les clients terrorisés des magasins. Comme il fallait le prévoir, avec une politique publique influencée par leur legs luthérien de prohibition de l'alcool et le paradigme de la guerre contre la drogue, les Norvégiens se retrouvaient aux prises avec les terribles problèmes de santé publique qui surgissent chaque fois que les prohibitionnistes prennent le dessus.

Je ne pourrais probablement jamais vivre à Zurich : c'est une ville pratique, et je préfère les endroits plus contrastés.

Cela dit, plus je voyage et plus je vois des sociétés dont les politiques sont déterminées par des dogmes obscurs d'extrémistes, plus j'apprécie l'oasis séculière et raisonnable que représente la Suisse, un pays entier gouverné selon un système d'honneur. Pas un lieu très excitant à visiter, c'est vrai ; mais si la situation devient trop difficile, c'est certainement un bon endroit où chercher asile.

Et si jamais j'apprends que je vais bientôt succomber à une maladie parvenue à la phase terminale, j'ai l'impression que mon dernier achat sera un aller simple à bord de Swiss Air et que ma dernière adresse ici-bas sera le 84 Gertrudstrasse.

« Et pour finir, voici ce que j'ai à dire… Sur les drogues, sur l'alcool, sur la pornographie… En quoi ce que je fais, ce que je lis, ce que j'achète ou ce que je prends dans mon corps vous regarde-t-il tant et aussi longtemps que je ne fais de mal à aucun autre être humain sur cette planète ? Et pour ceux d'entre vous qui éprouvent un petit dilemme moral dans leur tête en se demandant comment répondre à la question, j'y répondrai à leur place. Ce n'est *pas* de vos maudites affaires. Apportez ça à la banque, encaissez-le et allez prendre vos maudites vacances hors de ma vie. »

(Le regretté Bill Hicks, comédien états-unien.)

Épilogue

Les prohibitions, ces lignes que, tout au long de l'histoire on a tracées autour des bouteilles et des comportements, des poudres et des plantes, sont des instruments de pouvoir. Le désir du plaisir sexuel, le besoin de s'évader temporairement par l'ivresse de la conscience quotidienne, le questionnement sur la valeur de son existence, particulièrement quand elle paraît trop douloureuse à supporter, tout cela fait partie de ce que veut dire être humain. La façon dont nous traitons ces questions d'identité graves, primaires, définit notre individualité. En les circonscrivant avec des tabous et des lois prohibitives, la société dénie à ses membres la faculté de se connaître et s'accorde un pouvoir punitif sur la sexualité, la conscience et l'autodétermination – les domaines les plus intimes de l'individualité.

Ce n'est pas pour rien que l'Islam s'est construit en interdisant le vin et le jeu et qu'à peu près toutes les confessions importantes l'ont fait en proscrivant certains types de plaisir sexuel. Ce n'est pas non plus accidentel si, dans la tradition judéo-chrétienne, on recommandait aux archétypes humains de se tenir loin du fruit défendu : cette absurdité de cueillir une pomme inoffensive (et ç'aurait aussi bien pu être une poire, une figue ou une grenade) en révèle beaucoup sur la façon dont le pouvoir aime s'affirmer par des prohibitions arbitraires. Ce fut le serpent, le tentateur de la connaissance, qui convia les humains à leur premier pique-nique. Comme l'a dit Mark Twain : « Adam n'était qu'un humain, ce qui explique tout. Il ne voulait pas la pomme parce que c'était une pomme, il la voulait seulement parce qu'elle était défendue. L'erreur a été de ne pas avoir interdit le serpent ; car alors, Adam aurait mangé le serpent. »

Exactement. Si le plat de résistance du pique-nique du diable avait été le diable lui-même – et avec lui l'idée que la connaissance de soi est une forme de transgression –, cela aurait épargné aux chrétiens et aux juifs d'interminables siècles de recherche de l'âme par la répression d'appétits normaux.

L'idée de faire d'un fruit le symbole de tout ce qui est défendu comporte peut-être une certaine logique. Dans les anciennes fois païennes, le pouvoir était dans les mains des shamans et des sorcières qui interprétaient les connaissances au sujet des plantes. Des *yataris* andines qui mâchaient leurs feuilles de coca jusqu'aux nomades sibériens avec leurs amanites tue-mouches, à chaque époque et sous chaque climat, les plantes furent utilisées et vénérées parce qu'elles pouvaient altérer la conscience. En rompant le lien avec les plantes, les religions monothéistes usurpèrent l'antique connaissance des plantes des païens et interposèrent un nouveau dieu entre l'humanité et la nature. Et, non par hasard, entre l'humanité et la connaissance de soi qu'on peut acquérir en altérant ses états de conscience.

La relation que l'humanité entretient avec les plantes et champignons psychoactifs – le cannabis, le pavot, le tabac, le caféier, le plant de coca, le cacaoyer, le raisin et ses jus fermentés, les champignons hallucinogènes et tous les autres trop nombreux pour être énumérés ici – précède toutes les religions organisées et toute forme existante de gouvernement. Ces végétaux psychoactifs ont la préséance ; ils sont sacrés. Pour élaborer une politique intelligente en matière de drogues, il conviendrait de réfléchir à cette idée, partagée par tant de croyances, que les plantes psychoactives doivent être traitées hors du commerce – offertes en cadeau, en témoignage d'hospitalité, et utilisées à l'occasion de cérémonies pour renforcer les liens de la communauté. Toute autorité qui menace de pénaliser, d'incarcérer ou d'exécuter des gens pour avoir cultivé, cueilli ou consommé des plantes – du chanvre qui pousse au bord des chemins jusqu'aux pavots cultivés – viole un droit humain fondamental.

Faire le *commerce* des substances psychoactives, c'est une autre paire de manches. Si la culture et la consommation de pavot, de tabac et de coca ne devraient pas être des crimes, il y aurait beaucoup à dire en faveur de la pénalisation de la vente d'héroïne, de cigarettes ou de cocaïne à des dépendants ou aux personnes particulièrement susceptibles de le devenir – les mineurs, par exemple. (La même chose devrait s'appliquer au commerce de produits comme les aphrodisiaques de corne de rhinocéros ou le caviar d'esturgeon de la mer Caspienne, des espèces rares ou en danger. Même si les effets immédiats qui découlent de ces actes ne concernent personne d'autre que le consommateur, manger les derniers exemples vivants d'une espèce nuit indéniablement à la planète entière.) Cela ne fait manifestement aucun doute pour toute personne ayant quelque expérience du monde de la drogue vendue au marché noir. Si, pris individuellement, les revendeurs peuvent être tolérables, en général, en tant que personnes profitant de la dépendance, ils sont le rebut du genre humain. En 1970, lorsque le journaliste dingue Hunter S. Thompson, à présent décédé, posa sa candidature aux élections à Aspen, au Colorado, il conçut cette plate-forme singulièrement intelligente : « Le bureau du shérif aura comme philosophie générale qu'aucune drogue digne d'être consommée ne doit être vendue contre de l'argent. Les ventes sans but lucratif seront considérées comme des cas limites et jugées au cas par cas. Mais toutes les ventes lucratives seront sévèrement punies. » Thompson fut malheureusement défait, les cupides, les profiteurs et les spéculateurs restèrent au pouvoir, et la belle idée fut écrasée.

Assurément, une société civilisée n'a pas à légiférer sur un comportement privé dont les conséquences immédiates n'affectent que l'individu concerné, mais le commerce est *loin* d'être un comportement privé. Nous aimons peut-être penser que nous participons à une relation entièrement privée et consensuelle quand nous achetons un produit ou un service, mais le potentiel de fraude et de tromperie de la part des fabricants et des vendeurs est trop important pour ce soit autre chose qu'une de ces fictions utiles au capitalisme. C'est pourquoi la plupart des gens reconnaissent qu'une communauté civilisée a le droit d'intervenir dans le négoce : exiger que les compagnies de boissons gazeuses indiquent sur leurs bouteilles la présence de caféine et d'autres substances causant la dépendance, que les compagnies de tabac informent des dangers potentiels pour la santé causés par les cigarettes, que les distilleries ne commercialisent pas d'alcools forts destinés aux jeunes et que les fabricants de VUS installent des coussins d'air dans leurs machines meurtrières.

La république fondée sur la raison proposée par les libertaires – des gens comme l'économiste états-unien Milton Friedman et le psychiatre Thomas Szasz, qui veulent un marché de la drogue libre et non réglementé – est une absurdité. Quiconque a déjà été dépendant de la cocaïne, des amphétamines ou de l'héroïne a une sagesse que les lauréats de prix Nobel n'auront jamais : les drogues ne sont pas un produit comme un autre sur le marché, comme des gadgets ou des MP3, elles ne sont pas soumises aux lois universelles de l'offre et de la demande. Pour citer l'auteur William S. Burroughs à propos de l'héroïne : « La dope est le produit suprême, la marchandise n'est pas vendue au consommateur, c'est le consommateur qui est vendu au produit. » L'idée que les usagers parviendront d'une façon ou d'une autre à contrôler leur consommation et à rejeter sagement les produits dangereux ne tient pas compte de l'aspect insidieux de la dépendance ni des effets que des produits comme le tabac et l'alcool auront plus tard sur la santé – ils peuvent tuer leurs usagers après 40 ou 50 ans de consommation. Cette idée ne tient pas non plus compte du raffinement de l'industrie des drogues douces et pharmaceutiques, qui ne cesse d'inventer de nouvelles drogues de synthèse incroyablement puissantes. Un adulte devrait-il pouvoir aller à la pharmacie et acheter ouvertement une bouteille d'étorphine, un opiacé 10 000 fois plus fort que la morphine (très utile quand on doit calmer un rhinocéros ou empoisonner le réservoir d'une ville) ? Un jeune de 19 ans devrait-il pouvoir se procurer un paquet de cigarettes à la cocaïne ou aux métamphétamines au dépanneur de son quartier ?

Ce ne sont pas là des questions farfelues ou rhétoriques : des compagnies ont déjà essayé de conquérir le marché de la dépendance. En 1886, la compagnie pharmaceutique Parke-Davis commercialisa des cigares corsés à la coca. En Angleterre, des détaillants comme Harrods et Savory & Moore proposaient des paquets cadeaux de morphine et de cocaïne, « un présent utile pour des amis au front », au début de la Première Guerre mondiale. En 1969, un groupe de travail sur les nouveaux produits créé par la compagnie J. Walter Thompson recommanda à la compagnie de cigarettes Liggett & Meyers de fabriquer des « bouchées de bétel » ; selon ce groupe, comme des millions d'Africains et d'Asiatiques étaient dépendants de ce stimulant – qui tache les dents –, on pouvait s'attendre à des profits énormes sur le marché intérieur.

« Quand les drogues psychoactives sont largement disponibles, qu'elles font l'objet d'une importante promotion et qu'elles sont bon marché, elles deviennent extrêmement populaires, particulièrement quand elles peuvent entraîner l'habitude », fit remarquer l'historien de la drogue David Courtwright dans son ouvrage *Forces of Habit*. Pour appuyer ses dires, il évoqua les marchands de fourrures qui vendaient du whisky aux Amérindiens, les Britanniques qui vendaient de l'opium indien aux Chinois et Buck Duke, de British American Tobacco, qui rendit le monde entier accro au tabac de la Caroline du Nord. Offrir aux principales compagnies un marché libre dans le domaine des substances addictives équivaudrait à réduire le monde en esclavage chimique.

En principe, la relation ancienne et sacrée entre l'humanité et les plantes psychoactives devrait être plus forte que toutes les prohibitions. Lorsqu'il s'agit d'établir la nocivité de nouvelles substances, comme les drogues de synthèse, le fardeau de la preuve devrait toujours incomber au gouvernement législateur, et la préférence devrait toujours être accordée au droit de l'individu de les consommer. Mais si une communauté civilisée n'a pas le droit de jeter ses membres en prison ou de leur infliger une amende pour avoir fumé un joint, bu du vin de messe ou obtenu un poison pour se suicider, elle a certainement le devoir de réglementer le *commerce* de substances potentiellement néfastes. Par exemple, pour protéger le consommateur, lorsqu'un fromage est fortement susceptible d'être porteur de listeria, il faudrait probablement l'indiquer sur l'emballage et il faudrait inspecter les fromageries, les fermes, les restaurants et les supermarchés. Il serait sage de vendre les barbituriques, et d'autres médicaments potentiellement fatals lorsque consommés en surdose, sur ordonnance seulement; et nous devrions sans doute être informés que notre boisson gazeuse contient de la caféine risquant de nous rendre dépendants pour le reste de notre vie. Si une compagnie tire profit de la vente d'une substance dont l'usage ou l'abus peut faire du tort aux consommateurs, une communauté a pleinement le droit d'intervenir dans la transaction pour protéger ses membres. Il reste à savoir dans quelle mesure, et c'est cette question qui devrait faire l'objet de débats; dans presque tous les cas, nous devrions opter pour l'accommodement plutôt que pour la prohibition. Très souvent, il devrait être suffisant d'informer les consommateurs de la présence possible d'agents pathogènes dans le bœuf haché, des dangers que la cigarette ou la marijuana représentent pour la santé. (Et pour ce qui est de fumer dans des endroits publics, pourquoi ne pas accorder un certain nombre de permis de bars fumeurs? Ces endroits seraient clairement identifiés afin que tout le monde sache où il entre avant d'ouvrir toute grande la porte du saloon.)

Les drogues utilisées à des fins non commerciales – le peyotl par l'Église amérindienne, le penthiobarbital par des organisations sans but lucratif comme Dignitas, l'héroïne gratuite par les toxicomanes zurichois – devraient constituer une tout autre catégorie. Tant et aussi longtemps qu'il n'y a pas de contrainte et que les gens sont conscients de ce qu'ils font, une communauté ne devrait pas avoir un mot à dire sur ce que ses membres décident librement de mettre dans leur corps. Ce n'est donc pas en légalisant les drogues addictives (ce qui veut maintenant dire les jeter dans un marché libre et laisser le gouvernement les taxer au maximum) que nous réglerons la guerre contre la drogue ni en les décriminalisant (autrement dit en refilant la responsabilité à d'autres et en maintenant le vide juridique), mais en cessant de les considérer comme des marchandises. Les drogues psychoactives ne doivent pas être traitées comme telles. À cause de leur histoire sacrée, de leur pouvoir de guérir, de causer l'ivresse et la dépendance, elles appartiennent à une catégorie totalement à part. Dans le milieu médical, quelqu'un – à part les dirigeants des multinationales pharmaceutiques – pense-t-il que les médicaments contre le sida, l'insuline et les pilules contre la malaria devraient être vendus plus cher que le prix coûtant aux pays les plus pauvres et les plus désespérés ? De même, quelqu'un devrait-il profiter de la vente de substances pouvant rendre leurs consommateurs dépendants et détruire leur santé ?

Actuellement, il est difficile d'agir à propos du plus mortel et du plus addictif des psychoactifs, la nicotine. Loin de retourner aux cigares, aux pipes et au tabac cérémoniel des Amérindiens, la politique sociale consistant à limiter le nombre de lieux publics où les gens peuvent fumer semble être à la fois une approche efficace pour réduire la dépendance et philosophiquement défendable. Il est également impossible de changer le statut de l'alcool. Les viticulteurs du Bordelais et les distillateurs des Hébrides ont consacré trop de siècles à perfectionner leurs marchandises pour accepter un jour de les offrir gratuitement. Mais seule une petite minorité de consommateurs deviennent dépendants. C'est la même chose pour les drogues douces – notamment la marijuana, la coca, le thé de pavot, le khat et, je dirais, les drogues hallucinogènes comme le LSD et les champignons magiques. Ces drogues dérivées de plantes devraient alors être mises dans la même catégorie que l'alcool, c'est-à-dire vendues aux adultes à un prix proche du prix coûtant et taxées comme n'importe quel autre produit du commerce, comme on le fait actuellement à Amsterdam.

Retirer la valeur pécuniaire de la panoplie actuelle des drogues interdites, particulièrement celles qu'on appelle les drogues dures, en les offrant gratuitement à la population dépendante existante – comme les Suisses l'ont fait avec l'héroïne – pourrait également avoir des effets secondaires intéressants. Les revendeurs et les trafiquants – les Hells Angels, les seigneurs de guerre afghans, les cartels colombiens – devraient alors se chercher un autre travail. Soudain, il n'y aurait plus de guerres de gangs, les gens cesseraient de se tirer dessus pour des rivalités de territoire. Grâce aux sites d'injection supervisés et aux seringues propres, nous assisterions à une réduction immédiate du VIH, de l'hépatite et des surdoses. Les moyens de distribution pourraient ressembler à ceux de la Suisse : visites quotidiennes stériles et sans prestige à des cliniques où se piquer serait à peu près aussi désagréable que d'aller au Vinmonopolet dans quelque ville norvégienne isolée ; les usagers seraient informés qu'ils ne peuvent se piquer, fumer ou renifler que sur place. À part cela, aucune condition. On offrirait par contre beaucoup de soutien, reconnaissant que les usagers sont aux prises avec ce qui est peut-être un problème transitionnel avec la dépendance : ceux-ci pourraient compter sur un personnel médical formé qui les orienterait vers des programmes de traitement, des cliniques de désintoxication, des thérapeutes et des groupes de soutien.

Vraiment. Tout cela aurait beaucoup de sens. Mais je ne retiens pas mon souffle. Les drogues ne sont pas à la veille d'être décriminalisées, et encore moins d'être offertes gratuitement. En fait, avec la montée, partout dans le monde, des fondamentalismes chrétien et islamique – deux croyances monothéistes dont les mythes essentiels tournent autour de pommes et de raisins fermentés défendus –, une approche sensée visant à lever les prohibitions semble plus improbable que jamais.

Si on pouvait me prouver que les prohibitions sont efficaces et qu'elles empêchent vraiment les gens de consommer des produits dangereux, je pourrais envisager de réviser ma position. Mais, tout au long de l'histoire, interdire des choses, en particulier des drogues, a eu ces trois conséquences principales : rendre la chose interdite plus puissante et, comme elle n'est soumise à aucune réglementation, plus mortelle ; gonfler artificiellement les prix, créant, dans le milieu criminel, des fortunes qui peuvent servir à l'achat d'armes et à financer des guerres intestines; et faire de la prohibition même une institution qui s'autoperpétue, de sorte que les monopoles et les organismes de mise en application – que ce soit la DEA états-unienne, le Bureau central des narcotiques de Singapour ou les services douaniers partout dans le monde – finissent par avoir autant intérêt à maintenir un statu quo malsain que la mafia italienne, l'ETA basque ou l'armée républicaine irlandaise.

Les prohibitionnistes aiment citer l'épidémie d'opiomanie qui se répandit dans la société chinoise au XIXe siècle comme l'exemple classique de ce qui peut arriver quand les drogues sont vendues librement. En réalité, le phénomène se produisit alors que la prohibition battait son plein : le gouvernement chinois avait complètement interdit l'importation, la vente et la consommation de l'opium; mais les Britanniques étaient très, très doués pour faire entrer clandestinement la drogue au pays. (Ce n'est qu'en 1917 que les Anglais cessèrent d'alimenter le marché de Shanghai en produits de contrebande : la pipe et l'opium furent aussitôt remplacés par la seringue et la morphine, cette dernière étant beaucoup plus puissante et facile à faire passer en contrebande.) Aujourd'hui, avec la prohibition à l'échelle planétaire, on consomme plus de drogues que jamais dans l'histoire de l'humanité. Depuis que Ronald Reagan a déclaré la guerre contre la drogue en 1981, Washington a dépensé au moins 300 milliards de dollars pour ce combat. Entre-temps, la production d'héroïne a triplé et celle de la cocaïne a doublé dans les années 1990. Les États-Unis, en particulier, vivent une épidémie de consommation de drogues psychoactives sans précédent. En 1905, lorsque les narcotiques étaient encore légaux aux États-Unis, qu'on pouvait les obtenir par commande postale et à la pharmacie, moins d'un tiers de un pour cent de la population consommait de la cocaïne, de l'héroïne et d'autres opiacés. De nos jours, le chiffre est plus près de 1,6 % – 4,3 millions de consommateurs de drogues dures, et ce nombre ne tient pas compte des prisonniers et des gens dépendants de médicaments durs obtenus sur ordonnance comme le Xanax, un calmant, l'OxyContin, un opiacé résistant, ou le Ritalin, une puissante amphétamine. Bref, 77 millions d'États-Uniens – le tiers de la population adulte – admettent avoir déjà consommé une drogue illégale au moins une fois dans leur vie. Et voilà pour l'efficacité de la guerre contre la drogue.

Je ne dis pas cela pour nier le danger de certaines drogues et la tragédie de la dépendance. Des sociétés furent dévastées par des épidémies de nouvelles toxicomanies – qu'on pense au gin dans l'Angleterre urbaine du XVIIIᵉ siècle ou, de nos jours, au *crystal meth* dans les régions rurales états-uniennes – et des vies seront encore ruinées par des épisodes d'abus et de dépendance. Il reste à savoir si la société est disposée à réduire le mal associé à la nouvelle marotte – et à offrir de l'aide à ceux qui y succombent – ou si elle continuera de les poursuivre et de les punir, avec toute la frénésie de ses fondamentalismes inavoués, pour ce qu'elle perçoit comme une faiblesse morale.

Pour ma part, j'ai voyagé pendant un peu plus d'un an pour tester une variété de produits enivrants un peu partout dans le monde, et j'ai l'air d'avoir survécu à cette expérience sans succomber à rien de pire qu'une brève dépendance aux Nat Sherman. Au début de la vingtaine, je suis passé par une période de frivolité et de dépendance, avec une prédilection pour les opiacés – codéine, morphine, héroïne, méthadone, parégoriques, tout ce sur quoi je pouvais mettre la main. Quand je n'en avais pas, je me contentais d'alcool et de calmants. Cet épisode s'est prolongé plus longtemps qu'il n'aurait dû, ponctué d'une attaque de mononucléose, de plusieurs infections par les champignons, d'une surdose et, pour finir, d'une crise d'épilepsie. Je crois encore que la prohibition a failli me tuer. Rien de tout cela ne serait arrivé si j'avais eu accès à des drogues plus douces ou moins frelatées ; il était difficile d'obtenir de l'aide médicale, car, à cause de la prohibition, je considérais les médecins comme des ronchons qu'on pouvait amener, en les dupant, à rédiger des ordonnances d'analgésiques et de calmants. (Et les médecins me considéraient indubitablement comme un casse-pieds à éjecter de leur bureau le plus vite possible.)

D'autres personnes de mon entourage ont eu moins de chance : elles sont mortes du sida, ont contracté l'hépatite C, se sont retrouvées avec un dossier criminel ou sont devenues des sans-abri. Dans mon cas, la dépendance aurait sans doute duré moins longtemps si franchir la frontière avait paru moins glamoureux et s'il n'avait pas été impossible d'en parler à cause de la diabolisation de la consommation des drogues. (Combien de personnes ont fait une croix sur des amis, par crainte de se faire voler ou blesser, en apprenant que ceux-ci se droguaient ? Réciproquement, combien de drogués mentent à leurs proches, perdant par le fait même tout espoir de recevoir une aide efficace, par crainte d'être ostracisés ?) Ma consommation n'aurait certainement pas eu des conséquences aussi graves sur ma santé si j'avais eu accès à des versions plus douces des drogues dures. Je me souviens que, lorsque l'héroïne vint à manquer sur le marché local, nous avons été bien contents de nous concocter des infusions de coquelicot – même si les terrains vagues ont été trop rapidement moissonnés pour que ce devienne une solution de rechange fiable. Et, heureusement, à l'époque où je consommais le plus, ma ville offrait un centre d'échange de seringues, ce qui m'a probablement épargné de contracter le VIH et l'hépatite C ou d'attraper des abcès en utilisant des seringues émoussées. J'ai fini par me retrouver à l'hôpital, en proie à des convulsions, puis j'ai arrêté, sevré, convaincu – en partie par le discours qui dominait dans les années 1990 – que mon seul espoir de salut résidait dans l'abstinence totale. J'ai même participé à quelques meetings des Toxicomanes Anonymes, où la consommation était diabolisée par des histoires d'horreur continuellement répétées. Mais je me suis vite lassé d'entendre parler des Puissances supérieures et des clichés de la confession et j'ai de moi-même cessé de fumer, de boire, de me droguer – et même de manger de la viande rouge – pendant 10 ans.

J'ai cependant découvert que certains aspects positifs de l'ivresse me manquaient : le temps d'arrêt que nous procurent quelques verres ou l'altération salutaire de l'état de conscience qu'on peut trouver dans la consommation occasionnelle de produits plus forts. Il est toutefois bon de savoir si l'on est vraiment alcoolique, mangeur compulsif, boulimique ou porté à la dépendance à l'héroïne ou à la cocaïne. Certaines personnes sont pourvues d'une sorte de bouton d'allumage – quand elles commencent à s'enivrer, elles ne peuvent plus s'arrêter – et les histoires dramatiques de leur déchéance et du mal qu'elles infligent à leurs amis et à leur famille dominent souvent le discours sur la toxicomanie. Mais ces personnes forment une minorité : la plupart des gens ne consomment pas continuellement, la gueule de bois ou le manque, la torpeur ou la nervosité exerçant sur elles un effet de dissuasion naturel.

Il existe, après tout, un juste milieu entre l'abstinence et l'excès : on appelle cela la modération, et une fois qu'on est sorti de la démesure post-adolescente, elle devient beaucoup plus accessible. Pour l'atteindre, il faut avoir une certaine dose de maturité et de connaissance de soi ; malheureusement, dans un contexte où la prohibition est le paradigme dominant à l'échelle mondiale, où des lois paternalistes nous gardent dans une adolescence attardée en proclamant nous protéger de nous-mêmes, la majorité des gens sont même incapables de penser en nuances de gris. Depuis que la loi Harrison de 1914 a déclenché la prohibition mondiale de la drogue, la consommation est devenue un problème en blanc et noir. On est soit du bon côté de la frontière, soit dans un monde de honte, pique-niquant avec le diable.

Dans quel état cela me laissait-il ? Exaspéré. Curieux. Et un peu circonspect. « Il est dangereux, observait Voltaire, d'avoir raison quand les autorités constituées ont tort. » Le vieil humaniste s'installa en Suisse – plus exactement à Ferney, près de Genève –, mais sans doute un peu prématurément ; car il déplorait d'être pourchassé par les dandys et les milords qui faisaient leur grand tour de l'Europe et venaient le regarder comme s'il était une « bête sauvage ».

Pour l'instant, je suis encore assez jeune pour être amoureux du monde, du désordre et de l'irrationalité de ses idéologies désuètes et contradictoires. Le jour viendra peut-être où je serai forcé de chercher un refuge. Je sais déjà que ce ne sera pas en Suisse – même si elle se rapproche d'une république fondée sur la raison, cette vieille démocratie de coucous et d'abris antiaériens me paraît un tantinet ennuyeuse et paranoïaque, et plus qu'un peu suffisante. Ce ne sera pas non plus en Norvège ni à Singapour où, par le biais de politiques prohibitives, des touche-à-tout paternalistes infantilisent leurs citoyens qui finissent par adopter des comportements vraiment bizarres. J'ai déjà vécu en France et même si j'adore ses fromages, ses chocolats et ses vins, la culture gauloise est depuis peu devenue tellement stagnante, raide et confite dans sa gloire passée que j'aurais peur de souffrir prématurément d'arthrite. Pour ce qui est des États-Unis, je pourrais supporter San Francisco – si toutefois cette ville en fait partie –, où, malgré l'ambiance côte-ouest-collet-monté, on montre une certaine ouverture d'esprit à l'égard du tabac ou de la recherche du plaisir. Je ne crois pas pouvoir habiter à Manhattan, le nouveau Singapour des Amériques, une île-État entourée de grilles et gouvernée par des maires nounous pour le bénéfice de courtiers en bourses et de bohémiens de fonds en fidéicommis. Je fonde de grands espoirs sur le Canada, qui semble accomplir toutes sortes de choses raisonnables, comme permettre le mariage gay, offrir des drogues gratuites aux toxicomanes et décriminaliser *de facto* la possession de marijuana. Mais, honnêtement, l'hiver y est un peu trop frisquet à mon goût.

Quand, comme le Candide de Voltaire, je serai fatigué de tout, je suis assez sûr que je me dirigerai en droite ligne vers l'Espagne nonchalante, anachronique et paradoxale. Je pourrais certainement vivre dans un pays où on ne perd pas son temps à abreuver d'injures ceux qui fument dans des lieux publics, où on ne prend pas la peine de poursuivre des citoyens qui consomment des drogues en privé ou qui mangent des *criadillas*, où la devise, tant dans la tournée des grands-ducs que dans la vie, est: *Poco, a menudo*, « Peu à la fois, mais souvent ».

Je trouverai sûrement une belle petite maison à pignons en Galice, où j'apprendrai à manger des cédrats confits et des pistaches, à m'offrir des petits plaisirs comme cultiver un jardin.

Ce sera un potager tout simple, mais j'y réserverai amplement d'espace pour faire pousser de la coca, du tabac, de l'armoise, du cannabis et des pavots. Quand des visiteurs se présenteront, ils pourront s'attendre à être conviés à un pique-nique, et je leur offrirai – sans jamais rien leur demander en échange – mon absinthe maison et une infusion de feuilles de coca de mon jardin, en gage d'hospitalité.

Dans un coin sombre, à côté des amanites tue-mouches, le visiteur observateur remarquera peut-être que j'aurai semé un petit terrain de belladone et de ciguë, au cas où j'aurai besoin de partir vite.

Après tout, même dans un éden personnel, il faut rendre au diable son dû.

Table

Cet ouvrage composé en Goudy corps 12 a été achevé d'imprimer au Québec
le six novembre deux mille huit sur papier Quebecor Enviro 100 % recyclé sur les
presses de Quebecor World à Saint-Romuald pour le compte de VLB éditeur.